Антон Леонтьев

Хозяйка Изумрудного города

Москва
ЭКСМО
2004

УДК 882
ББК 84(2Рос-Рус)6-4
Л 47

Оформление серии художника *А. Саукова*

Серия основана в 2003 г.

Леонтьев А. В.
Л 47   Хозяйка Изумрудного города: Роман. — М.: Изд-во
Эксмо, 2004. — 384 с. (Игры богов).

ISBN 5-699-04452-3

Изабелла проделала головокружительный путь от воспитанницы
монастыря до президента небольшой латиноамериканской страны.
Сбылось то, о чем она даже мечтать не могла, но только теперь Изабелла поняла, что это не принесло ей счастья, ведь Алекс — ее единственная любовь — возглавляет армию сепаратистов и, значит, находится по
другую сторону баррикад. Бесстрашная госпожа президент готова на
все, чтобы быть с любимым, но неожиданно на ее пути возникает Наталья, родственница из России, о существовании которой Изабелла даже
не подозревала. Судьба сыграла изощренную шутку: ведь Изабелла и
Наталья невольно повторяют судьбу своих бабушек, сводных сестер,
между которыми в начале века, когда Россию закрутил вихрь войн и ре-
волюций, тоже бушевали нешуточные страсти из-за мужчины...

УДК 882
ББК 84(2Рос-Рус)6-4

Когда боги желают наказать человека, они исполняют все его мечты...

Софокл

КРАТКАЯ СПРАВКА

Республика Коста-Бьянка (Republica de Costa Bianca) — государство на Южноамериканском материке... Площадь 578,17 тыс. квадратных километров... Население 28,8 миллиона человек (согласно последней переписи населения в 1994 году)... Столица — Эльпараисо (4,5 млн. жителей)... Официальный язык — испанский...

Государственный строй: суперпрезидентская республика. Согласно Конституции, принятой всенародным голосованием 11.03. 1969, главой государства является президент, избираемый всенародным голосованием на пять лет...

Население: потомки испанских завоевателей (ок. 56%), коренное население — индейцы (ок. 10%), негры (24%), метисы (ок. 7%) и др.

Официальная религия: католицизм (99,3%). Примас католической церкви в Коста-Бьянке — архиепископ Эльпараисский.

Экономика: страна богата полезными ископаемыми (апатиты, изумруды, нефть). С сельскохозяйственной точки зрения важную роль играет экспорт кофе, какао, сахарного тростника, бананов... Страна относится к экономическим лидерам Южной Америки, хотя не лишена типичных для этого региона противоречий — экономическая (берущая свое начало от политической) нестабильность, отсутствие долгосрочных инвестиций, слабая банковская система, большая зависимость от крупных иностранных концернов, пропасть в социальном плане между богатыми (ок. 2% населения) и малоимущими, отсутствие так называемого «среднего класса», резкий контраст между крупными мегаполисами и провинцией, исключительное влияние финансовой и индустриальной олигархии. Экономическим центром является Эльпараисо, один из красивейших городов Южной Америки...

История: открыта Христофором Колумбом во время его 4-го путешествия 28 июля 1502 года и провозглашена территорией испанской короны под названием Costa Blanca (исп. «белый берег») по причине белого цвета пляжа, где высадилась команда Х. Колумба. В период с 1569 по 1573 год прибрежные районы находились под властью итальянского корсара Бенедито Альзорно, который переименовал Costa Blanca в Costa Bianca («берег Бьянки») в честь своей возлюбленной по имени Bianca. После окончательного низвержения Б. Альзорно и его смерти во время осады крепости Санкто-Луаре в ноябре 1573 года снова под властью Испании, однако новое название Costa Bianca становится все более распространенным и с середины XVII века является официальным... Получила независимость от Испании в 1819 году... Политические и социальные реформы впервые предприняты президентом О. Канакасом (1848—1854)... С середины тридцатых годов XX века характеризуется политической нестабильностью, частыми переворотами, военной диктатурой и путчами...

(Выдержки из статей «Большой энциклопедии Коста-Бьянки», изданной в 1996 году в Лондоне оппозиционными силами.)

ПРОЛОГ

Эльпараисо, столица Республики Коста-Бьянка,
1 августа 2001 года

Полукруглый зал освещали факелы. В огромном камине полыхали тигровые языки пламени. Изабелла находилась на подземном уровне президентского дворца.

Ее окружали враги. Они собирались ее убить. Для этого и был затеян весь скорый и неправый суд, пародия на подлинный процесс. Они хотели одного — приговорить ее к смерти. И как можно быстрее привести приговор в исполнение.

Группа из нескольких военных, возглавляемых смуглым человеком в белоснежной маршальской форме с массой орденов и золотисто-зеленой лентой, президентской регалией, возвышалась над столом.

Изабелла чувствовала разлитый в подземном зале страх. Они боятся ее, они боятся самих себя. Заговорщики трусливо, по-крысиному, хотят убить ее, зная, что иначе им не справиться с ней.

Один из военных протянул маршалу кожаную папку. Тот раскрыл ее и стал торопливо читать приговор, сверстанный за пятнадцать минут.

Тихо стрекотали видеокамеры, которые запечатлевали происходящее. Они хотят доказать всем, что она на самом деле мертва, подумала Изабелла, поэтому и ведут съемку. Они боятся, что люди не поверят в ее смерть. Они боятся, что объявится новая Изабелла.

Они боятся...

И она тоже боится. Умереть в двадцать восемь лет — быть расстрелянной за преступления, которых не совершала?

— Постановлением военного суда вы, Изабелла Вероника Мария Баррейро ди Сан-Стефано, бывшая президент Республики Коста-Бьянка, за многочисленные преступления против законности и народа нашей страны приговариваетесь к смертной казни. Приговор будет приведен в исполнение немедленно!

Он с треском захлопнул папку и швырнул ее на стол.

— Вот и все, Изабелла, — сказал маршал. — Ваше шоу окончилось. Вы сами станете к стенке или я прикажу моим подчиненным заставить вас сделать это?

Изабелла поняла, что выхода нет. Ей осталось жить всего несколько минут. Все ее мечты сбылись. Настало время платить за их осуществление.

— Мне не требуется ваша помощь, чтобы умереть, — ответила Изабелла.

— Прошу вас, госпожа экс-президент, — маршал стал сама любезность. — Вы отказались от услуг падре. Поэтому нет причин откладывать казнь.

Маршал, новый самопровозглашенный президент страны, подписал смертный приговор, свои подписи поставили и другие судьи. Тем временем в зал вошло пятеро вооруженных солдат.

— К стенке, госпожа Изабелла Баррейро ди Сан-Стефано, — сказал маршал. — Достаточно разговоров.

Изабелла прошла к противоположной стенке, прижалась к бетону и замерла. Она отказалась от черной повязки на глаза. Руки, заведенные за спину, были скованы наручниками.

— Как она великолепна, — вырвалось у одного из судей невольное восхищение Изабеллой.

Изабелла, в тонком белом платье, с высоко поднятой головой, гордым взглядом спокойно смотрела на солдат. Маршал произнес:

— Приготовиться!

Солдаты направили на нее оружие.

— Прощайте, Изабелла, — рассмеялся маршал-президент и добавил: — Огонь!

Хозяйка Изумрудного города

КНИГА ПЕРВАЯ

ЕВГЕНИЯ И НАДЕЖДА
ГОДЫ 1894—1972

— Я пришла, чтобы убить тебя, — произнесла Евгения. Она шагнула через порог и оказалась в темной, пропитанной сыростью комнате. — Вот зачем я здесь. Ты разрушила мою жизнь и мою любовь, Надежда, и ты это знаешь.

Женщина по имени Надежда, к которой она обратила эти слова, кривовато усмехнулась. Ну что же, Евгения в своем репертуаре. Евгения — ее сестра. Слава богу, что не родная, а только сводная по отцу.

Они всегда были соперницами. Хотя какая для нее Евгения соперница — полноватая в юности, она к концу третьего десятка превратилась в рыхлую, толстую бабу. Узкие глазки, плохая кожа. Никто не спорит, у нее есть ум, но ум — это то, что мужчины предпочитают не замечать у женщины.

Евгения, одетая наверняка у лучшего портного, в модном костюме, мехах и шляпке, выглядело убого.

Надежда, облаченная в старое замызганное платье, смотрелась великолепно. Евгения закусила губу. Она всегда и во всем проигрывала сестре. С самого начала...

Они когда-то обожали друг друга, но постепенно любовь перешла в откровенную вражду и ненависть. Она смогла бы простить Надежде многое — любовь отца, которая достава-

9

лась целиком ей, веселые праздники, которых сама Евгения была лишена, успех у мужчин.

Она не простит ей смерть Сергея. Та украла у нее мужа, убила его. И вот она сама пришла к ней, чтобы лишить ее жизни.

— Ну что же, проходи, — сказала Надежда и скрылась в единственной жилой комнате крошечной меблированной квартирки, которая служила ей одновременно спальней, столовой и ванной.

Они находились в Гамбурге, на Рипербане, в районе «красных фонарей». Завершался сентябрь 1923 года...

Не ожидая подобной реакции, Евгения покорно проследовала за Надеждой. Даже сейчас, в такой ответственный момент, она не может решиться на серьезный шаг. Надежда не воспринимает ее всерьез.

Комната, в которой обитала Надежда, была обставлена более чем скромно: старая мебель, вместо кровати — заплатанный матрас, на кособоком деревянном столе — остатки скудного ужина. И тем не менее...

И тем не менее Надежда выглядела как королева в изгнании — прозрачная кожа (от недоедания) была тем недостижимым идеалом, к которому Евгения стремилась, посещая лучших косметологов и врачей. Тонкая фигура (от двухразового питания) поражала совершенными пропорциями, лучистые глаза... Она не только не растеряла красоту, но и приумножила ее.

— Извини, что не могу предложить тебе ничего перекусить, — сказала Надежда, в упор рассматривая сестру, которая, переминаясь с ноги на ногу, походила на карикатуру в сатирическом журнале — слишком большая, слишком нелепая, слишком некрасивая. — Мы питаемся максимум два раза в день, — продолжила Надежда. — Но в самом скором времени, я знаю, это изменится.

— О да, — произнесла Евгения, прижимая к груди сумочку из крокодиловой кожи. — Я обещаю тебе, дорогая сестра, что все изменится...

— Как я поняла, ты пришла вовсе не затем, чтобы предложить нам помощь, — словно не замечая сестры, говорила Надежда. — Ты собираешься убить меня? И ты,

Женя, думаешь, что это поможет? Это воскресит Сергея, сделает тебя счастливой?

Евгения много раз на протяжении мучительно-долгих для нее лет, которые прошли после смерти Сергея, задавалась этим вопросом, и каждый раз ответ звучал одинаково — прошлого не вернуть. Но именно Надежда была виновна в его смерти, такой нелепой и такой страшной. Она отняла у нее Сергея дважды — первый раз, когда стала его любовницей, любовницей мужа собственной сестры, и второй раз, когда толкнула его в бездонную пропасть смерти.

— Ну что же, приступай, сестра. — Надежда чиркнула серной спичкой. Тонкий огонек, зашипев, взвился на дешевой папиросе. Надежда с наслаждением затянулась.

Евгения столько раз проигрывала в воображении этот момент — она наконец-то найдет Надежду и отомстит ей за все — за унижение, за растоптанную любовь, за погасшие чувства и убитого по ее вине мужа. Каждый раз она выходила победительницей из схватки с сестрой. Но это были всего лишь мечты. Мечты, которые никогда не сбываются.

И вот — она стоит напротив Надежды, которая сидит на стуле, купленном на блошином рынке. Но сколько очарования, сколько самоуверенности, как будто Надежда, облаченная в шикарное бальное платье, находится во дворце, на обитом малиновым бархатом позолоченном пуфе, а ее окружают многочисленные воздыхатели. Так было когда-то.

Совсем недавно... До переворота, который разрушил их устоявшуюся жизнь. Но ведь их жизнь была разрушена еще раньше, до того, как отрекся император, до того, как к управлению пришла новая власть.

Они сами разрушили свою жизнь. Они вместе — Евгения и Надежда.

А что на самом деле? Надежда живет в бедном квартале Гамбурга, около самого порта, рядом с притонами проституток и прочего человеческого отребья.

— Ну что же ты медлишь, Женя? — произнесла Надежда, медленно смакуя папиросу. Ей приходилось курить непомерную мерзость, но на большее не было денег.

Евгения, приободренная словами сестры, не замечая ее издевательского тона, распахнула сумочку. Руки предательски дрожали, она ужасно волновалась, слезы застилали глаза. Она ведь любит Надежду, несмотря ни на что, она ее любит. Она — ее единственная сестра. Больше у нее никого нет.

Петербург, шикарный особняк на Фонтанке, старая верная Ляша, их горничная, ставшая членом семьи — все это осталось в прошлом. В далеком прошлом, в которое нельзя вернуться.

Перед ними расстилалась неизвестность, помноженная на бесконечность. Евгения уронила сумочку, револьвер вылетел на грязный пол. Она приобрела его давно, обменяв мешок муки на оружие. В то время на юге России это значило очень много. Она купила его, чтобы убить Надежду. Эта мысль преследовала ее с того самого момента, как она узнала о гибели Сергея.

Схватив револьвер, Евгения выпрямилась. Надежда в вольготной позе сидела перед ней. Она ничего не боится, как будто не воспринимает угрозу всерьез. Евгения поразилась: она пришла, чтобы убить ее, а та даже не шелохнется, чтобы защититься.

— Ты хоть очки поправь, — произнесла Надежда.

Евгения вспыхнула, сестра всегда отпускала шутки насчет ее близорукости и очков с толстенными стеклами, которые она была вынуждена носить с самого детства.

— Вдруг промахнешься, когда будешь меня убивать.

— Ты думаешь, у меня не хватит смелости, — убеждая в первую очередь саму себя, произнесла внезапно севшим голосом Евгения. — Я умею стрелять, я...

— Охотно верю, — сказала Надежда и поправила прическу. — У меня будет последнее слово, Женя, или ты разнесешь мою голову вдребезги сию секунду?

С улицы доносились крики, ругань, треньканье трамвая, гудки пароходов. Огромный город жил своей жизнью, не замечая миллионов трагедий, которые ежесекундно происходили в душе почти каждого из его обитателей.

Хозяйка Изумрудного города

— Говори, — сказала Евгения, чувствуя, что ненависть, которую она питала к Надежде, испарилась. Она не сможет нажать на курок, как бы этого ни хотелось. Она слишком слабая, изнеженная, мягкотелая. И Надежда это знала. Ей самой не составляло труда убить человека, она это и сделала на глазах Евгении в далеком восемнадцатом.

— Спасибо, — ответила Надежда. — Опусти оружие, а то можешь с перепугу нажать на курок, и тогда точно случится непоправимое. Запомни, ты виновна в смерти Сергея ничуть не меньше, а может быть, и больше, чем я. И тебе это известно, Женя. Ты не имеешь права обвинять меня.

Евгения обмякла, едко-соленые слезы покатились по толстым щекам. Надежда права. Если бы... Если бы она тогда осталась в городе, если бы, как дура, не поссорилась с Сергеем, то он был бы сейчас жив.

— А теперь стреляй, — милостиво разрешила Надежда. — Только постарайся попасть в сердце, чтобы в гробу меня не пришлось накрывать муаром.

Как всегда, она над ней издевается. Евгения закрыла глаза. Нет, она не сможет.

Револьвер, глухо брякнув, упал из ее ослабевших рук на пол.

Надежда произнесла:

— И не обращайся так небрежно с оружием, Евгения, оно может и выстрелить. Где ты купила этот хлам? В следующий раз, если к тебе в голову забредет шальная мысль лишить кого-либо жизни, то приобретай револьвер в оружейном магазине, ты меня поняла?

Евгения покорно кивнула головой. Как всегда, сестра победила. Это происходило с неизбежной регулярностью. Надежда была младше ее на четыре с половиной года, но это не мешало ей превосходить Евгению практически во всем. Во всем, кроме ума. Надежда признавала, что господь обделил ее блестящими математическими способностями, которыми обладала Евгения, но, как она замечала, ей это и не требуется.

— Вот и хорошо, — кивнула Надежда. — Сними эту

страшную шляпку, у кого ты только одеваешься? Я смотрю, у тебя есть деньги? Откуда, Женя?

— Разве ты забыла, что фамильные драгоценности остались у меня, — сказала Евгения, грузно опускаясь на стул.

— Вовсе нет, дорогая сестра, — произнесла Надежда. — И я намерена потребовать от тебя свою законную долю. Я прозябаю в нищете, как ты верно заметила, но я не собираюсь растрачивать на это свои лучшие годы.

— Это драгоценности моей матери, баронессы Корф, — с обидой сказала Евгения. — Вторая жена моего отца не имеет к ним ни малейшего отношения, а стало быть, и ты.

— Вторая жена моего отца, что за великолепная фраза! — рассмеялась Надежда, небрежно затушив сигарету в давно немытой чашке, стоявшей на столе. — Вторая жена твоего отца, если ты не запамятовала, была моей матерью.

Еще бы, Евгения прекрасно помнила — мезальянс Владимира Арбенина, его женитьба после смерти первой супруги, баронессы Елены Корф, на балерине Модестине Циламбелли наделал много шуму в газетах, все сочли это проявлением дурного вкуса и неуважения к морали светского общества. Впрочем, крупное состояние, которым располагал депутат Государственной думы, доставшееся в наследство от усопшей баронессы, помогло сохранить ему прежний статус и многочисленных друзей.

— Она была твоей матерью, не более того, запомни это, Надежда, — отчеканила Евгения. — Я происхожу из древнего рода, а кто такая ты? Модестина Циламбелли всего лишь сценический псевдоним Матрены Жужжелицы. Ты строишь из себя аристократку и полуитальянку, а на самом деле твоя мать — дочка купца из Новгородской губернии.

Надежда очаровательно улыбнулась. Впрочем, при помощи улыбки она всегда скрывала раздражение и досаду. Она охотно рассказывала об отце, депутате российского парламента, издателе, знакомце Блока и Северянина, и отделывалась несколькими фразами, когда речь заходила о матери.

— Оставим это, Женя. Ты оказалась здесь вовремя. Ты здесь для того, чтобы помочь мне. Ведь, как я поняла, ты более не собираешься меня убивать? Ты никогда не была склонна к патетике, моя дорогая сестра.

В этот момент в комнату с кухни, протирая глазенки кулачками, вошел очаровательный малыш лет трех. Увидев его, Евгения переменилась в лице.

— Это мой сын, — Надежда прижала мальчика к себе.

Ребенок произнес тоненьким голоском:

— Мамочка, мне страшно, в углу копошатся крысы...

— Видишь, где нам приходится жить с Сережей, — сказала, целуя в лоб мальчика, Надежда. — Трущобы, но с учетом того, что денег у нас в обрез, это было наилучшим вариантом.

Евгения, не отрываясь, смотрела на мальчика. Голова раскалывалась, в ушах звенело. Боже, как он похож на Сергея, и зовут его так же!

— Когда он появился на свет? — глухим голосом спросила она.

Надежда, поцеловав ребенка еще раз, сказала:

— Я не собираюсь ничего отрицать, Женя. Я родила его от Сергея. А зачала его в нашу последнюю с ним ночь. В ту самую ночь, когда его схватили большевики...

Евгения закрыла лицо массивными руками. Ей хотелось плакать, но слез уже не было. Ее единственный ребенок, сын Сергея, который как две капли воды походил на златокудрого ангелочка, прижавшегося к Надежде, умер полгода назад от дифтерии в лучшей берлинской клинике. Врачи не смогли его спасти. Евгения едва не покончила с собой, это было самое ужасное время в ее жизни, хуже было разве что, когда погиб муж.

И вот — у Надежды есть ребенок, ребенок от Сергея. Почему судьба так несправедлива к ней, почему именно у Надежды, а не у нее, есть единственное напоминание о любимом? О Сергее, которого они любили — каждая по-своему, но одинаково страстно.

— Мама, почему тетя плачет? — произнес маленький Сережа и подошел к Евгении. Он дотронулся до ее плеча, по телу Евгении словно прошел разряд электрического тока. Он так похож на ее Павлушу...

— Евгения, успокойся, — сказала Надежда. — У тебя же есть сын, почему у меня не может быть ребенка от Сергея? То, что он был твоим мужем, не предоставляет тебе исключительных прав на него.

— Павлуша умер семнадцатого марта, — сказала Евгения.

На лице сестры застыла улыбка.

— Извини, я же не знала, мы с тобой не виделись больше четырех лет. Ему было семь...

— Через две недели ему бы исполнилось восемь, — произнесла Евгения. — Он так на него похож...

— Конечно, у них же один отец, — заметила Надежда. — Я сейчас сделаю кофе. К сожалению, настоящего я не пила уже давно, есть только из цикория. Немцы — ужасно практичный народ, делают мерзостный напиток из лошадиной травы и величают его благородным словом «кофе». Но я привыкла к нищете, ты можешь себе это представить? Кто бы мог подумать, что Надежда Арбенина, у ног которой валялся весь блистательный Петербург, будет жить здесь, в Гамбурге, на Тальштрассе?

Прошло два часа. Евгения успела забыть, что явилась к сестре, чтобы убить ее. Она разыскивала Надежду с того самого момента, как они расстались. Разыскивала с единственной целью — лишить жизни. И вместо этого она мирно и так по-чеховски пьет с ней кофе, приготовленный из цикория и разлитый в треснувшие чашки.

Тем временем Надежда, опустив многочисленные детали, обрисовала свою жизнь после прибытия на пароходе из Крыма в Константинополь — скитания в эмиграции, беременность, рождение Сережи.

— Мне много раз предлагали деньги за одну ночь, — цинично рассуждала Надежда. — Но у всех этих жеребцов не было в наличии такого количества денег, которое мне требуется. Мне нужна наличность, Женя, потому что в Гамбурге я не смогу оставаться больше чем несколько дней. Меня преследует один господин, у которого я имела несчастье украсть пятнадцать тысяч, золотой перстень с рубином и кое-что по мелочовке...

— Как это произошло? — спросила Евгения.

Сережа устроился на мягких коленях тетки и давно спал. За окном сгущалась иссиня-черная темнота сентябрьской ночи.

Надежда отмахнулась:

— Это не так важно, Женя. Я через многое прошла и ни о чем не жалею. Это ведь не в моих правилах, ты знаешь. Этот господин оказался мелочным мерзавцем, кем-то из коза ностры, итальянского клана преступников. Он ищет меня, я об этом знаю. Его деньги закончились всего за два месяца, но это были великолепные месяцы! Я снова могла позволить себе все то, к чему привыкла. Лучшие модистки, драгоценности, номер-люкс в отеле «Континенталь»...

— И что теперь? — со страхом спросила Евгения. Всего день назад она была бы рада, узнай, что у Надежды неприятности, которые грозят ей смертельной опасностью, а теперь она переживала за сестру больше, чем за себя.

Но еще больше она переживала за племянника Сережу, сына собственного мужа, который спал сладким сном в ее теплых объятиях.

Мальчик повернулся во сне, и теплая рука Евгении легла на его золотистую головку. Боже, как ей не хватает такого малыша! Он бы стал смыслом ее жизни.

— Нам нужно как можно быстрее убраться из Гамбурга, но у меня для этого нет средств. — Надежда по-прежнему дымила, выкуривая папиросу за папиросой. — Ты ведь мне поможешь, Женя?

— Разумеется, — немедленно ответила Евгения. — Я живу в Берлине, у меня небольшой домик, денег на всех хватит, работаю в университете. Я продала всего несколько вещей из коллекции мамы — бриллиантовый фермуар, жемчужное колье и берилловую диадему.

В Берлине полно эмигрантов из России, драгоценности резко упали в цене, ювелиры-жулики скупают их по дешевке. У меня еще осталось восемнадцать вещей, в Петербурге за них дали бы четверть миллиона золотыми червонцами, но здесь едва ли можно выручить десятую часть. Но мы не будем их продавать так быстро, они достанутся Сереже.

Евгения уже все решила, ее блестящий математический ум работал, как швейцарские часы. Ей уже двадцать девять, она не собирается снова замуж, и детей у нее больше не будет. Она возьмет к себе сестру и племянника, истратит на него все деньги, которые у нее есть. Он получит блестящее образование, станет юристом, например, или врачом. И когда режим кровавых большевиков, убивших ее Сергея, падет, а это случится рано или поздно, они с триумфом вернутся на родину.

— Вы поедете со мной в Берлин, я куплю вам лучшие места в поезде. Я не позволю, чтобы вы оставались в этой дыре.

— И что, ты мне все простишь? — с легким недоверием спросила Надежда. — То, что я соблазнила Сергея, то, что я родила от него сына?

Евгения поцеловала спящего мальчика и усталым жестом сняла очки.

— Я тебе благодарна за это, Надя, — произнесла она. — Если бы не твой адюльтер с моим мужем, то сейчас, скорее всего, я бы застрелила тебя, и все закончилось, как в дешевой мелодраме. А так я обрела семью. Ты — моя сестра. Сережа — мой племянник.

— Все закончилось именно как в дешевой мелодраме, — протянула Надежда. — Я всегда подозревала, что ты святая, моя дорогая сестра. Я не в той ситуации, чтобы манкировать твоим более чем великодушным предложением. И вовсе не откажусь от доли семейных драгоценностей, которые, как ты утверждаешь, принадлежали твоей матушке баронессе. Хотя, например, браслет с персидскими изумрудами и брошь в виде дельфина от Фаберже мой... наш отец купил именно для моей матери.

Евгения осторожно отнесла спящего мальчика в его кроватку, которая стояла в крошечной кухоньке около плиты. Надежда на мгновение задержалась, чтобы полюбоваться на идиллическую картину — Евгения, сияющая радостью, и ее собственный сын.

— Вот деньги, — из сумочки крокодиловой кожи Евгения извлекла пачку ассигнаций. — У меня больше с собой нет, остальное в сейфе отеля. Я отдаю тебе все, Надя. Сейчас я отправлюсь к себе, завтра утром вернусь, и вы покинете это страшное место.

Надежда поддела револьвер, который по-прежнему лежал на столе, полуприкрытый чашками и жестянкой с кофе.

— Это позволь мне сохранить как знак нашего примирения, Женя, — сказала она.

Сестры обнялись. Евгения затряслась в рыданиях, Надежда похлопала ее по спине:

— Не думай, дорогая, что я задержусь на твоей шее слишком долго. Я намерена выйти замуж, главное для женщины — это суметь сервировать себя соответствующим образом. Для этого я использую твои деньги.

— Но ты не заберешь у меня Сережу! — с диким испугом прошептала Евгения. — Ты не сделаешь этого, Надя! Он...

Надежда развернула Евгению лицом к двери:

— Женечка, не думай про меня как про бессердечную мегеру. Ты нужна малышу, я это прекрасно понимаю, и я ни за что не разлучу вас. А теперь отправляйся в отель, выспись, завтра утром мы ждем тебя, чтобы уехать в Берлин. И смотри, осторожней, бери такси и езжай в отель, Рипербан и прилегающие к нему улицы сейчас вовсе не безопасны.

Поцеловав сестру, Надежда закрыла за ней обшарпанную дверь. Надо же, как в жизни все непредсказуемо. Еще сегодня утром она ломала голову над тем, где бы достать деньги, чтобы бежать прочь из Гамбурга. Прошло несколько часов, и судьба, материализовавшаяся в виде полной и неуклюжей Евгении, дала ей редкостный шанс. Евгения спасет их от бедности и смерти.

Надежда в задумчивости взвесила в руке револьвер. Когда-то из подобной штучки она застрелила не в меру ретивого матроса-взломщика. Ну что же, ужас остался позади. Она прошла годы мучений и страданий, и это при том, что ей всего лишь двадцать пять. Или уже двадцать пять?

Евгения... Кто бы мог подумать, что она окажется ее ангелом-хранителем. С самого начала, в их первую встречу, они невзлюбили друг друга... Она, маленькая пигалица, расцарапала не по годам крупной Жене лицо.

В дверь настойчиво постучали. Надежда положила револьвер на стол. Это Евгения что-то забыла или решила еще раз поцеловать Сережу, за этим и вернулась. Ее можно понять, ее сын Павлуша умер, ей нужно человеческое тепло.

— Ну в чем дело, Евгения, ты давно должна быть в отеле, — недовольным тоном произнесла Надежда, открывая дверь.

Это не была Евгения. На нее уставился смуглолицый тип в дорогом пальто оливкого цвета, длиннополой мягкой шляпе. Воинственно торчащие усы а-ля кайзер Вильгельм придавали ему зловещий вид.

Увидев его, Надежда попыталась захлопнуть дверь, но рука, обтянутая перчаткой из свиной кожи, толкнула ее в плечо. Женщина отлетела от двери.

Незваный гость вихрем ворвался в квартирку и прошипел по-немецки с итальянским акцентом:

— Наконец-то я нашел тебя, воровка! Теперь тебе от меня не уйти! Ты поплатишься жизнью за то, что украла мои деньги, тварь!

Запыхавшись, Евгения поднялась на предпоследний этаж краснокирпичного дома, в котором прошлым вечером обнаружила Надежду и Сережу. Она расплатилась в отеле, уладила все дела, заказала билеты в первом классе до Берлина, с утра накупила массу подарков для новообретенного племянника. Сладости, матросский костюмчик, железную дорогу, лошадку, кубики — все для него.

На лестничной клетке толпились люди. Сердце у Евгении затрепетало. Дверь в квартиру, где жила Надя, была настежь распахнута, полицейские с мрачным выражением лиц что-то обсуждали, в коридоре виднелось чье-то тело, прикрытое мятой простыней.

— Милостивая госпожа, в чем дело? — преградил ей дорогу высокий полицейский. — Здесь совершено преступление, поднимайтесь к себе на этаж.

— Я... Моя сестра, — пролепетала Евгения. — Мой племянник!

Ее взгляд был прикован к телу. Надя! Неужели там лежит Надя — мертвая Надя! Нет, этого не может быть! Она когда-то хотела убить сестру, но это было диким, нелепым желанием, порождением зеленоглазого чудовища по прозванию ревность. Она не может потерять сестру, обретя ее вновь всего двенадцать часов назад.

— Сережа, мой племянник! — закричала Евгения. — Что с ним, я имею право знать!

На ее крик из квартиры показался невысокий, облаченный в черный в полоску костюм-тройку лысоватый господин. Пристально оглядев Евгению, он произнес:

— Вы утверждаете, что в данной квартире проживала ваша сестра и ваш племянник. Прошу вас, пройдите. Я — Андреас Кепке, департамент криминальной полиции вольного и ганзейского города Гамбурга. Мне нужно уточнить у вас кое-какие детали. Прошу вас, могу я взглянуть на ваши документы?

— Почему «проживала» моя сестра, что с ней? — со страхом пролепетала Евгения, чувствуя, что вот-вот рухнет в обморок. Она вынула паспорт и протянула его чиновнику.

Ощущая, что ноги стали ватными, Евгения прошла в уже знакомую крошечную квартирку, наполненную чиновниками департамента криминальной полиции. Евгения с ужасом думала, что это — место преступления. Она уставилась на труп, закрытый простыней.

Андреас Кепке взял ее под локоть и проникновенным голосом произнес:

— Мадам Терпинина, вы не должны беспокоиться, ваша сестра жива. По крайней мере, мы так считаем. Вы знаете этого человека?

Резким движением он сдернул с тела простыню, и Евгения узрела смуглого усатого господина, облаченного в оливкового цвета кашемировое пальто. На лице мертвеца застыла злобная гримаса. На груди, рядом с сердцем, расплылось темное кровавое пятно.

— Прямое попадание, — с неким удовлетворением произнес Андреас Кепке. — Свидетели утверждают, что около одиннадцати вечера раздался выстрел. Мы можем думать, что именно ваша сестра убила данного господина, Джузеппе Тильбранти, судя по документам, которые мы обнаружили в его портмоне. Убитый является членом итальянской мафии. Вы знаете, что могло бы связывать его с вашей сестрой?

Евгения, опустившись на стул, попросила стакан воды. Нет, она не скажет о том, что Надежду преследовал итальянец, которого она обокрала. Что случилось с Надей и с Сережей? Очевидно, что после того, как... После того как Надежда убила этого мафиози, она бежала. У нее были деньги, которые Евгения оставила ей. Какая же она дура, она даже не сказала сестре, в каком отеле остановилась! Где же она теперь?

— Синьор Тильбранти, который известен нам как медвежатник и карточный шулер, был застрелен из этого оружия, — господин Кепке поддел револьвер.

Евгения побледнела. Это то самое оружие, из которого она намеревалась застрелить Надю. Револьвер все же выстрелил, пуля угодила итальянцу в сердце.

— Вашей сестре не следовало покидать место преступления, — произнес чиновник. — Мы объявим ее в розыск. Смерть этого итальянца — не большая потеря

Хозяйка Изумрудного города

для общества, но никто не обладает правом безнаказанно убивать людей.

— Это была вынужденная самозащита, — пролепетала Евгения. Пальцы ее дрожали, она не чувствовала вкуса лимонада, который находился в заботливо протянутом ей бокале.

— Возможно, — протянул Андреас Кепке, — но так как ваша сестра исчезла, мы не можем реконструировать все события, имевшие место накануне. Я прошу вас, госпожа Терпинина, сообщить мне незамедлительно, если ваша сестра свяжется с вами. И еще... Коза ностра просто так не оставит смерть одного из своих членов, вашей сестре не поздоровится, если итальянцы схватят ее.

Оглушенная внезапным горем, Евгения покинула квартирку на Тальштрассе. Что произошло с Надей и ее сыном, куда они делись?

Она, погруженная в страшные мысли, села в первый попавшийся трамвай. Уставившись в окно, на прохожих, лица которых слились с пестрым пейзажем Гамбурга, Евгения вспоминала. Она хотела убить Надю, а затем обрела племянника... Она взяла бы их к себе, в Берлин, но все снова переменилось так внезапно и кардинально. Что предприняла ее сестра, куда она делась?

Евгения не знала ни единого ответа на многочисленные вопросы, терзавшие ее душу. Железная карета трамвая, позвякивая, громыхала по булыжной мостовой.

Как же быстро и безвозвратно пролетели годы, сколько воды утекло с тех пор, когда Евгения впервые узнала, что у нее будет сестра...

Когда это было? Она сама появилась на свет в рождественскую ночь 1894 года. В ту самую ночь, когда ее мать, урожденная баронесса Елена Петровна Корф, скончалась в родильной горячке...

Отец Евгении, Владимир Арбенин, не принадлежал к знатному дворянскому роду, не обладал крупным состоянием, которое сгладило бы его полумещанское происхождение. Юная Леночка Корф, познакомившаяся с ним на одном из балов, влюбилась немедленно и бесповоротно. Высокий, статный, с обворожительной улыбкой, Владимир Арбенин справедливо считался покорителем женских сердец.

Свадьба ни за что бы не состоялась — родители юной баронессы были против такого брака. Они не нуждались в зяте из захудалого дворянского рода, к тому же без денег, но с большими претензиями. Барон Петр Корф, который считался одним из наушников императора Александра Третьего, рассчитывал на куда более блестящую партию для своей единственной дочери.

Все упиралось в единственную проблему. Родовитый аристократический род Корфов не отличался, мягко говоря, красотой. Для мужчин, которые уже на протяжении почти двухсот лет занимали самые высокие государственные посты и давно вошли в учебники истории как наперсники Петра и Екатерины, красота вовсе не являлась определяющим фактором. Наоборот, самые обольстительные женщины, пораженные глубиной ума и блеском богатства, незамедлительно соглашались стать женами или метрессами тех, кто носил фамилию Корф.

Но женщины... Природа не пощадила их. Женщины были роком и проклятием рода Корф. Увы, несмотря на то что представители этого рода выбирали себе в супруги самых красивых женщин, их отпрыски наследовали блестящие способности и поразительную некрасивость. Толстый приплюснутый нос, низкий нависающий лоб, узкие, утопленные в блиноподобном лице глазки. Корфов скорее можно было принять за крестьян из многочисленных принадлежащих им угодий, чем за представителей связанной родственными узами с несколькими венценосными династиями Старого Света фамилии.

Леночка Корф не была исключением. Ее maman, урожденная княгиня Трубецкая, походила на фреску Леонардо — тонкие черты лица, поразительная улыбка, лучистые глаза. А вот ее единственная дочь стала подлинным ребенком семьи Корф. В девятнадцать лет Леночка весила никак не менее пяти пудов, имела плохой цвет лица, скверные, выдающиеся вперед зубы и склонность к грудной жабе.

Это вовсе не мешало ей увлекаться математикой, ставить физические опыты в специально оборудованной для этой цели лаборатории, писать статьи по астрономии, ввергающие в благоговейный трепет маститых ученых. Леночка чувствовала себя намного уверенней и спокойней в тиши библиотеки, чем на балу, где как мужчины, так и дамы глазели на нее с нескрываемой жалостью, перешептывались и тонко улыбались. На балу Леночка практически не танцевала, кавалеры отдавали предпочтение ее миловидным сверстницам.

Поэтому, когда седеющий красавец Владимир Арбенин увлек Леночку в вихре вальса, она не замедлила в него влюбиться. Леночка думала, что ей суждено остаться старой девой, такая судьба постигла многих представительниц древнего баронского рода, но Владимир, ее Владимир, изменил все в секунду!

Старый барон, посоветовавшись с супругой, долго раздумывал. Несмотря на большое приданое, претендентов на руку и сердце его дочери не находилось. Может быть, Владимир Арбенин не такая уж и плохая партия?

Петр Корф все же решил, что выскочка и плебей Арбенин не имеет права становиться его зятем. Кто он такой? Род Корфов известен уже три столетия, а про Арбениных никто и никогда не слышал.

— И все же, Пьер, — заметила баронесса, — Елене уже почти двадцать... Еще несколько лет, и она навсегда останется в девицах. Физические опыты не заменят нам наследника.

Барон прекрасно знал: если Елена не выйдет замуж и у нее не будет детей, то их род исчезнет. Самое страшное проклятие, какое может постичь старинную дворянскую фамилию.

— Он же обыкновенный охотник за приданым, —

возразил барон. — Пусть лучше наш род будет предан забвению, чем в нашу семью войдет этот обманщик и сердцеед.

— Но Пьер, — попробовала возразить жена, — может быть, стоит подумать? Арбенины, в конце концов, дворяне, хотя и мелкопоместные. Это далеко не лучшая кандидатура, но ты уверен, мой дорогой, что другие, обладающие титулом и, возможно, деньгами, возьмут Элен замуж только из-за ее приданого?

— Ты, как всегда, права, — согласился с неохотой барон. — Но Владимир Арбенин мне не нравится. Вот будь у него пара миллионов, однако он беден, как церковная мышь. Нет! Я откажу ему от дома, а ты скажешь Елене, что между ней и Владимиром Арбениным не может быть ничего общего.

Баронесса готовилась сообщить дочери роковое известие, но в ход событий вмешались высшие обстоятельства.

Судьба, как она это умеет, в самый неожиданный момент преподнесла небывалый подарок. Дальний родственник Владимира Арбенина, то ли троюродный дядюшка, то ли давно забытый двоюродный брат, внезапно скончался и оставил ему миллионное состояние. Из прожигателя жизни, потрепанного светского льва и дамского угодника без особых перспектив Владимир Ипатьевич в одну ночь превратился в выгодного жениха и желанного гостя в салонах Петербурга и Москвы.

Он стал обладателем нескольких крупных поместий, солидного капитала, акций железнодорожных компаний и уральских заводов. Старый барон Корф, который намеревался уже без сантиментов отказать Арбенину от дома, призадумался. В конце концов, ловелас, который на досуге занимался рифмоплетством, не такой уже плохой малый, как он раньше представлял себе. Леночка от него без ума. Но это, возможно, и есть самое плохое. Любовь — разве она когда-нибудь приносила счастье?

Внимательно ознакомившись с состоянием финансовых дел свежеиспеченного миллионщика, барон скрепя сердце дал согласие. Арбенин стал человеком, которого нельзя оскорбить отказом.

Пышное венчание, на котором присутствовали сливки столичного общества, прошло в Казанском соборе. О свадебных подарках Арбенина молодой супруге ходили слухи: черная жемчужина, бриллиантовое колье, арабский рысак. Газеты ухватились за такой лакомый кусок, как свадьба вчерашнего вечного должника и богатой, но ужасно некрасивой наследницы громкой фамилии.

Барон даже поразился — если у Арбенина есть деньги, то зачем ему Елена? Значит, он любит его дочь?

В тяжелом свадебном платье, с массой сияющих драгоценностей, юная баронесса смотрелась ужасно. Елена не строила иллюзий касательно собственной внешности. Увы, проклятие рода не обошло ее стороной. Однако несколько ее статей по астрономии вызвали резонанс в научных кругах, все восхищались ее умом, но никто и никогда не делал комплимента как женщине.

И вот — она выходит замуж! Елена была уверена, что Владимир любит ее. Арбенин и сам не понимал, что именно тянуло его к Елене. У него была масса женщин, которые, подобно бабочкам, украшали его жизнь. С Еленой он впервые почувствовал, что его по-настоящему любят.

Молодая чета Арбениных после заключения брака совершила турне по Италии. Владимир, отдавая должное великолепному уму молодой супруги, искоса заглядывался на смазливых итальянок.

Так прошло четыре года. Наконец, настало время задуматься о продлении рода.

Елена была на седьмом небе от счастья, когда семейный доктор сообщил ей, что она ожидает ребенка. Роды планировались в начале января 1894 года.

Старый барон Корф был удовлетворен. До него доходили слухи, что его зять не чурается посещать увеселительные заведения для мужчин и спускает деньги на содержанок, однако он не мог упрекнуть его — он и сам в зрелые годы погуливал на сторону. Дочь Елена, якобы не знавшая об этом, была счастлива. Новость об ожидаемом наследнике окончательно разрушила ледяную стену отчуждения между Петром Корфом и Владимиром Арбениным. Барон уже строил планы — первенец, если это будет мальчик, получит царское имя Александр, не исключено, что и сам государь согласится стать его крестным.

Девочка... Барон предпочитал не думать об этом. Будет мальчик, продолжатель рода, наследник двух миллионных состояний.

Елена, прочитавшая никак не меньше пяти десятков книг по родильному делу, готовилась к тому, чтобы стать матерью, со всей серьезностью. Это будет ее первенец. Она планировала еще двух или даже трех малышей.

Беременность протекала без осложнений. Ощущая толчки изнутри живота, Елена Арбенина радовалась тому, что вскоре подарит человеческому существу жизнь. Она удивительно похорошела.

Владимир, в котором до поры до времени дремал заправский бизнесмен, путем рискованных операцией удвоил капитал, приобрел шикарный дом на Фонтанке, сошелся с интеллектуальной и творческой элитой Петербурга. Он был на короткой ноге с многими знаменитыми литераторами, отчасти интересовался подпольным движением, занялся изданием рафинированных поэтов, которые считались гениями поболее Пушкина. Денег это не приносило, однако Владимир Арбенин, превратившийся в статного седого господина с тонкими усиками и изящной бородкой, мог позволить себе тратить деньги на искусство.

Семейная жизнь четы Арбениных, несмотря на сплетни, распространяемые злопыхателями, протекала на редкость дружно. Елена стала для мужа скорее другом, чем женой. Они подолгу могли рассуждать о массе интересных вещей, Елена, отличавшаяся блестящими математическими способностями, дала Владимиру несколько ценных советов по вложению денег на бирже — это принесло им около ста тысяч рублей. Она знала, что он изменяет ей, однако по странной уверенности она понимала, что он никогда и ни за что не бросит ее. Владимир и не собирался этого делать. Елена устраивала его во всех отношениях. Он внезапно понял, что в университетских кругах как России, так и зарубежья Елена считалась талантливым ученым, и это только добавляло ему гордости за супругу.

Роды начались неожиданно. Елена, чувствовавшая себя ранним рождественским утром неважно, вдруг потеряла сознание, когда одевалась в спальне. Благо, что верная горничная Ляша, которая нянчила Леночку Корф, помогала своей хозяйке с утренним туалетом и оповестила дикими криками весь дом, что госпоже плохо.

Срочно прибывший доктор констатировал чрезвычайно серьезную ситуацию. Все визиты, намеченные на этот праздничный день, были мгновенно отменены. Владимир мерил шагами кабинет на первом этаже, выкуривая одну за другой крепкие сигареты. Он поручил жизнь супруги и ребенка заботам лучших петербургских врачей.

Родители Леночки находились в Баден-Бадене, и Арбенин строжайше запретил кому-либо давать телеграмму о критическом положении их дочери.

По шикарному особняку на Фонтанке сновали слуги, несколько самых проверенных повитух были вызваны к Арбениным.

Около пяти вечера в дверь кабинета Владимира Арбенина постучали. Кирилл Максимович Эстрегази, светило гинекологии, которого экстренный вызов к Елене вырвал из-за праздничного стола, прошел внутрь и опустился в кресло. Белая рубашка была в крови. Он закурил.

— Кирилл Максимович, как Елена? — первым нарушил молчание Владимир Арбенин. Он, всегда уверенный в благополучном исходе любой ситуации, вдруг ощутил страшную панику. Почему Эстрегази молчит, в чем дело?

Огромный особняк, казалось, тоже затих. За окнами уже сгустилась тьма. Январь выдался на редкость снежным и суровым.

— Поздравляю вас с дочерью, Владимир Ипатьевич, — сухо произнес Эстрегази. — Она появилась на свет десять минут назад.

— А что с моей женой? — спросил Арбенин. — Как Елена, скажите, прошу вас!

— Ее положение очень и очень серьезное, как, впрочем, и ситуация с вашей дочерью, — Кирилл Максимович с наслаждением затянулся. — Я буду с вами откровенен: если они обе доживут до завтрашнего утра, то это будет чудом. Я всего лишь врач, не более того... У вашей супруги оказался скрытый порок сердца, как я предполагаю. Ей ни за что нельзя было вынашивать ребенка и тем более рожать.

— Что вы такое говорите, — ужаснулся Арбенин.

Он не мог поверить, что Елена, которая всегда отличалась крепким здоровьем, находится на грани смерти. Он с ужасом понял, что любит ее. По-своему, по-особому он любит свою некрасивую супругу, которая теперь умирает на втором этаже их петербургского особняка.

— Вынужден вас оставить, — произнес врач, — мне нужно к вашей жене. Советую вам молиться, это единственное, что можно сделать в подобной ситуации.

Бесконечная январская ночь, полная страхов и холода, никак не хотела заканчиваться. Арбенин, проведший всю ночь в кабинете, с тревогой ждал рассвета. Он слышал, как где-то неподалеку бормочет преданная горничная Ляша, молясь за судьбу своей хозяйки и ее ребенка.

Утро застало Арбенина в кресле, в котором он заснул. На мгновение он даже не мог понять — в чем дело, как он здесь оказался. Только потом пришло осознание боли и отчаяния.

Его жена умерла двадцатью минутами раньше, так и не придя в сознание. Его дочь выжила.

Владимир Арбенин ощутил боль утраты. Елены ему

будет не хватать. Теперь он оказался вдовцом с дочерью.

Девочка пошла статью в Корфов — слишком большая, слишком тихая, похожая, как определил для себя Арбенин, на лягушку. Он отказался взять ее на руки. Смотря на большой сверток, из которого выглядывало красное сморщенное личико его дочери, он подумал, что вот это чудовище и убило Елену.

Он отдал дочь, которую нарекли Евгенией, на воспитание барону и баронессе Корф, оплакивавшим безвременную кончину единственной дочери. Владимир постепенно пришел в себя, снова стал увлекаться мирскими грехами.

В начале 1897 года он познакомился с очаровательной грацией, синеглазой красавицей с осиной талией и водопадом белокурых волос — Модестиной Циламбелли. Модестина выступала на подмостках Малого императорского театра. Она была вожделенным объектом страсти многих богатых и знаменитых мужчин. Модестина оказалась разборчивой — она милостиво принимала драгоценные подношения, позволяла отобедать с собой у Кюба, но никогда не уступала натиску сгорающих от страсти богатеев. Про нее говорили, что она любовница одного из великих князей, который поклялся убить ее, если она изменит ему.

Сраженный ее совершенной красотой и удивительным шармом, Арбенин, как и десятки других, стал осаждать ее гримерную и квартиру. Он посылал шикарные корзины с цветами одну за другой, преподносил редкостные драгоценности и, наконец, был допущен в святая святых — в обитель дивы.

Модестина встретила его крайне любезно, Арбенин чувствовал, как в нем закипает кровь, когда он видит ее рядом с собой. Недолго думая, он сделал ей предложение. Модестина отказала. Это его поразило и задело. Как может она отвергать его, Владимира Арбенина, известного издателя и миллионера?

Барон Петр Корф, прикованный к тому времени подагрой к инвалидному креслу, устроил Арбенину скандал, когда узнал, что тот собирается сделать своей новой женой какую-то танцовщицу.

— Она не станет мачехой моей обожаемой Женечки! — кричал старик. — Я лишу тебя наследства, я отпишу все капиталы Евгении!

Владимир Арбенин, саркастически усмехнувшись, заметил:

— Петр Александрович, я сам достаточно обеспечен для того, чтобы прокормить жену и дочь. Модестина станет моей женой, запомните это!

Барон использовал последний козырь — он открыл Арбенину глаза на происхождение Модестины Циламбелли. Уверявшая всех, что она появилась на свет в знойном Неаполе как незаконнорожденная дочь одного из кардиналов, она на самом деле оказалась Матреной Афанасьевной Жужжелицей, дочерью купца из Новгородской губернии, предки которой были крепостными в течение многих столетий.

— Вы думали, это меня остановит? — приподнял бровь Арбенин. — Скажу вам более, я на прошлой неделе заплатил одному пронырливому журналисту пятьсот рублей, чтобы он не печатал это в своем грязном листке. Я люблю Модестину.

Грация Малого императорского театра все же дала согласие, когда Владимир Арбенин на коленях умолил ее принять кольцо с желтым бриллиантом как знак того, что она согласна выйти за него замуж. Матрена Жужжелица, она же Модестина Циламбелли, достигла того, к чему так стремилась, — она стала не содержанкой или любовницей одного из столпов общества, миллионера и крупного издателя, а его законной супругой. Ей больше не требовалось разыгрывать из себя снежную королеву, ее час пробил.

Свадьба Арбенина и Модестины послужила в ноябре 1897 года причиной газетной истерии. Сначала никто не мог поверить, что Владимир Арбенин на самом деле собирается пойти на такой мезальянс. Когда же родовитые семейства стали получать приглашения на венчание, то газетная «утка» вдруг стала реальностью.

Хозяйка Изумрудного города

Барон Корф с супругой бойкотировали свадьбу, как, впрочем, и два десятка аристократических семейств. Арбенин мог позволить себе плевать на общественное мнение. Он укатил с женой в свадебное путешествие на Лазурный берег. Газеты мгновенно сообщили, что прелестная (этого у Модестины было не отнять) госпожа Арбенина появилась в зале для игры в баккару Гранд-казино в Монте-Карло и затмила всех своей красотой, а в особенности изумрудным ожерельем, обвивавшим в десять рядов ее изящную шейку. Модестина проиграла в Монте-Карло сорок пять тысяч золотом. Из Монако чета новобрачных направилась в Великое княжество Бертранское.

К тому времени, когда Арбенины вернулись в Петербург, страсти немного улеглись. Молодой император соизволил лестно отозваться о выборе Владимира Ипатьевича, и это положило конец обструкции в светском обществе. Матрена Жужжелица с высочайшего соизволения стала Модестиной Арбениной.

Владимир не уделял никакого внимания дочери от Елены. Он считал, как и прежде, что несносная жирная девчонка послужила причиной смерти его талантливой жены. Модестина не хотела видеть Евгению в своем новом доме, на обстановку которого она истратила около трехсот тысяч.

Вскоре Модестина сообщила мужу, что находится в положении. На этот раз лучшие врачи, выписанные из Лозанны, Парижа и Вены, обследовали госпожу Арбенину и в один голос заверили ее супруга, что опасаться нечего — осложнения при родах исключены.

Медики не ошиблись. В конце июля 1898 года в именье Арбенина Верхоглядки, расположенном в Тверской губернии, на свет появилась Надежда, желанная дочь, красавица и умница. Роды у Модестины прошли на редкость быстро и безболезненно, через три дня после благополучного разрешения от бремени госпожа Арбенина наконец-то покинула сельскую глушь, которую ненавидела всеми фибрами своей изнеженной души и куда была вынуждена поехать по настоянию врачей.

Надежду крестили в Петербурге; ее крестной матерью стала княгиня Шельская, а крестным отцом — великий князь Константин Александрович. Модестина, как всегда, самая красивая, позволила себе с облегчением вздохнуть — ее миссия была выполнена, она подарила мужу долгожданную наследницу и окончательно привязала Владимира к себе. В качестве подарка Модестина получила от мужа двести пятьдесят тысяч.

На новорожденную Надю обрушился поток родительской любви, щедро подпитанной деньгами. Девочка, настоящий ангелочек, сошедший с небес на грешную землю, росла сорванцом и кокеткой. Отец с матерью загодя планировали великолепную партию для Надечки.

Евгения обитала в мрачном особняке семейства Корф. После смерти Елены там все было пропитано духом воспоминаний о ней — картины, фотографии, одежда. Барон с баронессой приучали Женю к мысли о том, что новая жена ее отца — выскочка, парвеню, дочка разорившегося купца. Как ни старался Петр Корф, запретить видеться отцу с дочерью он не мог. Изредка Владимир Арбенин навещал все же Евгению, дарил ей что-нибудь в красивой упаковке и купленное наспех, целовал в лоб и исчезал.

Барон с баронессой скончались в один месяц, в октябре 1902 года, с интервалом в двенадцать дней. Согласно их завещанию, единственной наследницей всего их движимого и недвижимого имущества, исчислявшегося многими миллионами, становилась их единственная внучка Евгения.

Владимиру Арбенину, приложив массу усилий, удалось добиться права стать опекуном дочери, несмотря на то что в завещании Корфов были указаны совершенно другие фамилии. Ему, как отцу, богатому и известному человеку, было отдано предпочтение. Дело рассматривалось в Сенате и по приказанию самого императора было решено в кратчайшие сроки.

Хозяйка Изумрудного города

Антон ЛЕОНТЬЕВ

Девочка переехала в новый дом, где царила прелестная Модестина. Госпожа Арбенина, давно забывшая, что когда-то работала в конторе отца-купца, при всех восхищалась Евгенией и баловала ее, засыпая вредными для и без того толстой девочки сладостями и ненужными игрушками.

Первая встреча двух сестер оказалась роковой. Привыкшая к всеобщему обожанию и восхищению, Надежда узрела в Евгении соперницу. Несмотря на разницу в возрасте и весе, маленькая девчушка, разряженная в кружева и бархат, впилась Евгении в толстую ляжку и расцарапала лицо, а затем завыла на весь дом, требуя, чтобы Евгению выгнали прочь.

Арбенин впервые отказал капризу дочери и требованиям жены: его старшая дочь осталась в их особняке. Владимир Ипатьевич, добившись того, чтобы опекать многомиллионное состояние, завещанное дочери, не хотел отпускать ее от себя. Кто знает, может быть, повторится та же история, как и с ее матерью, и рядом с некрасивой девушкой появится верткий охотник за легкой наживой.

Евгения проявляла интерес к физике, химии и математике, как и ее покойная мать. Отец оборудовал ей отдельный кабинет под самой крышей, где она могла ночами читать толстенные книги, штудировать премудрости точных наук. И плакать.

У Нади были веселые праздники с множеством друзей — у Евгении ничего этого не было. Отец сказал, что раз ее день рождения выпал на Рождество, то не стоит его праздновать специально. У Нади были лучшие наряды от известных модисток — Евгения со своей расплывающейся фигурой рядилась в однотонные темные платья. Надя с родителями два раза в год отправлялась отдыхать то во Францию, то в Финляндию, Евгения оставалась дома.

Ее утешала верная старая Ляша, которая выходила Женю и после смерти барона и баронессы Корф упросила Арбенина взять ее к нему в дом.

— Девочка моя, — приговаривала она, гладя рыдающую Евгению по жирноватым волосам. — Папа тебя очень любит, ты же знаешь...

— Тогда почему он оставил меня одну? Почему он не взял меня с собой в Ниццу? Почему он позволяет Модестине шпынять меня? — поднимала на Ляшу заплаканное сдобное лицо девочка и, не дожидаясь ответов, ревела еще громче.

Все разительно изменялось, когда отец возвращался в столицу. Евгения забывала об обидах и бросалась к нему, чтобы получить скупой поцелуй и громоздкий, ненужный подарок. Годы шли, и ничего не менялось.

Надежда постепенно расцветала, превращаясь из красивой девочки в красивую барышню. Евгения же, наоборот, с каждым годом полнела и к пятнадцати годам выросла в настоящую кустодиевскую женщину, полную крестьянку с луноподобным лицом, непослушными темными волосами, узкими глазками и красными, словно ошпаренными, руками. Сколько раз, глядясь в зеркало, она проклинала судьбу, что ей угораздило родиться в старинной семье баронов Корф. Она рассматривала фамильные портреты — уродливые мужчины и некрасивые женщины. Как же она на них похожа!

У нее был ум, но что из этого? Она повторяла судьбу покойной матери — Евгения нашла многочисленные научные записи баронессы Елены. Спустя несколько лет Евгения поняла, как близко ее мама подошла к тем мыслям, которые высказал немецкий ученый Эйнштейн в своих работах, посвященных так называемой теории относительности.

Однако и мир науки был закрыт, ну, или практически закрыт, для женщин, особенно такой консервативной, как физика и высшая математика. Евгению привлекала блистательная красота абстракций, огромных формул, в которых заключалась суть Вселенной, таинственных реакций, которые таили в себе секреты мироздания.

Как-то Евгении довелось принять участие в семейном вечере, на котором присутствовал обретающий популярность среди аристократии старец Григорий. Признанием длиннобородый хитрый мужик был обязан простому факту — ему удалось неведомыми путями проникнуть в царский дворец и стать личным другом императрицы и императора.

Владимир Арбенин, никогда не чуждый новомодным веяньям, сразу же пригласил к себе старца. Тот проповедовал грех как единственную возможность очищения. Не согрешишь — не покаешься, так заявлял он своим густо-скрипучим голосом, пронзая насквозь зелеными глазами молодую Модестину Арбенину. Та с восторгом следила за каждым словом старца, поддакивая его велеречивым рассуждениям.

Евгения, как всегда, сидела в углу, поглощала то ли третье, то ли четвертое мороженое. Еда — вот что позволяло ей заглушать душевную боль. Она знала, что после этого суаре пополнеет еще на два фунта, но никак не могла удержаться.

— Вот ты, молодуха, — говорил старец, беря за руку Модестину.

Та, трепеща, смотрела на Григория.

— Ты ведь грешна, ой как грешна, вижу по тебе. В тебе много бесов. И для того чтобы изгнать их, нужно сначала с ними спознаться...

— Какая глупость, — произнесла вдруг Евгения, поразившись собственной смелости.

Старец, не ожидавший подобного выступления, удивленно обернулся. Кто посмел противоречить ему, вхожему в императорскую фамилию?

Владимир Ипатьевич, хмыкнув, посмотрел на дочь. Евгения, с куском растаявшего мороженого на тарелочке, густо покраснев, повторила:

— То, что вы говорите, совершенная чушь.

— Как ты смеешь, Евгения! — заломив руки, воскликнула Модестина. — Отправляйся к себе, тебе пора спать!

Старец внимательно посмотрел на Евгению. В его взгляде она почувствовала ненависть и подозрение.

— Негоже детям выступать супротив родителей, —

сказал он, и его рука с длинными грязными ногтями снова легла на запястье Модестины. — В тебе, толстушка, как я чую, тоже таится много демонов.

— Иди к себе, наверх, — сердито приказал Арбенин.

В гостиной было несколько важных гостей, которые завтра же не преминут разнести по всему Петербургу, что старшая дочь Владимира Арбенина оскорбила старца. Распутин, кажется, так его фамилия, начинал входить в силу, с ним опасно ссориться, он почти ежедневно виделся с царем.

— То, о чем говорит старец, совершенно не ново. Такие упаднические мысли высказывал в своей философии Ницше и, кроме того... — попыталась сказать Евгения, но отец прервал ее новым окриком. Пришлось подчиниться.

Уходя, Евгения заметила веселую улыбку на лице младшей сестры. Надя, разряженная, юная, уже кокотка, всегда радовалась, когда Евгении доставалось от родителей.

Евгения начала выходить в свет. Балы утомляли ее, она не любила наряжаться в узкие платья, которые подчеркивали ее расплывающуюся фигуру. Сравнивая себя с фотографиями покойной матери, она понимала, что еще пара лет, и она станет такой же. Почему, чтобы иметь успех, признание, стать обожаемой и желанной, женщина должна быть красивой?

Тайно от отца Евгения пыталась следовать многочисленным диетам, которые печатали дамские журналы. Безрезультатно, ей ничего не помогало. Стоило ей сбросить два или три килограмма, как на нее нападал страшенный голод, она накидывалась на еду, в результате чего поправлялась на пять или шесть кило.

Надежда, когда настал ее черед выходить в свет, сразу же стала притчей во языцех. Она была ослепительно красива, знала себе цену, сражала наповал мужчин. Она являлась наследницей миллионного состояния, об этом тоже не забывали.

К Евгении также подкатывали лощеные, напомаженные хлыщи, которые сыпали несусветными комплиментами и торопили ее с замужеством. Совсем не будучи простушкой, Евгения понимала: о завещании барона и баронессы Корф знают многие, как и о том, что в день совершеннолетия она получит огромное состояние. Поэтому она хладнокровно расправлялась с ними, благо лезть за словом в карман ей не приходилось. Однако вольготнее всего она чувствовала себя в библиотеке или лаборатории, где читала или работала над очередной статьей.

Год 1914-й стал роковым не только для всей империи, но и для семьи Арбениных. Казалось, шумный праздник встречи Нового года не предвещал ничего тревожного. Евгения была студенткой политехнического института, единственная женщина в этом учебном заведении. Седьмого января Евгении исполнилось двадцать, она получила от отца дешевенькую брошку. Впрочем, она была рада и такому подарку.

Через неделю после дня рождения Евгении Владимир Арбенин стал жертвой покушения на министра внутренних дел. Он, среди прочих посетителей, находился в приемной министра, когда туда вошел курьер, одетый в униформу, и оставил для его высокопревосходительства господина министра засургученный пакет. Секретарь, не ожидая подвоха, принял пакет. Владимир Арбенин, беседуя с одним из сенаторов на кожаной софе, ожидал приема.

Внезапно из пакета повалил густой сизый дым. Побледневший секретарь закричал дурным голосом:

— Бомба! — и тотчас бросился прочь из приемной.

Покушения на сановных лиц давно стали обыденным делом в Петербурге и Москве. Еще бы, всего каких-то три с половиной года назад сам премьер Столыпин пал жертвой покушения в киевском театре.

Арбенин подскочил и среди прочих ожидавших приема кинулся к массивным зеркальным дверям. Тогда-то и прогремел взрыв. В пакете находилось большое количество нитроглицерина, которого хватило, чтобы разнести приемную министра. Самому министру повезло, он задержался на несколько минут и не вышел к ожидавшим его, как это было обычно заведено, в половине одиннадцатого, иначе он также неминуемо стал бы жертвой террористов.

Меньше повезло тем, кто оказался в эпицентре взрыва, а среди таковых был и Владимир Ипатьевич Арбенин. Он умер от многочисленных ранений, как, впрочем, и еще девять человек.

Модестина никак не могла поверить, что в возрасте почти сорока лет она оказалась вдовой. Богатой вдовой, надо сказать. Муж оставил ей все состояние, исчислявшееся многими миллионами, несколько домов, множество акций и драгоценностей.

Евгения рыдала на похоронах отца, Надежда, облаченная в черные шелка и страусиные перья, стойко держалась. Владимира Арбенина отпевали в соборе Спаса-на-Крови в закрытом гробу.

Впрочем, Модестина быстро утешилась и, вступив в права наследства, укатила в Европу, заявив, что не собирается оставаться в варварской России, где людей убивают, как мух. Обосновавшись в Риме, она тотчас нашла себе молодого любовника, с которым стала ускоренно тратить миллионное состояние, доставшееся от покойного Арбенина.

В начале лета того же судьбоносного года Евгения познакомилась с Сергеем Лаврентьевичем Терпининым, молодым военным инженером. Случай свел их в одном научном кружке, который посещала Евгения, представляя немногочисленной общественности свои передовые идеи касательно астрофизики и возникновения Вселенной. Сергей Терпинин, плененный ее умом, совершенно не замечал того, что Евгения считала уродством, — ее неказистой внешности.

Жаркое лето они провели в Петербурге, который изнывал от палящего солнца и, казалось, ожидал чего-то страшного. Евгения, с головой нырнувшая в водоворот любовных переживаний, не замечала ничего вокруг. Наконец-то щемящая боль, вызванная трагической смертью отца, отступила. Рядом с ней был Сергей, которого она до безумия любила.

Хозяйка Изумрудного города

— Я люблю тебя, — услышала она от него заветные слова июльским вечером, накануне дня рождения Надежды.

Они гуляли по Летнему саду.

— И я прошу тебя стать моей женой, — продолжил он.

Евгения почувствовала, что ее сердце грозит вырваться из груди. Он ее любит!

— Мы поженимся в начале осени, если ты не против, — сказал он. — Сейчас, как ты знаешь, вся Европа замерла, ожидая развязки этой дикой истории с убийством австро-венгерского престолонаследника.

Евгению не интересовала политика, она купалась в обрушившемся на нее водопаде счастья. Надежда, узнав, что старшая сестра, с которой у них были более чем прохладные отношения, собирается замуж, несказанно удивилась. Еще больше она поразилась, когда узнала, что ее жених — Сергей Терпинин.

— Надо же, Женечка, — протянула она. — Ты, оказывается, не такая уж и неповоротливая, как это кажется на первый взгляд. Тебе достался лакомый кусочек. Впрочем, насколько мне известно, у него практически ничего нет за душой, какое-то крошечное именьице под Липецком, престарелая мать и полдюжины братьев и сестер, которых надо обеспечивать. А ведь скоро ты получишь свои миллионы..

Надежда в свои шестнадцать лет была прожженным циником. За ее ангельской внешностью скрывалась алчная, практичная натура и цепкий ум. Она презирала Евгению, считая ее синим чулком и неумехой. Наука, как и все, связанное с образованием, было для Надежды недоступным и запредельным. Она полагала, что женщине требуется пленять мужчин красотой, а не энциклопедическими знаниями.

— Ты не смеешь так говорить про Сергея! — впервые за многие годы вышла из себя обычно флегматичная Евгения. — Ты мне завидуешь. Ты... пустышка. Мужчинам требуется от тебя только одно...

— Что именно, милая моя? — зло прошептала Надежда. — Ну, не тяни, можешь сказать, что именно, я дитя нового времени и знаю о жизни поболее, чем ты.

Евгения уже растеряла боевой пыл и замолкла. Она иногда ненавидела сестру, не в состоянии простить ей любовь отца. Но в то же время она чувствовала, что любит ее. Надежда, которая испытывала особое удовольствие в том, чтобы позлить Евгению, боялась себе признаться, что не мыслит своего существования без старшей сестры. Она привыкла к Евгении, как привыкают к предмету обстановки.

— Извини, — произнесла примирительно Евгения. — Я не хотела... Но я его люблю, Надюша, и это серьезно.

— Ну что же, мои поздравления, он отличный экземпляр, — ответила Надежда, потрепав сестру по руке. — Желаю тебе счастья, моя дорогая, ты его заслуживаешь. Но подумай над тем, что я сказала, охотников за приданым сейчас ой как много.

— Я знаю, Наденька, что ты желаешь мне только добра. Как же я счастлива! — воскликнула Евгения.

Злоба, только что кипевшая в ней по отношению к Надежде, исчезла без следа. Она даже расчувствовалась и начала всхлипывать.

Надежда с усмешкой заметила:

— Не нюнись, Евгения. В жизни тебе, и ты сама это прекрасно знаешь, выпадает всего один шанс выйти замуж. Если он тебя любит и ты в нем уверена... Но не забудь, меньше чем через полгода ты получишь деньги.

— Он не из таких, — повторила Евгения. — Мой Сергей самый лучший.

Свадьба, которая изначально намечалась на конец сентября, была отложена по не зависящим ни от Евгении, ни от ее избранника причинам. Россия вступила в Первую мировую войну. Внезапно благостный мир, полный неги, расслабленности, упоенный ароматом вишневого сада, сменился суровыми военными буднями. Вместо разнузданно-утонченных балов и вечеринок давались благотворительные вечера, патриотический настрой сплотил нацию.

Хозяйка Изумрудного города

Антон ЛЕОНТЬЕВ

Все были уверены, что совсем немного, и кайзер, который вероломно втянул империю в войну, окажется наголову разбитым. Ведь русские войска уже вступали как-то в Берлин.

Евгения, которая совершенно не интересовалась происходящими событиями, была вынуждена принять их в расчет. Сергей, военный инженер, специализировавшийся на планировке и возведении фортификационных сооружений, был немедленно мобилизован.

Они расстались, клятвенно пообещав, что никогда и ни за что не забудут друг друга. Евгения была уверена — он ее не обманет. Газеты уверяли, что война закончится еще до Рождества, надо всего лишь немного подождать...

Шли месяцы, наступила зима. Война, вместо того чтобы прекратиться победой сил Антанты, увязала где-то в глуши Галиции и левобережной Украины. Евгения оторвалась от трудов по фундаментальной астрономии и взглянула в лицо жизни. Она требовалась Родине. Она требовалась Сергею.

Она организовала подписку для нужд фронта и первой внесла сто тысяч рублей. Затем отдала под госпиталь один из домов, который принадлежал ей в Петербурге и сдавался внаем. В конце концов решила и сама отправиться на фронт в качестве медицинской сестры. Однако ей чрезвычайно вежливо намекнули, что ее присутствие на театре военных действий нежелательно.

— Куда ты лезешь? — удивлялась Надежда.

В свои шестнадцать она превратилась в удивительно красивую молодую женщину, которая пленяла неземной красотой и таинственным шармом. Денег Модестина, обитавшая к тому времени в Риме, выделяла дочери не так уж много, предпочитая тратить все на себя и очередного юного любовника. Однако Надежда не бедствовала.

Евгения замечала, как далеко за полночь, когда она, утомленная дневной беготней по многочисленным чиновничьим инстанциям, работала над научной статьей, шумный мотор привозил Надежду, одетую в шикарные меха и сверкавшую драгоценностями, домой.

— Где ты была? — пыталась привести в чувство сестру Евгения, но Надежда отвечала ей грубо:

— Женечка, не суй свой толстый нос в мои дела. Я веду такой образ жизни, который мне подходит, ты это поняла?

Евгения, без успеха воздействовавшая на сестру увещеваниями, сдалась. В самом деле, Надежда имеет полное право жить так, как ей хочется. Их огромный, богато обставленный дом превратился в линию фронта — война шла между двумя сестрами. Евгения кичилась тем, что она принадлежит к старинному роду и обладает уникальными способностями в точных науках, Надежда, фыркая, отвечала, что никогда бы не променяла свою красоту и очарование на физические формулы. Сестры постепенно отдалялись друг от друга.

До Евгении доходили слухи, что Надежда ведет праздный, если не сказать более, образ жизни. Она удивительно быстро сошлась с теми, кто получал от войны и людских страданий выгоду, с теми, кто наживал на крови капитал, с теми, кто понял: настал уникальный момент прийти к власти.

Рестораны, в которых водку и коньяк по причине введенного сухого закона подавали в пузатых чайниках и пили из стаканов; особняки, в которых кипела таинственная ночная жизнь; скверные личности с золотыми зубами и многокаратовыми бриллиантовыми перстнями на волосатых пальцах; истерические ворожеи и сибирские старцы; томные извращенные аристократы...

Все это так и влекло Надежду, только что вступившую в жизнь.

Сергей сдержал слово — он писал, как только мог, Евгении, в скупых словах, неподвластных военной цензуре, выражал ей свою любовь. Они поженились в небольшой церквушке в Смоленской области, куда Сергей вырвался всего на день, чтобы обвенчаться с Евгенией. Никакого пышного торжества, никаких гостей и помпезностей. Все прошло чрезвычайно быстро и скромно.

Первая брачная ночь, которой Евгения так боялась и которой она так нетерпеливо ждала, прошла в крестьянском доме. Утром Терпинин снова отбыл на фронт. Евгения возвратилась в Петербург.

Она стала госпожой Терпининой и, достигнув двадцати одного года, получила все завещанные бароном и баронессой Корф деньги. Она и не подозревала, что речь идет о такой огромной сумме.

Надежда, узнав, сколько именно причиталось сестре, с жадным блеском в очаровательных глазах заметила:

— Женя, и зачем тебе столько? Ты ведь не сумеешь потратить...

— Сумею, — возразила Евгения.

Она тратила — на благотворительность, отсылая на фронт медикаменты, снаряжая лазареты, обеспечивая инвалидов, оказавшихся в тылу, деньгами и продовольствием. О ней с восторгом писали газеты, отмечая ее беспримерную щедрость. Евгения не замечала, сколько именно она снимает со счета. Деньги ее практически не интересовали. Зачем ей дорогие платья, которые только подчеркнут изъяны ее далеко не совершенной фигуры, зачем ей драгоценности, которые она никогда не надевала?

Надежда, как узнала Евгения, сблизилась с тем самым старцем Григорием, который теперь вершил политические дела во всей стране. Евгения была наслышана о мерзостях и разврате, который практикует святейший Распутин.

— Конечно, я понимаю, что он мошенник, но гениальный мошенник, обладающий поразительными способностями, — призналась Евгении как-то Надежда. — Я, в отличие от многих, не считаю его святым. Он проходимец, которому самое место в тюрьме. Но что поделаешь, если ему удалось взлететь так высоко? Императрица слушается его беспрекословно, а кто принимает решения во всей империи, когда император находится в ставке? Она, а значит, Григорий. Евгения, ты себе представить не можешь, какие деньги проходят мимо него. Такие ослепительные возможности, такие перспективы... Он делает мечты реальностью.

— Все это закончится кровью, — заметила Евгения. — Держись от этого подальше, Надюша. Зачем тебе вся эта мерзость? Мечты, ставшие реальностью, часто приносят страдания и разочарования.

'Надежда в ответ рассмеялась и сверкнула уникальным рубиновым ожерельем:

— Ты думаешь, откуда у меня эти вещи? Это манто из шиншиллы... Я буду с теми, у кого есть деньги. Моя мать, и тебе это известно, потратит все состояние за несколько лет. Мне ничего не достанется. А я не хочу влачить жизнь в нищете.

Евгения охнула:

— Надюша, но зачем же так, я всегда помогу тебе...

— Не надо, — отрезала Надежда. — Занимайся тем, чем занимаешься. Помогай колченогим, сирым и убогим. Я сама позабочусь о себе.

Практически каждый разговор завершался на повышенных тонах. Любая безобидная тема приводила к ссоре. Сестры жили в одном доме и почти не общались, изредка сталкиваясь в пустой гостиной или столовой. Надежда завтракала, когда Евгения обедала, но даже за длинным столом, сервированным, несмотря на взлетевшие цены, крайне изысканно, они молчали или обменивались колкостями.

Верная Ляша переживала и пыталась помирить «девочек», как она про себя называла Надежду и Евгению.

Сергей был в Петрограде всего два раза. Он так и не мог открыть жене тайну своего местоположения на фронте. Он стал важным человеком, ему вверялись секреты военных укреплений. Евгения была до смерти рада каждому посещению мужа. Письма от него доставлялись крайне нерегулярно, проходили множество рук, читались множеством глаз, некоторые вообще исчезали, как выяснялось впоследствии.

Несколько недель спустя после того, как он отбыл

на фронт, она обратилась к семейному врачу, жалуясь на легкое недомогание. Тот обследовал Евгению и, покачав головой, заметил:

— Евгения Владимировна, вы в недалеком будущем станете матерью.

— Я... я беременна, — еле сумела вымолвить это слово Евгения.

Она не могла поверить — у нее будет ребенок от любимого мужа. Новость о беременности Евгении несколько смягчила напряженные отношения между сестрами. Надежда судорожно стала скупать детские принадлежности, заказывая все у самых дорогих поставщиков.

Евгения страшно боялась того, что когда-то случилось с ее матерью. Она знала, что до крайности на нее похожа. А что, если страшная сердечная болезнь передалась по наследству и ей? Она только что вкусила запретный плод семейного счастья с любимым человеком, ей не хотелось умирать, как, впрочем, и терять долгожданного и уже заранее обожаемого малыша.

Она разродилась в сентябре 1915 года крупным, здоровым и горластым мальчиком, которого нарекли Павлушей. Все опасения оказались напрасными, она совершенно не мучилась во время родов. Никаких осложнений, все прошло великолепно. Сергей, который сумел получить пятидневный отпуск, находился все время с женой, опекая ее и выражая при каждом удобном случае свою любовь.

Надежда оказалась сказочной теткой, она возилась с малышом, как будто это был ее ребенок. Она по-прежнему общалась с подозрительными личностями, тратила безумные суммы на наряды и драгоценности.

Ее имя несколько раз оказалось замешанным в ряде скандалов, связанных с поставками на фронт амуниции и продовольствия. Но поскольку в числе прочих в крайне неблаговидных делах фигурировали некоторые представители августейшей фамилии, все спустили на тормозах. За всем, как шептались в Петрограде, стояла черная тень Распутина, который благословлял подобные аферы, приносившие и ему некоторые проценты.

Впрочем, после рождения сына Евгения переключила все внимание на малыша и забыла о проблемах сестры, которые когда-то принимала так близко к сердцу.

Павлуша оказался настоящим ангелочком; он был исключением из правил, ему удалось унаследовать красоту отца и ум матери. Евгения не могла нарадоваться на темно-русого малыша, который поражал ее своими не по-детски взрослыми повадками. Он заговорил, не достигнув и года, а в два уже умел по складам читать. Кажется, провидение сжалилось над потомками семейства Корфов и щедро расплатилось за все страдания. Евгения была счастлива и, несмотря на то что она была атеисткой по убеждению, она даже начала по вечерам втайне от всех молиться, прося Всевышнего ниспослать благодать на мужа и сына.

1916 год принес множество неурядиц в, казалось бы, размеренную жизнь Евгении и Надежды. В апреле из Рима пришло ошеломляющее известие — Модестина Циламбелли в возрасте сорока двух лет была застрелена своим любовником.

Состоялся грандиозный процесс, в ходе которого выяснялись скандальные подробности. Модестина, получив пулю в предсердие, скончалась в апартаментах роскошной виллы. Виновник произошедшего, молодой итальянский жиголо, настаивал на несчастном случае, однако его признали виновным в намеренном убийстве и приговорили к смерти.

Надежда, давно оборвавшая связи с матерью и получавшая от Модестины два раза в год красочные открытки из Европы, не особо печалилась. Ее больше заботил вопрос о наследстве. Сбылись ее самые мрачные прогнозы.

Госпожа Модестина Арбенина всего за два года смогла с удивительной резвостью промотать миллионы мужа. Оставшиеся драгоценности, редкостная антикварная мебель пошли с аукциона на уплату долгов. Надежде практически ничего не досталось, но даже и эти крохи она могла получить только по достижении двадцати пяти лет, как гласило завещание ее матери, прочитанное ей петербургскими адвокатами.

— Июль 23-го года, как долго ждать, и всего лишь сто пятьдесят тысяч, и это с учетом дикой инфляции, которая начинает набирать обороты, — простонала Надежда. — Теперь, Женечка, ты понимаешь, почему я добываю сама себе деньги?

Смерть мачехи практически не затронула чувства Евгении. Модестина умерла — ну и что с того? Она никогда не относилась к падчерице с любовью или хотя бы с должным уважением.

То, что по-настоящему испугало Евгению, случилось в декабре, когда год подходил к завершению.

Сергея ранило. Узнав об этом, она едва не впала в истерику, Надежде даже пришлось успокаивать сестру.

— С ним все в порядке, — уверяла она Евгению. — Ты видишь, ему дают отпуск до полного выздоровления, он будет дома с тобой и Павлушей.

Евгения была почему-то уверена, что с Сергеем произошло несчастье, возможно, ему оторвало руку или ногу, но от нее это скрывают. Когда же он, улыбающийся и немного бледный, появился на пороге их особняка на Фонтанке, то она облегченно вздохнула — бинты облегали плечо и предплечье. Ранение на самом деле оказалось не таким уж и серьезным.

— Я останусь дома на месяц, может быть, чуть больше, — сказал Евгении муж. — А потом снова на фронт.

— Когда же закончится эта война? — говорила Евгения. — От нее все устали. Я слышу разговоры в очередях, все недовольны тем, что война, ненужная и такая кровопролитная, длится уже третий год. Мне кажется, рано или поздно это приведет к новой революции, как в девятьсот пятом.

Сергей на эти разговоры реагировал особо бурно:

— Как ты можешь, Евгения, единственный выход для России — это монархия. Согласен, нынешний царь не совсем подходит для этой роли, но запомни, я не потерплю в моем доме подобных рассуждений. Я навидался пролетарской сволочи, которая так и норовит прийти к власти. Что может быть хуже, чем чернь в императорском дворце?

Сергей был убежденным монархистом и ни за что не собирался уступать своих позиций.

Евгения не ссорилась с мужем по политическим вопросам, а тихо радовалась, что супруг снова оказался в Петрограде. Она по-прежнему занималась благотворительной деятельностью, являясь сопредседателем нескольких десятков комитетов, обществ и организаций. Она отсутствовала весь день, возвращаясь под вечер домой, где ее ждали Сергей и Павлуша.

Их тесный мирок разительно отличался от того, что происходило за стенами их сытого и богатого особняка. Благодетель Надежды, Григорий Распутин, исчез, и вскоре выяснилось, что его убили. Тело святого старца обнаружили примерзшим к проруби. Сергей, искренне любящий династию Романовых, не скрывал радости по случаю кончины Григория.

— Так и надо этому псу, наконец-то Россия освободилась от мрачного ига этого прохвоста, — заявил он и открыл по этому случаю коллекционную бутылку шампанского урожая 1900 года.

Евгения наслаждалась семейной идиллией. Потрескивающий камин, распространяющий тепло (когда почти во всем Петербурге нет дров), стол с белоснежной накрахмаленной скатертью и старинными серебряными приборами, изысканные яства (когда в столице давно появились непривычные ранее очереди за всем, в первую очередь — за хлебом). Деньги, которых у Евгении было много, позволяли вести необременительный образ жизни, существовать «как раньше», не задумываясь, откуда все берется.

Надежда после убийства Распутина несколько сбавила обороты, она больше не принимала участия в подозрительных аферах и махинациях. Евгения, никогда не отличавшаяся любопытством, как-то случайно наткнулась на счета от модисток и из ювелирных лавок и поразилась — ее сестра проматывает бешеные суммы. Надежда возвращалась под утро, пила черный кофе, принимала ванну и, что удивительно, заваливалась спать, моментально погружаясь в объятия Морфея. Гардеробы она меняла каждый месяц.

Сергей, рана которого постепенно заживала, принимал активное участие в деятельности различного рода заседаний и конференций, основной целью которых было вывести Россию из кризиса и привести к власти людей, достойных этого. Несмотря на смерть всемогущего старца, его ставленники и протеже удерживались на своих местах. Сергей на чем свет стоит костерил нерадивых политиков, проклинал большевиков и надеялся, что война вот-вот завершится победой сил Антанты.

— Мы победим, народ утихнет, получит свой хлеб и зрелища, — был почему-то уверен он. — Император после убийства этого бородатого мерзавца успокоится, и мы будем жить, как прежде.

Евгения, которая сталкивалась с насущными нуждами каждый день, постепенно пришла к выводу, что жизнь «как прежде» уже не вернешь. Надвигались грозовые события, и она не знала, что делать дальше.

В феврале 1917 года произошел окончательный крах иллюзий Евгении и полный разрыв отношений с Надеждой. Пронзительно-холодным, снежным вечером, когда немногочисленные фонари уныло светили на улицах, а по городу, когда-то блестяще-великолепному, бродили толпы голодных и недовольных, она на два с половиной часа раньше вернулась в особняк после утомительного заседания одного из женских обществ. Обсуждалась проблема о поставках на фронт Библий и брошюрок, проповедующих правильный с точки зрения истинного христианина образ жизни.

Евгения чувствовала себя разбитой, ноги гудели, перед глазами мельтешили красно-черные мушки. В последнее время она замечала, что у нее внезапно и беспричинно болит голова и начинается мигрень. Доктора уверяли, что ей не стоит так активно заниматься общественной деятельностью, но Евгения, привыкшая быть полезной, не могла иначе.

Поэтому-то она ушла со скучного заседания раньше, добралась до дома, прошла в гостиную. До нее донеслись веселые голоса, она узнала смех Надежды и баритон Сергея. В последнее время сестра и муж, обычно не особо ладившие друг с другом, удивительно поменяли свои отношения. Сергей внезапно стал любезным, а Надежда перестала сыпать колкостями.

Ничего не подозревая, Евгения прошла в гостиную, освещенную только багровыми бликами огня из камина. И остолбенела: ее муж и ее сестра, слившиеся в экстазе любовных объятий, предавались на софе первородному греху. Евгения не могла вымолвить и слова, она часто задышала и осела на персидский ковер.

Надежда, первая заметившая внезапное вторжение, резво подскочила, Сергей виновато тер усы. Евгения чувствовала, как сердце с бешеной скоростью бьется в груди, словно намереваясь выскочить. На глаза навернулись слезы. Она посмотрела на мужа, которому безгранично верила.

— Как ты мог, — только и прошептала Евгения. — Сергей, я же тебе верила, а ты...

— Милая сестренка, а что, собственно, произошло? — с вызовом произнесла Надежда и, усевшись в кресло, закурила.

Она, как истинная эмансипе, наслаждалась лучшими сигаретами.

— Мне нравится твой муж, я нравлюсь ему, и что из этого. На дворе второе десятилетие двадцатого века, Женя, а ты живешь догмами викторианской эпохи. В наше время стыдно не изменять, ты разве об этом не знала?

— Надежда, я прошу тебя, — Сергей, уже овладевший собой, нахмурился. — Мне надо поговорить с Евгенией...

Надежда хрипло рассмеялась:

— Значит, как только я стала тебе не нужна, Сережа, ты тут же вышвыриваешь меня. Ну что же, попробуй убедить нашу толстушку в том, что у нее был обман зрения, галлюцинация, или как там это называется.

Хозяйка Изумрудного города

Еще бы, у меня ведь денег-то практически нет, а твоя женушка, несмотря на то что жертвует всем, кому ни попадя, все еще миллионерша.

Грубо схватив Надежду за локоть, Сергей выволок ее из гостиной. Однако в ушах Евгении звучали ее обидные и резкие слова. А что, если она говорит правду? Что, если Сергей никогда ее не любил? Почему он изменил ей — да с кем, с ее сестрой!

— Я не хотел, это получилось... получилось совершенно нелепо. — Евгения еще никогда не видела мужа таким виноватым. — Женечка, я потерял голову, но я тебя сильно люблю, ты же знаешь. Люблю только тебя и нашего сына. Больше мне ничего не надо.

Как же ей хотелось верить его словам. Но имела ли она на это право? Евгения не знала. Она потеряла веру в мужа, и это было хуже всего. Евгения проплакала всю ночь, запершись в спальне. Утром, увидев в столовой Надежду, она не смогла сдержаться и наговорила ей кучу резких слов. Та не осталась в долгу и выложила Евгении все, что накопилось в ней за многие годы.

Слова, резавшие душу и чувства, окончательно отдалили сестер друг от друга. Евгения, никогда не отличавшаяся бурным нравом, заявила с не свойственной ей безапелляционностью:

— Надежда, я думаю, тебе лучше съехать из этого дома.

— Что ты говоришь? — с изумлением протянула Надежда. — Ты соизволила забыть, что этот дом принадлежит мне?

— Ты ошибаешься, — ледяным тоном произнесла Евгения. — Ты — нищая, у тебя практически нет денег. Именно я оплатила векселя твоей матери, убитой любовником в Риме, именно мне принадлежит этот особняк. Так что убирайся, пока я не выставила тебя на улицу.

— Но, Женя, — вступился Сергей. — Куда Надя пойдет, это так жестоко...

— Мне все равно, — сказала Евгения.

Она понимала, что поступает крайне несправедливо, но ей хотелось отомстить Надежде за причиненную боль, за многочисленные унижения, которым та подвергала ее все эти годы, за то, что она попыталась украсть у нее самое дорогое — ее Сергея.

— Я не ожидал от тебя такого поступка, — произнес Сергей.

— Я сама не ожидала, — ответила Евгения и, смяв салфетку, поднялась из-за стола. — Я дам тебе немного денег, Надежда, но в течение трех дней ты покинешь этот особняк. У тебя есть благодетели и воздыхатели, вот к ним и отправляйся.

Евгения была уверена — инициатором интрижки была именно Надежда. Сергей никогда бы сам не решился изменить ей, да еще с сестрой. Надежда, как всегда, склонила его к этому. Она красивая, молодая, уверенная в себе. Почему мужчинам требуется именно это?

— Хорошо, я сделаю все, что ты скажешь, — таким же ледяным тоном произнесла Надежда. — Но учти, Евгения, я тебе этого никогда не прощу. Отныне ты мне больше не сестра.

— Ты мне никогда и не была сестрой, — вставила Евгения и, хлопнув тяжеленной дубовой дверью, вышла прочь.

Приехав на собрание очередного дамского комитета, она обнаружила всего двух пожилых графинь, которые мирно дремали в креслах. Никто более не изъявил желания принять участие в обсуждении насущных вопросов.

Евгения снова оказалась на улице. Только сейчас ей бросилось в глаза непонятное ликование и странная эйфория, которая царила на улицах Петербурга. Восторженные толпы что-то кричали, солдаты с красными бантами обнимались с горожанами, городовые куда-то мгновенно исчезли.

— В чем дело? — удивленно спросила Евгения у подростка, продавшего газеты.

— Эх, тетя, очки-то протри, царь отрекся, — весело

Хозяйка Изумрудного города

закричал тот. — Купи газету за полтинник — и узнаешь все!

Евгения торопливо отсчитала мальчику нужную сумму и развернула свежую, еще мазавшую пальцы типографской краской газету. Вчера вечером произошло небывалое — император Николай Второй подписал отречение, добровольно отказавшись за себя и за сына от российского престола.

Буквы плясали перед глазами, Евгения пыталась вчитываться в слова и не понимала их смысл. Она вернулась домой. Верная Ляша, которая переживала семейную бурю, притаившись в своей комнатенке, сообщила, что Сергей, узнав об отречении императора, куда-то спешно уехал. Надежды тоже не было дома.

— Что же будет, Евгения Владимировна? — запричитала старушка, для которой слово «революция» было чем-то ругательным. — Как же мы будем без императора?

Евгения не знала, что ответить, и, прижав к себе плачущего Павлушу, просидела остаток дня в кабинете, прислушиваясь к восторженным крикам и победным песням, доносившимся с заснеженных улиц.

Сергей вернулся только через тридцать шесть часов, когда Евгения, перепуганная стрельбой и беспорядками на улицах столицы, уже не чаяла увидеть мужа живым. Утомленный, прокуренный, с красными воспаленными глазами, он тем не менее дышал энергией и был в прекрасном расположении духа. Их семейный скандал ушел в далекое прошлое.

— Женечка, — он поцеловал Евгению, выпившую все валериановые капли, которые она только отыскала в особняке, — ты не представляешь, что произошло! Теперь нужно заниматься обустройством новой жизни. Увы, без императора. Эра монархии закончилась. Но к власти пришли люди, которые искренне любят нашу страну.

Заметив, что по толстым щекам Евгении бегут слезы, он воскликнул:

— Ну не плачь, моя хорошая, все в полном порядке.

Мы продолжим войну до победного завершения, еще совсем немного — и покажется заря новой жизни.

Надежда, для которой крушение тысячелетней монархии не стало полной неожиданностью, заявилась через несколько дней, и только затем, чтобы собрать вещи. Ее доставил роскошный автомобиль с замазанным гербом, принадлежавший, скорее всего, родовитой фамилии.

Проскользнув, как змея, в тонком облегающем пальто серебристого цвета мимо Евгении, грузно расположившейся в кресле, Надежда, обернувшись на лестнице, произнесла:

— Ты не передумала?

И, не дожидаясь ответа, добавила:

— Ну что же, Женечка, прощай. Я соберу кое-какие вещи и уеду в Лондон. Тут оставаться небезопасно. Не думаю, что мы с тобой еще когда-нибудь увидимся. За мной заедут через два часа. У нас не так много времени, чтобы сказать друг другу последние слова.

Евгения в задумчивости осталась около камина. Надежда — девчонка без царя в голове, она сумасбродна и готова пойти на любые авантюры. В конце концов, как старшая сестра она несет за Надежду ответственность. Куда она собралась, в какой Лондон, с кем именно?

Она поднялась по лестнице и направилась в кабинет Владимира Арбенина: именно там она заметила зыбкий свет. Она не может простить Надежде того, что она совратила ее мужа, но расставаться на такой ноте Евгении не хотелось. Она же обещала дать Наде денег...

В роскошно обставленном кабинете покойного отца она застала неожиданную сцену — Надежда поспешно выкладывала из сейфа пачки денег и бархатные футляры с драгоценностями. Сейф располагался за большим портретом Владимира Ипатьевича, украшавшим одну из стен. Евгения и не подозревала, что сестра знает шифр.

— Что ты делаешь? — произнесла Евгения, чувствуя, что всяческая жалость к сестре и ее порыв оказать ей помощь без следа испаряются. — Немедленно положи на место, Надежда, это тебе не принадлежит!

Оглянувшись на сестру, Надежда продолжила опустошать сейф.

— Ты думаешь, у меня нет права на часть семейных сокровищ, — зло произнесла она. — Ошибаешься, Женечка, тебе придется со мной поделиться. Я собралась в Лондон, а там деньги пригодятся. Ты ведь не против, если я навсегда позаимствую кое-что?

Она открыла один из футляров и бросила оценивающий взгляд на редкостной чистоты и красоты ожерелье из матовых овальных жемчужин.

— Кажется, это принадлежало твоей бабке, баронессе Корф. Какая прелесть, не так ли, Женечка?

— Положи немедленно на место! — взвизгнула Евгения и бросилась к сестре.

Она относилась к такому типу людей, которые, обычно уравновешенные и даже невозмутимые, на самом деле копят в себе обиды и претензии и в один прекрасный момент взрываются, фонтанируя страшным гневом.

— Это тебе не принадлежит, я не позволю! — кричала она и, ухватившись за ожерелье, что есть силы дернула его на себя. Тонкая нить порвалась, жемчужины, как горошины, с дробным стуком посыпались на письменный стол и паркет.

Надежда рассмеялась и открыла другой футляр, в углублении которого сияла сапфировая брошь.

— Без добычи я отсюда не уйду, — сказала она. — Ты думаешь, что сумеешь меня остановить? Нет, Женечка, пробил мой час. Мне надоело быть младшей сестрой.

При тусклом свете ночника, в окружении старинной обстановки, они уставились друг на друга, полыхая злобой и ненавистью. Евгения сжимала в руке пустой футляр, тонкая лапка Надежды инстинктивно тянулась к литому бронзовому подсвечнику, стоявшему на подоконнике.

Внезапно внизу, в холле или гостиной, раздался пронзительно-тонкий женский крик.

— Что это? — напряглась Надежда.

Евгения посмотрела на часы, половина второго. Сергей, перед тем как отправиться на очередное собрание, предупредил ее, что в Петрограде полно бандитов и люмпенов, которые, пользуясь политическими неурядицами, вторгаются в богатые особняки и грабят тех, кто там проживает.

В доме они были вчетвером — две сестры, Павлуша и верная Ляша. Сын Евгении давно спал в детской, значит, кричать могла только Ляша.

Крик мгновенно разрядил обстановку. Надежда затаилась. Евгения близоруко оглянулась.

— Не шуми ты так, — сказала ей сестра. — Если в доме кто-то есть, а это именно так, мы не должны привлекать к себе внимания.

Она тихо щелкнула выключателем, свет погас.

— Но там же Ляша, мы не можем ее бросить, — пробасила Евгения.

Надежда шепотом приказала ей:

— Замолчи немедленно, ты же не хочешь, чтобы бездомная приблудь изнасиловала тебя, а потом убила.

Послышались топочущие шаги, кто-то двигался по направлению к кабинету. Евгения тяжело вздохнула. Заскакал свет фонаря, потом вспыхнула большая лампа.

На пороге кабинета стоял незнакомец, высокий человек, одетый в рваную матросскую шинель, небритый, со злобным выражением лица. В одной руке у него была кочерга, в другой он сжимал ручку потрепанного докторского саквояжа из свиной кожи.

— Ага, дамочки, — сказал он, ничуть не удивившись при виде двух сестер. — Вот вы где. Я же знал, что в этом доме должны быть только бабы. Одна уже валяется внизу...

— Ляшенька! — произнесла Евгения. — Что вы с ней сделали?

— Убил, — сплюнув на паркет, ответил грабитель.

Хозяйка Изумрудного города

Затем его внимание привлекли драгоценности и пачки денег, разбросанные по столу.

— Ого, вы уже все для меня приготовили, — сказал он. — Вот это да, я и не ожидал, что в вашем паршивом особняке будет такая знатная добыча.

Держа наперевес кочергу, он подошел к столу, распахнул саквояж и стал сгребать украшения.

Надежда не растерялась. В глубине сейфа она заметила револьвер отца, который, как она знала, всегда был заряжен. До сейфа и спасительного оружия было всего два метра, однако матрос-грабитель зорко следил за всеми движениями Надежды и Евгении.

— Что вы с нами сделаете, тоже убьете? — прошептала Евгения.

Грабитель ответил:

— Мне нужны деньги, они у вас есть. Я не хочу оставлять свидетелей, дамочки, уж извините. Настали другие времена, теперь все дозволено. Я всю жизнь получал гроши, а теперь отберу у буржуев то, что по праву принадлежит мне. А эта бабенка, — он ткнул грязным пальцем в Надежду, — совсем даже ничего.

— В сейфе есть еще драгоценности, — спокойно произнесла Надежда. — Вы их тоже заберете?

— Ну а как же, — ответил увлеченный блеском украшений бандит. — Давай их сюда, да поживее. А потом, милашка, мы с тобой поиграем в кошки-мышки...

— Разумеется, — ответила Надежда и подошла к сейфу. Через мгновение в ее руке сверкала вороненая сталь револьвера. Она направила оружие на вторгшегося в их особняк незваного гостя.

— Эй! — закричал совсем иным тоном бандит. — Что ты делаешь, я же просто пошутил...

Договорить он не успел, грянул выстрел. Евгения, взвизгнув, упала на софу. Матрос, пошатнувшись, осел на паркетный пол. Надежда, ничуть не изменившись в лице, подошла к нему. Он тяжело дышал, в груди образовалось кровавое отверстие.

— Ты его убила, — запричитала Евгения. — Боже мой, Надя, что ты наделала!

— Иначе бы он убил нас всех, в том числе и твоего сына, — сказала та.

Грабитель скончался спустя минуту. Надежда, отобрав несколько пачек денег и драгоценностей, опустила это к себе в ридикюль.

— Мне пора. Прощай, дорогая сестра, думаю, больше мы с тобой не увидимся.

— Что мне делать с ним? — в ужасе произнесла Евгения, стараясь не глядеть на труп бандита.

Надежда рассмеялась:

— Сергей что-нибудь придумает. Передавай ему от меня пламенный привет.

У подножия лестницы Евгения обнаружила Ляшу. Та была без сознания, с окровавленной головой, но дышала. Надежда помогла перенести верную служанку на диван, а затем отправилась собирать чемоданы.

Через час с небольшим раздался нетерпеливый гудок автомобиля. Надежда, собравшая два чемодана и небольшой крокодиловый кофр, в котором она хранила самые ценные вещи и документы, направилась к выходу. Евгения обхаживала Ляшу, которая, придя в себя, тихо стонала.

— Всего хорошего, — сказала Надежда. — И не поминай лихом. Я знаю, Женя, что ты не простишь мне интрижки с Сергеем. Могу тебя уверить, совратить его оказалось сложным делом. Но запомни — мужчины умным всегда предпочтут красивых.

И, рассмеявшись, она исчезла в мартовской тьме.

Сергей, вернувшись домой и обнаружив труп грабителя, несказанно удивился. Не ставя в известность никакие органы временной власти, они следующей ночью оттащили тело на набережную и спихнули его в Фонтанку.

— Так нужно поступать со всеми, кто думает, что имеет право вторгаться в мой дом и подвергать смертельному риску мою жену и сына, — заметил Сергей, брезгливо стаскивая грязные перчатки и бросая их в пламя камина.

Полгода относительного спокойствия пролетели

совершенно незаметно. Сергей заседал в разного рода комитетах и собирался занять достаточно важный пост во Временном правительстве, как вдруг грянула новая революция, полностью уничтожившая привычные порядки.

— Нужно что-то делать... — сказал Сергей хмурым ноябрьским утром 1917 года. Уже две недели власть в Петрограде принадлежала непонятным Советам рабочих, предводителем которых был Владимир Ленин.

— Это напоминает мне революцию во Франции, к власти сейчас пришли террористы и самоубийцы. Они уничтожат мою любимую державу, и я желаю воспрепятствовать этому всеми силами.

Сергей принял решение не бежать из страны, как это делали многие, а вести борьбу с новой властью, которая, как он полагал, развалится под ударами союзнических сил.

— Нам сочувствует весь мир, Франция, Англия и Америка окажут нам помощь. Лучшая амуниция, современная техника, блестящие стратеги. Что могут противопоставить нам голытьба и боевики? Мы разобьем их за несколько месяцев.

Евгения смутно припоминала, что такое же настроение царило среди ее сограждан в самом начале войны, однако все обернулось совершенно иным образом. Она отказалась уехать за границу и решила следовать за мужем.

Вместе с Павлушей они подались на юг, в области, подконтрольные приверженным старым порядкам силам. Началась гражданская война. Ее муж оказался востребованным, он всеми фибрами души ненавидел большевиков и прилагал все усилия, чтобы обрушить их власть.

Шли месяцы, которые плавно перетекали в годы. Прошел 1918 год, заканчивался 1919-й. Упоение от первых легких побед сменилось разочарованием. Один вождь в белом движении сменялся другим, в войсках царили разброд и шатания, многие офицеры заботились только о себе, занимаясь бессмысленными жестокостями и мародерством.

Евгения и Павлуша кочевали вслед за Сергеем по югу России. Терпинин фанатически верил в то, что следует немного потерпеть, и советский режим падет. У Евгении давно не было такой уверенности.

Она старалась не высказывать вслух свои мысли, боясь, что муж, который в последнее время стал излишне нервным, воспримет это всерьез, что неминуемо приведет к крупной ссоре.

В самом конце 1919 года Евгения снова повстречалась с Надеждой. Она часто думала, что произошло с ней, полагая, что сестра давно обитает на берегах Темзы. Но, как показала жизнь, Надежда так и не выбралась за границу.

Они столкнулись в небольшом южном городке, который на время стал ареной кровопролитных боев между войсками барона Врангеля и Красной Армии. Городок являлся важным железнодорожным узлом, и владеть им означало получить под контроль стратегически ценный отрезок железной дороги.

Евгения с Сергеем жили в небольшом особняке, где им радушно предоставил кров предводитель местного дворянства. По утрам она прогуливалась с Павлушей по парку, являвшему собой провинциально-бледное подобие Летнего сада в Петербурге.

Тот ноябрьский день не был исключением, стояла великолепная погода, Евгения вместе с Павлушей наслаждалась осенним солнцем. Достаточно большое число горожан тоже совершали моцион, словно война, длящаяся уже который год, и не громыхала под боком, всего в каких-то десяти километрах.

Внимание Евгении привлекла пролетка, которая остановилась около входа в парк. Оттуда вышла женщина, сидевший в пролетке мужчина, громко ругаясь, выбросил ей вслед чемодан. Явно разгорался нешуточный скандал, который привлек внимание зевак.

Хозяйка Изумрудного города

Произнеся несколько вовсе не лестных слов в адрес дамы, мужчина грубым тоном приказал кучеру ехать дальше.

Дама, подобрав чемодан, осталась стоять на булыжной мостовой. Евгения пожала плечами. Мало ли людей, в чьи судьбы вторглась революция и гражданская война и которые путешествуют по окраинам некогда великой империи. Женщина, покинувшая пролетку, обернулась. У Евгении сперло дыхание. Это была Надежда.

Повзрослевшая, вытянувшаяся, ставшая еще более красивой и какой-то удивительно соблазнительной, Надежда стояла около чемодана и равнодушно смотрела на глазеющую публику. Евгения не могла поверить своим глазам. Что сестра, которая, по ее расчетам, давно должна была переехать в Европу, делает здесь?

Она подошла к Надежде. Та вначале даже и не узнала Евгению, которая за эти годы тоже изменилась — потолстела, обрюзгла, стала носить вместо тонкого пенсне очки с толстыми стеклами.

— Евгения? — удивленным тоном протянула Надежда.

В ее глазах сверкнула радость, моментально сменившаяся презрением. Все же в Петрограде они расстались не лучшим образом.

— Надюша, как же я рада тебя видеть, — прошептала Евгения и прижала к себе сестру. Та не сопротивлялась.

— Какими судьбами? — продолжила Евгения.

Надежда неопределенно пожала худыми плечами, ей явно не хотелось распространяться на эту тему.

— Все мужчины, как я убедилась, негодяи и обманщики. Тот, который обещал мне Лондон, обокрал меня, а затем бросил. Мне пришлось путешествовать, я многое повидала, — сказала она сестре. — И вот оказалась здесь. Отсюда можно выбраться в Крым, я хочу как можно скорее бежать из России. Мне все это ужасно надоело.

Евгения и сама не раз задумывалась о том, что оставаться в России, которую она любила очень сильно, становится небезопасно. Однако Сергей и слышать не желал об эмиграции.

— Это мой племянник. — Надежда склонилась над выросшим Павлушей. — Надо же, какой ангелочек. А Сергей тоже здесь?

У нее же был с Сергеем роман, мелькнула у Евгении шальная мысль. Но это было в далеком прошлом, которое осталось за тысячи километров к северу, в столице, находящейся давно во власти большевиков. Они вели себя тогда как глупые девчонки.

— Да, и Сережа тоже здесь, — сказала просто Евгения. — Я думаю, он будет рад видеть тебя.

— Я тоже буду рада увидеть его, — томно произнесла Надежда. — В этом захолустье найдется гостиница или хотя бы хлев, в котором я могу переночевать? Этот жадный мерзавец, который выбросил меня посредине улицы, обещал довезти меня до Крыма, но изменил свои планы. Я не хочу ночевать на улице, все же ноябрь...

— Надюша, о чем ты говоришь, — поразилась Евгения. — Мы живем в великолепном особняке, конечно, не в таком, который был в Петербурге, но комната для моей единственной сестры, разумеется, найдется.

— Значит, вражда между нами кончена? — спросила с легким недоверием Надежда.

Евгения, всплакнув, снова по-медвежьи обняла сестру и расцеловала ее.

— О чем ты говоришь, моя маленькая девочка, ты — член нашей семьи, пошли быстрее. — И они, подхватив легкий чемоданчик Надежды, направились к особняку предводителя дворянства.

Сергей Терпинин, как и предсказывала Евгения, в самом деле оказался очень рад неожиданной встрече со свояченицей. Евгении надолго врезался в память тот вечер — они за круглым столом, покрытым желтоватой скатертью, под матовым абажуром. Ей показалось, что Надежда, которая клятвенно обещала более не иметь ничего общего с Сергеем, бросает на него пламенные взгляды.

И, что самое ужасное, Сергей отвечает ей взаимностью. В душе Евгении пробудились прежние подозрения, закипела давнишняя ревность. Или, может быть, она напрасно обвиняет сестру, подозревая ее в немыслимых преступлениях?

Все прояснилось через неделю. Войска Красной Армии постепенно окружали город, намереваясь, как сообщала разведка, взять его штурмом. Пока что оставалась узкая дорога, подконтрольная силам Белой Армии, и горожане, торопливо пакуя скарб, бежали прочь. Все были наслышаны о зверствах большевиков, никто не хотел становиться их добычей.

Надежда вела себя примерно, совершая с сестрой и племянником прогулки по саду, наслаждаясь пятичасовым чаем, ведя неторопливые разговоры. И все же Евгения чувствовала тревогу, разлитую в холодном осеннем воздухе. Она верила в судьбу, в судьбу, которая совсем не случайно снова столкнула ее с Надеждой.

Она оказалась права. Как-то днем, прикорнув на диванчике, она внезапно проснулась с резкой головной болью. Голоса, как в тот раз в Петербурге. Она прошла в гостиную. Сергей и Надежда о чем-то беседовали. Все выглядело крайне невинно, но Евгения не выдержала. Они так походили на влюбленную парочку. Ей показалось, или Надежда на самом деле держала свою ладонь в ладони Сергея?

— В чем дело, Женя? — с вызовом спросила Надежда. Сергей выглядел виноватым и растерянно потирал усы. — Мы тебя разбудили слишком громкими голосами?

— Я знаю, зачем ты поселилась у нас, — злобным, сдавленным шепотом произнесла Евгения. — Чтобы разрушить наше и без того зыбкое счастье. Ты, Надежда, всегда приносишь горе.

Надежда рассмеялась и ответила:

— Ты так и не смогла простить мне того, что было

между Сергеем и мной в Петрограде. Поверь, сестра, ты ошибаешься...

— Я видела! — взвизгнула Евгения. — Видела, как он держал тебя за руку. Сергей, — обратилась она к мужу, который молча сидел рядом. — Скажи мне правду, что было между вами?

Сергей предпочел ничего не говорить. Для Евгении это было самым убедительным доказательством его измены. Все повторяется — стоило Надежде возникнуть на горизонте, как их жизнь полетела в тартарары.

— На этот раз уйду я, — заявила Евгения. — Я не собираюсь мешать вашему счастью. Если вам так хорошо вместе, то получите мое благословение. Но, Сергей, Павлушу я заберу с собой.

Молчавший супруг взорвался, посыпались обвинения, но его тираду прервала трель телефонного звонка. Сергея безотлагательно вызывали в штаб, красные начали наступление.

— Дождись меня и не предпринимай никаких глупых и поспешных решений, — сказал он Евгении. — Оставайся в городе, ты меня поняла? Я тебе потом все объясню.

Он вышел прочь.

— Я объясню тебе все, — сказала Надежда, дождавшись, пока за Сергеем хлопнет дверь. — Да, твой муж мне нравится, и я ему тоже. Все-таки, дорогая сестра, нужно иметь большое мужество и силу воли, чтобы жить с тобой. Разве кто-то может поверить, что мы родственницы?

В пыльном зеркале отражались две фигуры — приземистая, полная Евгения, выглядевшая много старше своих двадцати четырех, и изящная, тонкая, чрезвычайно красивая Надежда.

— Ну что же, я не собираюсь мешать вашему счастью, — сказала, сникнув, Евгения. — Я приняла решение. Мы с Павлушей немедленно уезжаем. А ты остаешься?

— Я предпочту остаться с твоим мужем, — почти

что мурлыкая, заявила Надежда. — Всего хорошего, моя милая сестренка!

Евгения приняла спонтанное решение, которое, как заноза, засело в ее голове. Она собрала один чемодан для себя, другой для сына и через полчаса была на основной магистрали, по которой тысячи людей покидали город.

Повозки, лошади, кричащие дети, стонущие раненые — все смешалось в один причудливый и страшный караван. Евгения, оказавшаяся в самом центре людского урагана, растерялась. Ее решение покинуть Сергея уже не было таким сильным, но что оставалось делать? Дороги назад не было.

Ей посчастливилось найти место на телеге, где она примостилась в три погибели вместе с Павлушей. Накрывшись рогожей, она прислушивалась к отдаленному грохоту снарядов.

Когда около моста, пролегавшего через небольшую речушку, образовался затор, она изменила решение. Она не может оставить Сергея, она не толкнет его своим бегством в объятия Надежды.

Поэтому, соскочив с телеги и бросив чемодан с вещами, она подхватила Павлушу и повернула назад. В тот день, который давно перешел в ночь, она была единственной, кто пожелал вернуться обратно. Навстречу ей брели люди, угрюмые, потерявшие веру, отчаявшиеся. Она стремилась в город, который с одного края уже горел. Ветер развевал пламя пожара.

Добраться в особняк ей довелось только к следующему утру, когда город практически обезлюдел. Запах гари наполнял воздух, бои шли уже в самом городе. Евгения в спешке вбежала в особняк, который выглядел пустым и брошенным.

Так и есть, все перевернуто вверх дном, ни Надежды, ни Сергея не было. Евгения в изнеможении опустилась на ступеньки лестницы. Она потеряла мужа, что же ей делать дальше?

— Ты вернулась? — услышала она удивленный голос сестры.

Та, привлеченная шумом, осторожно выглянула из комнаты на первом этаже. В руке она сжимала топор.

— Что ты здесь делаешь? — продолжила Надежда. — Сергей бросился вслед за тобой, он разыскивает тебя. По твоей милости, любезная сестра, он стал практически дезертиром.

— Ты лжешь, — побледнела Евгения. — Этого не может быть!

— Очень даже может. — Надежда отшвырнула топор. — Я думала, что нравлюсь ему, однако он любит только тебя, теперь ты удовлетворена сполна, Женечка? Я пыталась отговорить его от идиотской затеи, но он словно обезумел. Ему нужны ты и Павлуша.

Евгения не знала, что делать дальше. Сергей разыскивает ее, но откуда же он может знать, что она приняла спонтанное решение вернуться в город?

— Я тоже не собираюсь задерживаться, — сказала Надежда. — Советую тебе дожидаться его здесь. Он обещал мне, что вернется и заберет меня. Он все-таки джентльмен, никогда не бросит на произвол судьбы даму.

— Сережа обещал вернуться? — встрепенулась Евгения. — Я обязательно его дождусь!

— Тогда хоть топор прихвати, — посоветовала ей Надежда. — И, если что, смело опускай его на голову люмпенов. Я же не собираюсь ждать, пока в город вступят большевики. Прощай!

Сестры вновь расстались. Евгения провела бессонную ночь, вздрагивая от каждого шороха и втайне надеясь, что Сергей вот-вот вернется в особняк. На улицах царил подлинный хаос, пожар разрастался, громыхали взрывы, под городом взлетали на воздух оружейные склады. Вжавшись с сыном в кресло, Евгения сидела в темноте и молилась. Ей так хотелось снова увидеть Сережу.

Ее молитвы были услышаны. Он вернулся.

— Надежда, ты все еще здесь? — спросил Сергей, врываясь в особняк. Взмыленную лошадь он оставил около входа, а сам, одетый в легкую шинель, бросился в гостиную. Вместо Надежды он застал жену. Не говоря друг другу ни слова, они обнялись. Сергей поцеловал спящего Павлушу и произнес: — Как же я рад, Женечка, что ты передумала.

— Я знаю, что поступила глупо, — сказала Евгения.

— Между Надеждой и мной ничего не было, — твердо произнес Сергей. Он лгал, но это была, как считал он сам, ложь во спасение. Надежда — это ошибка, но зачем Евгении знать, что он провел предыдущую ночь в объятиях Надежды. — Твоя сестра, безусловно, очаровательная женщина, но это вовсе не повод, чтобы повторять ошибки. Ты же мне веришь, Женя?

— Конечно, — прошептала Евгения и прижалась к груди мужа. — Сережа, я тебе верю!

Господи, какая ей теперь разница, им бы выбраться живыми и невредимыми из города!

— Вот и хорошо, — сказал он. — Но теперь нам необходимо действительно выбираться из города. Коллапс неизбежен, большевики уже захватили северную часть. У нас еще есть возможность бежать. Но для этого потребуется хотя бы вторая лошадь, моя уже выдохлась, да и одна она нас втроем не выдержит.

С этими словами он вручил Евгении небольшой сверток.

— Здесь документы и драгоценности, твои драгоценности, — сказал Сергей. — Береги их, они нам пригодятся. Я думаю, что был в плену наивных иллюзий, когда считал, что мы сможем восстановить прежний порядок. Это невозможно. Надежда права, нам остается только одно — бежать за границу.

Евгения с облегчением перевела дух. Все нормализуется, они убегут из России, охваченной огнем гражданской войны, как можно дальше, в Европу или даже Америку. У них есть драгоценности, а значит, на первое время деньги найдутся.

— Жди меня здесь, — приказал Сергей. — Я скоро вернусь. У нас в запасе не так уж много времени. И ради бога, прошу тебя, Женя, никакого бегства в неизвестность. Ты и Павлуша дороже мне всего на свете.

Евгения проводила его до двери. Что же, осталось подождать совсем немного...

Полчаса спустя Сергей вернулся с повозкой и новой лошадью. Евгения предпочла не спрашивать, где он умудрился их достать, — в осажденном городе приобрести средство передвижения нельзя было ни за какие деньги. Значит, ради нее и сына он пошел на преступление?

— Быстрее, у нас совершенно нет времени, большевики уже в городе, — приказал он. — Надеюсь, нам повезет.

Им не повезло.

Их остановили на самом выезде из города. Патруль, состоящий из облаченных в кожаные куртки молодых рабочих с винтовками наперевес, вышвырнул Евгению с ребенком из повозки. В Сергее сразу же распознали белого офицера — шинель, форма, внешность...

— Значит, белая сволочь, потихоньку драпаешь. И прихватил с собой служанку или кого там, — Евгения, одетая в нелепую фуфайку и юбку, перемазанная сажей, с ревущим Павлушей, никак не походила на жену белого офицера.

— А ну, пошла прочь, дура, — прикрикнул на нее один из большевиков, бородатый молодой мужик. — А вот с этим господином мы разберемся прямо на месте.

— Прошу вас... — начала Евгения, но Сергей перебил ее:

— Это кухарка со своим сыном, не трогайте их...

— Да зачем нам эта кулема, — сплюнул бородач. — Ты нам нужен, белая вошь, только ты. Что, сознавайся, в штабе работал, супротив нас воевал, гнида?

Евгению отпихнули в придорожную канаву. Она прижала к себе сына и пакет с драгоценностями. Слезы душили ее, она все поняла. Они не оставят Сергею жизнь, они его убьют. И она ничего не в состоянии изменить. Он прав, если она выдаст себя, то расстреляют их втроем. Она не имеет права рисковать жизнью Павлуши. Но Сергей, что будет с ним?

Хозяйка Изумрудного города

Впечатавшись в мерзлую землю, Евгения закрыла уши руками, и все равно через несколько минут до нее долетели отрывистые выстрелы. Все было кончено.

Сергея расстреляли без суда и следствия. Прямо в степи.

— Ну все, баба, ты свободна, — с удовлетворением произнес бородатый предводитель отряда большевиков. — Кокнули мы твоего мучителя, теперь давай шуруй отсюда, пока я не передумал.

Евгения, оторопев, смотрела на тело Сергея, лежавшее всего в десятке метров от нее. Он только что был живой — и вот расстрелян. Она не чувствовала боли или скорби, только перед глазами плясали черно-красные мушки. Ее муж, которого она любила более всего в жизни, возможно, даже больше, чем сына, был убит практически на ее глазах. И по ее вине?

Нет, по вине Надежды. Если бы Надежда не возникла здесь внезапно, как привидение, если бы она не внесла сумятицу в их жизнь... Они бы давно были где-нибудь на пароходе, уносящем их в благословенную Турцию. Во всем виновата именно Надежда, никто, кроме нее!

Боль и осознание потери пришли позднее. Евгения не знала, как смогла выжить. Скорее всего, только мысль о том, что к ней прижимается голодный и завшивленный Павлуша, помогла ей сохранить разум.

Они брели по дорогам, им встречались и белые, и красные, но Евгения, погрузившаяся в бездонную тьму отчаяния, ничего не замечала. Она жила инстинктами и воспоминаниями.

Ей удалось нагнать колонну беженцев, покинувших город, в их числе она достигла одного из южных портов. Там-то она и приобрела револьвер, который должен был сослужить ей верную службу — убить Надежду. Это роковое решение она приняла сознательно. Надежда поплатится за все, что произошло с ней. Она ответит за тягчайшее преступление, за смерть Сергея.

Страшная картинка — мертвый Сергей, нелепо вытянувшийся в степи, — преследовала ее по ночам.

Именно поэтому Евгения так стремилась покинуть Россию. Эта страна, некогда так горячо ею любимая, осталась в невозвратном прошлом. В прошлом остался Петербург, верная Ляша, их особняк, Сергей... Ничто более не связывало ее с Россией.

Получить место на пароходе, идущем в Константинополь, оказалось совсем непросто. Обезумевшие люди были готовы выложить все, чтобы оказаться вне хаоса гражданской войны. Пугающие слухи разрастались, как снежный ком. Говорили, что вот-вот большевики займут порт, и тогда всех, кто не сумел бежать, расстреляют. Шептались, что союзники, обещавшие прислать несколько линкоров, на самом деле обманули. Намекали, что, возможно, откроют воздушную переправу. Никто не знал, чему верить.

Евгения, всучив матросу бриллиантовую брошь и кольцо с изумрудом, получила место в каюте третьего класса.

Прижав к себе Павлушу, она шагнула на палубу «Князя Игоря». Обернувшись, она бросила прощальный взгляд на русский берег. Неужели она не вернется сюда никогда? Нет, режим большевиков падет, все говорили, что силы Антанты вот-вот ворвутся в Петроград, ждать осталось немного. Шайку политических безумцев повесят, и все, кто не по своей воле покинул Россию, вернутся обратно.

Нужно совсем немного подождать, и тогда мечты станут явью. И все же Евгения знала, что прошлого не вернуть. Она никогда больше не увидит Сергея, а Павлуша никогда больше не увидит отца...

Револьвер был запрятан глубоко под одежду, так же, как и драгоценности.

Евгения вскрикнула. Ей вдруг показалось, что в портовой толчее она заметила Надежду. Или это только обман зрения, она выдает желаемое за действительное?

Ну что же, она обязательно найдет сестру. И тогда... Она безжалостно застрелит Надежду. Та виновата в смерти Сергея, и этого Евгения не могла ей простить.

Хозяйка Изумрудного города

«Князь Игорь» отошел от причала. Кое-кто бросился в воду, желая в последний момент попасть на пароход. На берегу оставались еще тысячи людей, которые стекались в порт с единственным желанием — бежать прочь. Возможно, где-то там и была Надежда. Евгению это пока мало интересовало, она знала, что рано или поздно найдет сестру.

Прибыв в Константинополь, она сумела достаточно выгодно продать пару аквамариновых подвесок и несколько колец с бриллиантами. Этих денег хватило, чтобы перебраться в Берлин.

Война закончилась, Германия, как и Россия, стала республикой, однако сумела избежать пролетарского переворота. Евгения бегло говорила по-немецки, поэтому ей не составляло особого труда влиться в жизнь почтенных бюргеров.

В немецкой столице Евгения осмотрелась, сняла по дешевке крошечную квартирку в мансарде, начала работать. Сначала она поступила в мясную лавку продавщицей, затем пошла работать в цветочный магазин.

Сменив несколько подобных мест, она обратилась в Гумбольдтский университет. Когда-то, до войны, у нее были приятельские отношения с профессором физики Клаусом Майдтом, который крайне положительно отзывался о ее научных изысканиях. Как же это было давно, кажется, как будто в другой жизни!

Профессор Майдт, почтенный седовласый карлик, с восторгом встретил госпожу Евгению Терпинину, с которой переписывался до войны.

— Моя дорогая! — воскликнул он. — Я уже и не чаял снова получить от вас письмо, и уж точно не мог и надеяться познакомиться с вами лично.

Он принимал Евгению и Павлушу, уже бойко говорившего по-немецки, в своей уютной квартирке, обставленной в плюшево-мармеладовых тонах. Казалось, война прошла мимо профессора Майдта и его сдобной, улыбчивой супруги. Они крайне радушно приняли Евгению, профессор моментально выхлопотал ей место на своей кафедре.

— Госпожа Терпинина, я почту за честь заполучить вас в качестве преподавателя, — заявил он. — Ваши мысли уникальны, подчас даже гениальны. Забудьте о проблемах и неурядицах, отдайтесь сполна фундаментальной науке. Что может быть великолепнее физики! Запомните, двадцатый век — это век энергии и межатомарных реакций! Сейчас, увы, после этой нелепой войны бюджеты университетов урезаны до невозможности, но вас это ни в коем разе не должно беспокоить.

Узнав, где проживает Евгения с сыном, добродушный профессор Клаус Майдт ужаснулся и немедленно отыскал уютный особнячок по вполне приемлемой цене. Евгения не могла поверить — ее проблемы были решены в мгновение ока. Она получила место в университете, вновь стала заниматься наукой.

Так прошло два года. Все это время Евгению не оставляла мысль отыскать Надежду. Ее кровавые планы отомстить только обрастали новыми подробностями. Поэтому где только можно Евгения наводила справки, стараясь выйти на след сестры.

Однажды ей повезло, она напала на ее след в Мюнхене, однако, прибыв туда в спешном порядке, она узнала, что госпожа Надин Арбенина, как теперь величала себя Надежда, выписалась из отеля всего полчаса назад и отбыла в неизвестном направлении. Евгения снова упустила сестру.

Она успокаивала себя мыслью, что, согласно теории относительности, которой она занималась в университете, она рано или поздно столкнется с Надеждой.

Жизнь в Берлине постепенно входила в обыденное русло, Евгения, реализовав некоторые из оставшихся драгоценностей, приобрела симпатичный особнячок. Павлуша пошел в немецкую школу.

Глядя на сына, Евгения с волчьей тоской вспоминала Сергея. Как же ей хотелось вернуть прошлое. Но, к великому сожалению, она знала, что это невозможно. Но ей так хотелось, чтобы Сергей был вместе с ней и сыном и смог насладиться безмятежным счастьем их берлинской жизни...

Хозяйка Изумрудного города

Вскоре Евгения убедилась, что несчастия, о которых она постепенно стала забывать, преследуют ее. Все началось с того, что Павлуша заболел. Она не придала особого значения пустяковой простуде, как она считала. Он продолжал ходить в школу, а по вечерам резвился с соседскими детьми. Однако простуда не проходила, и через несколько дней, вернувшись под вечер из университета, она застала его лежащим без сознания на полу спальни.

Тогда-то Евгению и охватил панический ужас. Она не может потерять Павлушу, своего маленького и горячо любимого сына, кровиночку, которая связывала ее с Сергеем! Ребенка немедленно доставили в лучшую берлинскую клинику, благо у Евгении было достаточно средств, чтобы оплатить любые медицинские расходы.

Она помнила, как профессор Майдт и его супруга, ставшие ей почти что родителями, моментально примчались в клинику и вместе с ней ожидали вердикта врачей. Он оказался неутешительным.

— Дифтерия, — сказал, поджав губы, холеный врач. — Фрау Терпинин, мы делаем все, что можем, но состояние вашего сына внушает серьезные опасения. Если бы вы доставили его хотя бы на сутки ранее, тогда бы мы обязательно спасли его, но сейчас...

На сутки ранее...

Она не могла поверить, она снова оказалась виноватой. Когда-то по своей глупости она убила Сергея, а сейчас поставила на грань смерти Павлушу. Она никогда не простит себе, если с мальчиком произойдет худшее!

— Все будет в полном порядке, — старался убедить ее маленький профессор Клаус Майдт. — Вот увидите, Евгения, ваш сынок выздоровеет, дифтерия не такая уж страшная болезнь, мой внук... — И он пускался в велеречивые рассуждения, которые вроде бы должны были успокоить Евгению, однако на самом деле ввергали ее в истерическое состояние. Она чувствовала, как холодок ползет по ее спине, а перед глазами мельтешат уже знакомые черно-красные мушки.

Она, ожидая новостей, заснула в неудобном деревянном кресле, стоявшем в холле больницы. Проснулась Евгения оттого, что профессор Майдт теребил ее за руку. Он выглядел виноватым, рядом с ним стояла его супруга с заплаканными глазами и хлюпающим носом.

— Что произошло, профессор? — внезапно охрипшим голосом произнесла Евгения. Она вдруг поняла, что Павлуши не стало. Было раннее мартовское утро, стояла прелестная теплая погода.

— Евгения, вам надо крепиться, — сказал профессор, отводя взгляд. — К сожалению, врачи делали все, что могли, но, вы сами понимаете, не все в их власти...

— Ваш сынок умер двадцать минут назад, — завершила фразу госпожа Майдт.

Евгения оторопело уставилась в беленый потолок. О чем она говорит, Павлуша умер?

— Я желаю его видеть, — медленно произнесла она.

Ее проводили в комнату, где на столе лежал Павлуша — такой маленький и беззащитный. И удивительно красивый. Создавалось впечатление, что он заснул и вот-вот откроет глазки.

На самом деле он был мертв. И Евгения, вместо того чтобы быть с сыном в его последние минуты, проспала в кресле. Она, мать, ничего не почувствовала.

— Поплачьте, вам будет легче, — старалась подбодрить ее жена профессора с удивительной нетактичностью. — Мои два сына тоже скончались, правда, в младенчестве...

Какое ей было дело до сыновей профессора Майдта! Павлуша умер. Павлуша, который олицетворял для нее все в этом мире, ради которого она жила и который позволил ей выжить после смерти Сергея.

Госпожа Терпинина держалась на редкость собранно и мужественно. Ни капли слез, ни единого всхлипа. На скромных похоронах присутствовали только она и Майдты. Маленький деревянный гроб легко скользнул в могилку на немецком кладбище.

Так Евгения потеряла сына.

Хозяйка Изумрудного города

Она снова обвиняла себя в произошедшем. Если бы она раньше заметила симптомы, если бы она была заботливой матерью... Снова и снова она возвращалась к назойливой, страшной мысли — во всем виновата Надежда. Это по вине сестры они оказались в Берлине, а следовательно, она и виновата в том, что Павлуша подцепил где-то эту заразу, отправившую его на тот свет.

С утроенными усилиями, подхлестнутыми неким подобием безумия, она ринулась на поиски сестры. Прошло полгода, прежде чем, истратив изрядную сумму денег, она узнала, что Надежда обитает в Гамбурге, в районе «красных фонарей», в дешевенькой квартирке на Рипербане. На этот раз она ее не упустит!

Собрав немногочисленные вещи, Евгения приехала на поезде в портовый город. В ридикюле она сжимала револьвер, заряженный шестью патронами. Она всадит пули одна за одной в сестру и, может быть, тогда почувствует себя лучше...

И вот теперь, сидя в громыхающем трамвае, Евгения думала о том, что же ей делать дальше. Она обрела сестру и племянника — и снова потеряла их. Что могло произойти с Надеждой, куда она делась после убийства итальянца?

Возможностей оставалось не так уж много. Надежда бежала. Наверняка она отправилась в порт и села на один из кораблей. Но как узнать, на какой именно?

В который раз Евгения проклинала себя за то, что не оставила сестре свой берлинский адрес или хотя бы координаты отеля в Гамбурге, где она проживала. Она снова потеряла тех, кого любила. Какая же она дура!

И, склонившись на соседнее сиденье в трамвае, она зарыдала. Пассажиры с удивлением и сочувствием смотрели на богато, но безвкусно одетую полную даму, которая сотрясалась в беззвучных рыданиях. Видимо, у нее произошло несчастье...

Надежда, выбежав из дома вместе с Сережей, оглянулась по сторонам. Она только что застрелила человека. Когда-то давно, в Петербурге, она уже стреляла в грабителя. Но то было совсем другое время и совсем другие обстоятельства.

Итальянец пришел, чтобы получить обратно свои деньги и украденное кольцо с рубином. Она давно проела и то и другое, у нее ничего не осталось. Зря тогда она связалась с членами коза ностры, потому что теперь они точно не оставят ее в покое. Они будут мстить за убитого. Хуже ситуации Надежда и представить не могла.

У нее была пачка банкнотов, оставленная Евгенией. Сестра не сказала, где она остановилась в Гамбурге, а Надежда и не спросила. Но чем ей может помочь Евгения, она начнет причитать и квохтать, от нее не дождешься реальной помощи.

— Мама, что случилось с дядей? — теребил ее за край легкого пальто Сережа.

Подхватив сына на руки, Надежда ответила:

— Дядя решил отдохнуть... Нам пора, маленький...

— Мы снова переезжаем, — захныкал Сережа, который уже привык к постоянным скитаниям по Европе. — А где та смешная толстая тетя, которая целовала меня? Мамочка, она вернется?

— Думаю, что нет, — произнесла, оглядываясь по сторонам, Надежда.

Выстрел был громким, ей показалось, что двери нескольких квартир хлопнули, когда она сбегала вниз по лестнице. Понаедет полиция, итальянцы тоже кинутся на ее поиски.

Она пересчитала наличность. Что же, Евгения умела быть щедрой. Этих денег хватит, чтобы перебраться из Германии, например, во Францию или Испанию. Там, вдали от всех бед, она обоснуется с Сережей, и, может быть, через пару лет, когда все уляжется, она разыщет сестру в Берлине.

Поймав такси, она собиралась было приказать вести себя и Сережу на вокзал, но вдруг ей пришла в голову мысль получше. Конечно же, она так давно мечтала об этом!

— В порт, — сказала она, моментально поменяв решение. — Везите нас в порт, вы слышите?

Индифферентный водитель, которому было все равно, куда доставлять пассажиров, лишь бы у них имелись деньги, молча кивнул. В голове Надежды моментально созрел план. Сколько раз, глядя на белоснежный пароход, она мечтала о том, чтобы оказаться на другом конце света, где-нибудь в Южной Америке, Австралии или Юго-Восточной Азии. Ее всегда влекла экзотика. И вот на ее долю выпал уникальный шанс — удрать из промозглого, туманного Гамбурга. Там, где-нибудь в Боливии или Парагвае, мафиози ни за что не отыщут ее. Она сможет преспокойно найти себе обеспеченного мужа-плантатора, в этом Надежда не сомневалась, и обеспечить будущее себе и Сереже.

Они оказались в порту, Надежда подбежала к кассам. Так и есть, в огромном приморском порту находилось несколько пароходов, совершавших круизы. Она сразу же отмела возможность отправиться в Венецию и Флоренцию. Нет, хватит с нее итальяшек, прочь из Старого Света.

Вот то, что ей надо. Круизный пароход с великолепным названием «Мона Лиза» вечером отправляется через океан в теплые края, куда-то в Южную Америку. Надежда мельком взглянула на расписание плавания. Куба, Мексика, Венесуэла, Коста-Бьянка... Какие заманчивые романтические названия!

— Осталась всего лишь одна каюта первого класса, — сказал кассир. — Вы желаете приобрести билет? Ваш мальчик, если ему нет пяти, имеет право сесть на «Мону Лизу» бесплатно.

Надежда задумалась. Каюта первого класса, великолепное обслуживание, ресторан, прогулки по палубе, восходы и закаты... Но у нее совершенно нет вещей, она захватила только документы и деньги.

— Да, я покупаю этот билет, — решительным тоном произнесла она и протянула кассиру почти всю наличность. У нее останется совсем немного денег, но что поделаешь, в конце концов, не в первый раз в своей короткой жизни Надежда оказывалась в подобной переделке.

— Прошу вас. — Несколькими минутами позже она получила конверт с красочным билетом. — Мадам, «Мона Лиза» отходит сегодня вечером, в 19 часов.

Решение было принято, Надежда с сыном отправилась в магазин, чтобы на крошечный остаток денег купить хотя бы чемодан.

Несколькими часами позднее, когда Евгения, мучимая совестью и тяжелыми воспоминаниями, тряслась в трамвае по Гамбургу, ее сестра, крепко сжимая ручку сына, поднялась на борт белоснежной красавицы «Моны Лизы».

Вслед за ней несли три презентабельно выглядевших кожаных чемодана, которые она, впрочем, приобрела на дешевой распродаже. В чемоданах были камни, придававшие вес, несколько носильщиков с уважением смотрели на гордую, но бедно одетую даму, важно шествующую впереди них. Надежда умела прозводить должное впечатление. У нее не было даже лишнего платья, но эта проблема пока что особо не волновала ее.

Пароход поразил ее своими размерами, красотой и непревзойденным шиком. Было около пяти часов вечера, богато одетые дамы и господа неспешно поднимались на «Мону Лизу», сновали носильщики, транспортируя дорогие чемоданы, картонки, кофры. Надежда отметила, что не выбивается из общей картины и выглядит вполне достойно. Она решила, что будет выдавать себя за польскую эмигрантку, графиню... ммм... Ильицкую, которая вместе со своим сыном после трагической гибели супруга на... на охоте... решила прийти в себя от пережитого стресса и отправилась в заморские страны.

— Госпожа графиня, прошу вас, — вышколенный стюард склонился перед ней, отворяя дверь каюты первого класса.

Надежда, вспомнив былые годы в Петербурге, не

замечая прислуги, прошла внутрь. Что же, совсем неплохо. Обстановка из красного дерева, гостиная, обитая золотистыми обоями, спальня с огромной кроватью, строгий кабинет, детская спальня. Все, как в шикарном отеле. У нее будет почти что месяц, чтобы найти выход из тупиковой ситуации, в которой она оказалась.

— Чемоданы можете оставить здесь. — Она хотела как можно быстрее остаться одна. Широким жестом она положила в руку носильщика несколько монет. Тот, довольный более чем щедрыми чаевыми, исчез.

Ну вот, у нее больше нет денег. Последние монеты она отдала в качестве чаевых. Надежда никогда не задумывалась о том, что ждет ее впереди.

Усевшись в мягкое кресло, она посадила на колени Сережу и закрыла глаза. Все ее неприятности остались позади, начинается новый этап ее жизни.

Спустя два часа «Мона Лиза», призывно гудя, вышла в Эльбу и направилась к Северному морю, чтобы оттуда попасть в Атлантический океан.

Надежде, знакомой с тонкостями придворного этикета и поведением подлинных аристократов, не составило труда убедить окружающих в том, что они имеют дело с графиней Надин Ильицкой, знатной польской аристократкой. В Петербурге у нее была хорошая знакомая с такой фамилией, представительница древнего рода. Никто не мог заподозрить родственницу последнего польского короля в том, что по вечерам, когда многие каюты остаются незапертыми, она крадет у богатых пассажиров деньги и мелкие драгоценности.

Благо, на круизном пароходе была предусмотрена лавка модистки, и Надежде не составило труда заказать себе шикарный гардероб, чтобы выглядеть в полном блеске своих почти двадцати пяти лет. Сережа получил матросский костюмчик и вскоре резвился с детьми других пассажиров на первой палубе.

Взирая вниз, на третью палубу, Надежда с затаенным страхом думала о том, что совсем недавно она влачила подобное существование. Но и перед ней маячила перспектива снова оказаться в нищете. А очень не хотелось покидать уютную каюту и переселяться в дешевый отель или скудно меблированные комнаты.

Она завязала знакомства, долгий круиз этому способствовал. Все были восхищены шармом и очарованием польской графини, которая так живо повествовала об ужасах, через которые она прошла вместе с сыном и мужем.

— Наш родовой замок под Варшавой спалили большевики, они повесили всех наших слуг, — придумывала Надежда. — К сожалению, большая часть фамильных реликвий, картины Рембрандта и Рафаэля, погибли в огне, большевики разграбили нашу уникальную сокровищницу и расколотили китайский фарфор. Нам с мужем достались сущие крохи...

— Бедная графиня, — вздыхали ей вслед. — Ей только двадцать пять, а сколько выпало на ее долю!

— Мой супруг, Вацлав, был самым добрым и заботливым мужем на свете, — прижимая к глазам крошечный кружевной платочек, рассказывала Надежда. — У Сержа не могло быть отца лучше, но что поделаешь... У каждого своя судьба, которой не миновать, теперь я это понимаю... Он был на охоте, произошел ужасный по нелепости несчастный случай. Когда прямо на него выскочил вепрь...

— Надин, вы же говорили, что это был взбесившийся лось, — поправила ее новая подруга, жена мыловаренного короля из Гамбурга, носившая непомерные бриллианты.

— Ах да, это был лось, вы, как всегда, правы, моя милая Гертруда, — продолжала и глазом не моргнув Надежда. — Приятель моего мужа, один из клана Рокфеллеров, неудачно выстрелил... пуля попала Вацлаву в грудь, он скончался на моих руках, и его последние слова перед тем, как он навсегда закрыл свои прелестные темно-синие глаза, были: «Я люблю тебя, моя дорогая жена, я люблю тебя больше всего в этом мире...»

— Какая очаровательно-романтическая история, —

вздыхали дамы, в который раз выражая сочувствие графине Ильицкой. — Мы так вам соболезнуем...

— Поэтому после похорон Вацлава я с сыном и решила отправиться в круиз, наш дом в Берлине навевает на меня тяжелые воспоминания, я больше не могла оставаться одна в нашем особняке на Унтер-ден-Линден...

— Дорогая, — вновь встревала слишком зацикленная на деталях супруга мыловаренного фабриканта, — но вы же говорили, что до смерти Вацлава проживали в Мюнхене...

— О да, — быстро исправилась Надежда, — но мой несчастный муж был плохим коммерсантом, наш чудесный мюнхенский дом пришлось продать, у меня не так уж много средств к существованию, вы же понимаете... Теперь я посвятила себя этому ангелу, — и она прижимала к себе кудрявую головку Сережи. — Мой маленький Серж — это все, что у меня есть...

Последняя фраза была сущей правдой!

На «Моне Лизе» путешествовало предостаточно обеспеченных мужчин, которые положили глаз на изящную красотку графиню. Надежда не собиралась становиться чьей-то любовницей, она намеревалась удачно выйти замуж. Она усиленно обхаживала голландского ювелира и американского сенатора, не зная, кому из них отдать предпочтение.

Путешествие постепенно и неизбежно подходило к концу. Еще неделя, и «Мона Лиза» отправится в обратный рейс на Гамбург. Надежда стала испытывать легкое беспокойство. Польская графиня всем нравилась, все плакали над ее трагической, почти как в романах Ги де Мопассана, жизнью, но никто из мужчин не выказывал ни малейшего желания ей помочь.

Ювелир из Амстердама, который по праву считался одним из самых богатых людей этого небольшого королевства, преподнес графине Ильицкой брошку в виде тонкой веточки из платины, усыпанной крошечными бриллиантами, но ей хотелось большего — заполучить его руку и сердце и, таким образом, тяжеленный кошелек.

Сенатор, целовавший ей руки и сыпавший на плохом немецком стандартными комплиментами, намекнул, что у него в Миннесоте вскоре начнется предвыборная кампания и если графиня имеет возможность ее финансировать, то он будет рад видеть ее своей второй супругой. Надежда фыркнула и дала лысому Джорджу отставку — помимо всего прочего, выяснилось, что у него от первого брака восемь детей и долгов на семьсот пятьдесят тысяч долларов.

Лайнер останавливался в райских местах. Латиноамериканские страны, полные неги и диковинных фруктов. Надежда грезила длинными песчаными пляжами, уходящими за горизонт, великолепными закатами, когда бордовый шар солнца погружается в бронзу океана, терпко-ароматными тропическими цветами диковинных расцветок.

— Вы не находите, что Эдем был именно здесь? — С таким вопросом по-французски обратился к ней сморщенный старец, которого Надежда часто замечала прогуливающимся по палубе. Он не привлек ее интереса, потому что наверняка был не таким уж обеспеченным — он внимательно и слишком придирчиво штудировал меню, выбирая блюда подешевле и скупясь на чаевые.

— Позвольте представиться, Ринальдо Баррейро, — сказал он и сухими старческими губами прикоснулся к трепещущей ладони Надежды. — Графиня, мы находимся в Коста-Бьянке, вам что-нибудь говорит это название?

— Увы, господин Баррейро, я не так уж сильна в географии, — рассмеялась Надежда.

Облаченная в легкое открытое платье кремовой расцветки, она была подлинным мотыльком, залетевшим в сверкающий всеми цветами радуги сад. Они наслаждались видом тропического острова, лежа в шезлонгах под теплым солнцем. Надежда не могла поверить, что это происходит именно с ней.

— О, госпожа графиня, вы многое упустили, не побывав со своим супругом, когда он был еще жив, в

Коста-Бьянке, — продолжил Ринальдо Баррейро. — Эта страна — моя родина. Я в последние годы из-за неотложных дел находился в Европе, но теперь возвращаюсь на родину. Вам нравится этот остров? — Он указал на берег, к которому причалила «Мона Лиза».

— Я бы хотела остаться здесь навсегда, — с тоской протянула Надежда. Она не лгала. Ее пленяли заморские острова, полные неторопливой жизни, удивительной флоры и фауны и какого-то особого мироощущения. — Здесь все иначе, чем в Европе.

— Вы совершенно правы, — подхватил ее мысль Ринальдо Баррейро. — Коста-Бьянка — не очень большое южноамериканское государство. Сама страна лежит на материке, но наиболее красивые места расположены на островах, раскиданных вдоль побережья. Это рай, уверяю вас! Но рай только для избранных. И я — один из них.

Надежда запомнила разговор с Ринальдо Баррейро. Ей бросилось в глаза, что старичок явно ею заинтересовался. Она навела справки у капитана, галантного морского волка, который, как и все, был в восхищении от польской графини Надин Ильицкой и ее очаровательного малыша Сержика.

— О, госпожа графиня, — сказал капитан, предлагая графине сигарету. — Ринальдо Баррейро, пожалуй, самая выдающаяся личность на «Моне Лизе». После вас, конечно же. Начну с того, что он ужасно богат...

— Неужели? — чересчур торопливо произнесла Надежда. — Я имею в виду, — поправилась она, дабы ее алчность так не выделялась, — что он совершенно не выглядит как богатый человек. И уж точно не как очень богатый...

— О, тут вы правы, милая графиня, — ответил капитан. — Господин Баррейро считает, что выставлять напоказ богатство вовсе не обязательно. Но уверяю вас, он обладает колоссальным состоянием. Я знаком с ним уже лет двадцать. Ему принадлежит половина этой чудесной тропической страны Коста-Бьянки, возможно, даже больше. У него огромные плантации кофе и бананов, он занимается разработкой апатитов, изумрудов и нефти. Лет десять назад он затеял строительство грандиозной железной дороги, пересекающей два американских континента с севера на юг. Проект лопнул, но многомиллионный фонд осел в чьих-то карманах. Интересно, в чьих же? Затем он занялся обустройством телефонных компаний и сосредоточил в своих руках всю инфраструктуру Коста-Бьянки. В Европе он промышлял на бирже и, судя по слухам, не только ничего не потерял, но и приумножил свои и без того большие капиталы. Не удивлюсь, если он окажется самым богатым человеком в Южной Америке. Он мультимиллионер...

— О, капитан, — Надежда взяла моряка под руку. — Расскажите мне побольше о господине Баррейро. Он, если честно, просто очаровал меня...

— Графиня, вам следует быть осторожным с Ринальдо, — предупредил ее капитан. — Он выглядит как дряхлая морская черепаха, однако на самом деле он полон энергии и сил. У него было четыре жены, и сейчас, после смерти своей последней супруги, он, как я вижу, намеревается обзавестись пятой.

Это чрезвычайно подходило к планам Надежды. Южноамериканский мультимиллионер, ищущий спутницу жизни, — что может быть приятнее для уха бедной дамы с ребенком, на которую охотятся итальянские головорезы?

— Позвольте дать вам совет, графиня, — сказал капитан.

Они остановились на корме судна. Солнце, отливающее всеми оттенками розового, превращало облака в перламутр, день клонился к завершению.

— Ринальдо очень опасный человек, недаром все его жены, а они были моложе его на двадцать и даже тридцать лет, скончались через три-четыре года после брака. Об одной, его первой супруге, точно известно, что он убил ее — затравил до смерти собаками. Если бы это произошло у нас в Германии, то ему бы не избежать тюрьмы и, возможно, виселицы, но в Коста-Бьянке свои законы. В этой республике, ужасно богатой природными ресурсами, за последние десять лет, наверное, сменилось девятнадцать правительств и четыре президента. Законность здесь синоним коррупции, справедливость на стороне богатого и сильного. Ринальдо удалось замять скандал, откупившись подношениями чиновникам. Другие его жены умирали также как-то слишком подозрительно и часто. Ходят слухи, что он, подобно Синей Бороде, избавляется от надоевших супруг при помощи сильнодействующего яда. В тропиках много растений и животных, которые лишают человека жизни за считаные секунды.

— Спасибо, капитан, я вижу, что вы искренне печетесь о моем благополучии. — Надежда, выслушав тираду моряка, пропустила ее мимо ушей.

Ринальдо — вот кто ей нужен! Именно он, и никто другой! Если капризный и богатый старик думает, что сможет через пару лет избавиться от нее, то она его разочарует — этому не бывать. Она станет синьорой Баррейро номер пять, и будь что будет!

Они провели в Коста-Бьянке еще два дня, и сорока восьми часов вполне хватило, чтобы охмурить Ринальдо. Перед самым отправлением «Моны Лизы» в обратное плавание он сделал Надежде предложение.

— Графиня, мы удивительно подходим друг другу, — сказал Ринальдо. — Вы знаете, что я не возвращаюсь в Гамбург, а остаюсь в Коста-Бьянке. Я предлагаю вам остаться вместе со мной. В качестве моей супруги, графиня. Я буду страшно рад этому. Я уже полюбил вашего мальчика и, надеюсь, стану ему примерным отцом, как, впрочем, и заботливым мужем для вас.

Надежда, которая только и ждала подобного признания, не стала жеманиться. Она моментально согласилась, и «Мона Лиза» ушла в Гамбург, оставив ее и сына в пленительной Коста-Бьянке.

То, что она увидела, прибыв в поместье Ринальдо, превзошло ее самые смелые ожидания. Громадный трехэтажный особняк с более чем пятьюдесятью комнатами, раскинулся посреди благоухающего сада, окруженного высоченным забором.

Страстью синьора Баррейро были собаки. Глядя на оскаленные морды догов и питбулей, Надежда со страхом вспоминала рассказ капитана. Но Ринальдо был сама любезность и учтивость.

В первый же день Надежда стала свидетельницей страшной сцены. В чем-то провинившийся работник на плантации, молодой мулат, по приказу Ринальдо был жестоко избит палками. Как позднее она узнала, он скончался в муках от множественных переломов и внутреннего кровотечения.

Когда Баррейро понял, что его невеста не привыкла к подобным зрелищам, он произнес:

— У нас в Коста-Бьянке другая жизнь, моя дорогая, и тебе нужно постепенно к ней привыкать. Эти мулаты не считаются за людей. Я мальчишкой застал те времена, когда они были рабами, они такими для меня и остались.

Надежда постепенно стала угадывать подлинный характер будущего мужа — злобный, деспотичный, необузданный. Но он был богат, как Крез. Ему принадлежали многокилометровые плантации с кофейными деревьями, шахты, где добывали изумруды, предприятия по производству оружия...

Ринальдо не скупился на подарки молодой графине. Соседи, такие же богатые плантаторы, скоро узнали, что синьор Баррейро привез из Европы удивительно красивую и родовитую супругу. Надежде пришлось следить за простодушными высказываниями Сережи, чтобы не попасть впросак. Она, графиня Ильицкая, была гордостью Ринальдо.

И его новым приобретением, как очередная газета, ранчо или пароход. Надежда наконец-то почувствовала себя обеспеченной. В Петербурге у нее была камеристка, несколько служанок, кухарка, дворник... В коста-бьянкском поместье Ринальдо она отдавала приказания нескольким десяткам слуг, своей безропотностью походивших на рабов, которые сбивались с ног, чтобы как можно быстрее выполнить любую прихоть госпожи.

Ринальдо заваливал ее драгоценностями, подписывал чеки, в столице республики, городе Эльпараисо, она посещала самые шикарные бутики, одевалась у самых известных и дорогих портных. Надежда убедилась, что Коста-Бьянка, расположенная на задворках мира, живет своей особой жизнью. Конечно же, мода несколько отличалась от парижской, однако всего за пару месяцев госпоже Ильицкой удалось прослыть самой элегантной дамой Коста-Бьянки.

Ринальдо боялись, Ринальдо боготворили, Ринальдо ненавидели. Надежда, которую Баррейро не допускал к финансовым делам, была вынуждена заниматься домашним хозяйством. Ей подчинялось около сотни слуг, которых она вначале не могла запомнить по имени. Она открыла для себя новую страсть — лошадей. У Ринальдо имелась великолепная конюшня, украшением которой был черный жеребец, купленный за баснословные деньги у иранского шаха. Именно этого жеребца по кличке Вихрь Ринальдо и преподнес молодой супруге.

Дары, похожие на сокровища Али-Бабы, сыпались на нее, как из рога изобилия. Надежда купалась в роскоши, не вспоминая о том, что всего несколько месяцев назад считала каждую марку в сырой и темной квартирке Гамбурга. Она добилась того, что хотела. Или все это было иллюзиями?

Венчание прошло в главном соборе столицы, старинной церкви, выстроенной в начале шестнадцатого века после того, как испанские конкистадоры объявили Коста-Бьянку территорией мадридской короны.

Сразу же после свадьбы Ринальдо настоял на том, чтобы они отправились в глубь страны, в его огромное, похожее на отдельное государство, поместье, огражденное от всего остального мира. Надежде не хотелось покидать столицу Коста-Бьянки — шумный Эльпараисо, который пленил ее изысканной архитектурой и бурной жизнью. Но спорить с мужем не приходилось, Ринальдо всегда получал то, что хотел.

Она поняла, и очень скоро, что ее супруг — сумасшедший и садист. Ему доставляло удовольствие мучить людей. В припадках беспричинного бешенства он мог до смерти забить хлыстом провинившегося работника на плантации или служанку, уронившую чашку. Надежда пыталась вступиться, но перепадало и ей.

Через несколько дней после свадьбы она узнала, что у ее мужа очень тяжелая рука. Он избил ее за то, что она отказалась подчиниться его извращенным сексуальным желаниям. Надежда, не привыкшая к подобному отношению, заперлась в своей спальне и тихо выла. У нее было все, она стала женой миллионера, но почему ей так плохо, как еще никогда не было? Возможно, из-за того, что она по собственной глупости оказалась в лабиринте, выхода из которого не было. В лабиринте, где ее поджидал свирепый, охочий до крови Минотавр.

Ринальдо, сначала упрашивавший жену, взломал тяжелую дверь, сделанную из тика, и снова избил Надежду так, что она почти два месяца не могла показаться слугам из-за синяков, покрывавших ее лицо. После этого припадка Ринальдо снова стал милым и галантным, сделал ей царские подарки и не настаивал на близости.

— Если ты будешь выполнять мои желания, то каждый год я буду дарить тебе полмиллиона, — сказал ей Ринальдо. — Учти, ты не имеешь права развестись со мной, ты мгновенно потеряешь все. Ты согласна?

Надежда, знавшая, что от Ринальдо убежать невозможно, покорно согласилась. Для всех она стала счастливой вдовой, которая вышла замуж за самого богатого человека страны. На самом деле она была заложницей психопата, готового убивать.

У Ринальдо от четырех браков не было детей, а ему требовался наследник. Его поджимал возраст, ему было почти семьдесят. Несколько детей, которых произвели на свет его несчастные жены, умерли в младенчестве. Поэтому он привязался к Сереже. Он полюбил мальчика, насколько к этому был способен такой человек, как он. Баррейро брал его с собой в деловые поездки, возил на плантации, спускался вместе с ним в шахты, представлял всем как своего сына.

Он на самом деле усыновил Сергея, который именовался теперь Сержем Баррейро. Надежда, души не чаявшая в сыне, с горечью стала замечать, что он отдаляется от нее. Особые опасения внушали ей забавы, к которым Ринальдо приучал Сережу. Она боялась, что под влиянием отчима, которого мальчик слушался беспрекословно, Сергей вырастет таким же деспотичным и жестоким.

Заметив однажды, как девятилетний мальчик ударил по лицу пожилую служанку, она отчитала его. Сергей, белокурый ангел (и это разительно отличало его от смуглолицых и темноволосых жителей Коста-Бьянки), тихим голоском сказал матери:

— Ты ничего не понимаешь, эти индейские бастарды созданы для того, чтобы ими помыкали. Они же обезьяны, мама, с ними нужно общаться только при помощи силы.

Надежда попробовала поговорить о методах воспитания с Ринальдо, но муж, исправно переводивший на ее личный счет полмиллиона долларов каждый год, рассвирепел:

— Что ты хочешь сказать, мальчик растет подлинным Баррейро! Пускай он не мой сын по крови, однако он мой настоящий наследник по духу.

Этого-то Надежда и боялась больше всего. Шли годы, она, плененная в золотой клетке, постепенно привыкла к тому, что Ринальдо может ворваться к ней в спальню в половине третьего ночи и грубо овладеть, нанося удары по лицу. Жены других плантаторов были каждая по-своему несчастны. Ринальдо никогда не скупился, открыв ей неограниченный кредит в самых лучших лавках и магазинах, и Надежда, стараясь заглушить душевную боль, не стеснялась в тратах.

Она регулярно появлялась на обложках модных журналов, ее провозгласили образцом вкуса, даже жены президентов, менявшихся с регулярностью раз в два-три года, не могли соперничать с ней.

Сережа превратился в красивого молодого человека. В столь же красивого, сколь и порочного. Надежда знала, что ее сын гоняется за наслаждениями, безмерно тратит деньги, предается бессмысленным жестокостям. Баррейро все прощал пасынку, в котором не чаял души.

На семнадцатый день рождения он заявил, что сделал Сержа единственным наследником всего своего имущества.

А спустя три месяца Сережа убил Ринальдо.

Надежда была свидетельницей того, как сын вместе с мужем отправились на охоту. Через два часа Сергей в задумчивости вернулся в особняк. Надежда еще не спала, читая очередной женский роман, который помогал ей бежать от суровой действительности.

Стояла зыбкая жара, надвигался сезон дождей. Сергей молча прошел в библиотеку. Его руки, облаченные в тяжелые перчатки, были залиты кровью. Надежда содрогнулась — ей не нравилось желание сына добивать раненых животных.

— Ринальдо умер, — стаскивая перчатки, сказал Сергей.

Надежда, машинально отложив книжку в сторону, сначала не поняла, о чем речь. Она так давно мечтала о том, что Баррейро скончается. И вот, похоже, ее сокровенные мечтания осуществились.

— Что произошло? — спросила Надежда.

Сергей усмехнулся, и улыбка на его красивом лице выглядела ужасно.

— Несчастный случай на охоте, как и с моим польским отцом, — ответил он. — Я сейчас привезу его тело, а ты позаботься, чтобы никто не видел этого. Наконец-то я избавился от этого старого придурка!

В его словах было столько злости и надменной издевки, что Надежду пронзил смертельный ужас. Неужели этот белокурый красавец с серо-голубыми глазами, по которому сходят с ума все барышни Коста-Бьянки, ее сын, которого она любит более всего в жизни, вырос монстром? Она не хотела верить в это...

Как и велел Сергей, она отправила слуг в свои комнаты и приказала не покидать их до особого распоряжения. В доме Баррейро слуги подчинялись хозяйке с первого слова и никогда не пытались нарушить приказаний.

Сергей, прихватив бричку, отправился в джунгли, откуда час спустя привез тело Ринальдо. В сарае Надежда взглянула на мертвого супруга. Ни о каком несчастном случае не могло быть и речи. Сергей убил отчима. Он перерезал ему горло, хладнокровно и жестоко.

Меланхолически куря, Сергей взглянул на мать, склонившуюся над мертвым Баррейро.

— Ты же так давно мечтала об этом, я знаю, — сказал ей молодой человек. — Почему ты не радуешься, мама?

— Как ты мог, — только и промолвила Надежда.

Она возненавидела Ринальдо практически с самого начала их несчастного брака, но не желала ему такой страшной смерти. Она не хотела, чтобы ее сын оказался убийцей.

Сергей бросил на солому охотничий нож, весь в засохшей крови. Именно им, как поняла Надежда, он и убил Ринальдо.

— Старик слишком зажился на этом свете, — произнес Сергей. — Теперь я стану наследником всего состояния.

Боже, только и подумала Надежда, он стал настоящей копией Ринальдо. Нет, он стал еще порочнее, чем его отчим...

Следующим утром всех оповестили о том, что господин Ринальдо Баррейро скончался на охоте от сердечного приступа. Слуги, если кто-то знал и видел что-то, предпочли молчать. Имя Баррейро навевало ужас.

К Надежде потянулись нескончаемые процессии желающих выразить соболезнование. Депутаты национального собрания, министры, промышленные и финансовые магнаты, председатель государственного банка республики, генералы армии, наконец, его высокопревосходительство господин президент республики Коста-Бьянка. Она, как вдовствующая императрица, принимала всех в огромном зале, восседая в золоченом кресле. Вся в черном шелке, с вуалью, закрывающей мраморно-белое лицо, без драгоценностей, она выслушивала потоки слов о том, что страна потеряла выдающегося деятеля, гениального предпринимателя, примерного семьянина...

Сергей, стоявший около матери и державший ее ладонь в своей руке, в одно мгновение превратился в значимую фигуру. Надежда вдруг поняла, что боится сына, боится того, кому посвятила всю жизнь.

Ринальдо погребли в фамильном склепе, к его телу никто не был допущен, доктор подписал свидетельство о смерти, даже не взглянув на труп. Похоже, что все с облегчением вздохнули, когда всемогущий Баррейро отдал богу (или дьяволу, как были уверены очень многие) свою многогрешную душу.

О том, что Сергей убил отчима, никто и никогда не узнает. Надежда, единственная, знавшая страшную тайну, молчала. Что изменится, если она расскажет об этом? Ей никто не поверит, никто не захочет взглянуть правде в глаза. А даже если и поверят, способна ли она, мать, отправить свого единственного сына в тюрьму? Она же любила Сергея, любила, даже несмотря на то, что он был убийцей.

Через неделю было оглашено завещание покойного. Баррейро не обманул, он отписал все свое имущество, исчислявшееся многими десятками миллионов, сыну Сержу. Надежде ничего не досталось — ну, или почти ничего, кроме драгоценностей. Но у нее был счет в банке, на котором за тринадцать лет супружества с Ринальдо скопилось чуть больше шести миллионов. Она была вполне обеспеченной дамой, которая овдовела в возрасте тридцати восьми лет.

Согласно законам Коста-Бьянки, Сергей не мог мгновенно распоряжаться имуществом, отписанным ему Ринальдо. Ему требовалось стать совершеннолетним, достичь двадцати одного года, чтобы войти в права наследства. До этого времени, по единодушному мнению адвокатов (и под давлением самой Надежды), госпожа Баррейро была назначена опекуном собственного сына.

Вечером того же дня в столичном особняке Баррейро разыгралась безобразная сцена. Сергей, узнав, что ему придется ждать еще почти четыре года, обвинил Надежду в том, что она украла его деньги.

— Ты немедленно отдашь мне все то, что принадлежит мне по закону! — кричал сын.

В гневе он так походил на Ринальдо. Надежда даже ужаснулась — почему Сергей не пошел в своего настоящего отца, мужа Евгении, а превратился в подобие Баррейро?

— Ты получил все, Сережа, — ответила уставшая Надежда. — Все то, к чему ты стремился. Деньги — твои. Ведь ради этих миллионов ты и убил Ринальдо?

Сергей в тревоге оглянулся и, подскочив к матери, закатил ей звонкую оплеуху. Надежда не могла поверить — сын ударил ее!

— Заткнись, шлюха, — прошипел он. — Не дай бог, твои рассуждения кто-нибудь услышит!

Между сыном и матерью пролегла бездонная пропасть. Они практически не общались. Надежда, обладавшая правом тратить деньги, доставшиеся от Ринальдо, предавалась этому с великой энергией и воодушевлением. Она скупала наряды, которые не носила, туфли, которые складировались в кладовой, драгоценности, которые запирались в сейф, ковры, картины, мебель, которые безжалостно выбрасывались через два месяца и заменялись новыми.

Сергей, как слышала Надежда, пустился во все тяжкие. Он превратился в желанного гостя во всех борделях Эльпараисо; казино радушно принимали молодого синьора Баррейро, который за вечер мог проиграть несколько десятков тысяч; модные магазины охотно принимали его векселя, предлагая ему на выбор самое дорогое белье и костюмы.

Одним вечером Сергей пришел к матери, проживавшей в роскошном особняке в самом центре Коста-Бьянки, затем, чтобы восстановить мир. Надежда, давно скучавшая по сыну, была рада его внезапному визиту.

— Мама, я понял, что наделал в жизни много глупостей, совершил много ошибок, — признался ей Сергей.

Надежда не могла сдержать слез — ее мальчик снова стал прежним. Она все давно простила ему. Они вдвоем поужинали и даже пригубили шампанского в знак примирения.

— А теперь, мама, мне пора, я уезжаю в Штаты, — сказал Сергей. — В Европе, как ты знаешь, идет новая война, а я хочу немного поразвлечься... До скорого, мамочка!

И, поцеловав Надежду, молодой человек отправился в аэропорт, где его ждал личный самолет семейства Баррейро.

Той же ночью Надежде стало плохо. Судороги пронзали ее тело, она многократно теряла сознание, и только своевременный визит президентского врача спас ей жизнь. Мудрый медик, сделав ей промывание желудка, сказал:

— Госпожа Баррейро, не буду скрывать от вас правду, вас пытались отравить. Это типичные симптомы отравления стрихнином. Кто-то использовал плоды рвотного ореха, чтобы отправить вас на тот свет. Это очень серьезно!

Надежда, еле пришедшая в себя после ночи, едва не отправившей ее в мир иной, в изнеможении откинулась на подушки. Сергей! Кто же еще, кроме Сергея, мог подмешать ей в пищу стрихнин. Поэтому-то сын и заявился к ней с предложением о примирении, поэтому-то он и был с ней так ласков, поэтому-то он и отправился в Нью-Йорк, чтобы не быть причастным к смерти матери.

Хозяйка Изумрудного города

Но зачем? Плача, уткнувшись в подушку, Надежда поняла — сын хотел как можно быстрее получить деньги. Неужели в свои семнадцать лет он был чудовищем, способным убить родную мать? Хотя чего ожидать от человека, который перерезал, как свинье, глотку отчиму?

Надежде удалось замять скандал, она заявила, что сама по ошибке приняла не то снадобье, которое было нужно, перепутав бутылочку с крысиным ядом и флакон со снотворным. Очень слабое объяснение, но его хватило, чтоб отвести подозрения от Сергея.

Сын как ни в чем не бывало вернулся из Америки спустя несколько месяцев. Он обнял мать, поцеловал ее, и Надежда ощутила в полной мере, что это значит, когда тебя целует Иуда. Самое ужасное, что она по-прежнему до безумия любила сына, того самого сына, который пытался убить ее.

Она так и не решилась побеседовать с Сергеем о произошедшем, однако решила, что с нее хватит. Переговорив с адвокатами, она сняла с себя опекунское бремя, передав его нескольким маститым законникам. Сергей, узнав об этом, в ярости засек на плантации беременную негритянку, которая некстати подвернулась ему под руку. Это только укрепило Надежду в подозрениях, что Сергей применит все средства, чтобы добиться желаемого.

В августе 1941 года, когда Сергею исполнился двадцать один год, он получил в нераздельное и полновластное владение все имущество Ринальдо. Он стал самым богатым человеком в Коста-Бьянке. Шахты, плантации, заводы, газеты, акции... Молодой человек закатил по этому поводу грандиозную пирушку, празднуя наконец-то начало самостоятельной жизни. Надежда, сославшись на плохое самочувствие, отказалась принять участие в сарданапаловом веселье сына.

Она, обеспеченная дама сорока с небольшим лет, продолжала жить в свое удовольствие. Она смирилась с мыслью, что потеряла Сергея. Для нее единственным утешением стали магазины, театр и любовники.

Сын, дорвавшись до денег, стал расшвыривать их направо и налево. Ринальдо не удалось привить пасынку бизнес-хватку, поэтому Сергей больше тратил, чем получал взамен. Он не спешил жениться, хотя все знатные семейства Коста-Бьянки охотились за белокурым красавцем Сержем, наследником баррейровских миллионов.

Надежда, также не скупившаяся на траты, постепенно проматывала состояние. К концу сороковых годов она с удивлением поняла, что обанкротилась. Финансовый советник, пришедший к ней на традиционный утренний кофе, доложил госпоже Баррейро, что на ее счету остается чуть более десяти тысяч.

— А как же мои акции? — спросила Надежда, облаченная в прелестный розовый халат. Для своих почти пятидесяти лет она выглядела изумительно — ни морщинки, девичья фигурка, вьющиеся волосы без единого намека не седину. Своей красотой она была обязана матушке-природе и голливудским пластическим хирургам.

— Госпожа Баррейро, — просветил ее финансовый эксперт. — Состояние фондовой биржи после окончания войны в Европе таково, что почти все акции не более чем разноцветные бумажки.

— Ну хорошо. — Надежда поставила крошечную чашечку на мраморный столик. — У меня остается еще столичный особняк, он стоит, как я думаю, не меньше двух миллионов...

— Около трех, — поправил ее финансист. — Однако закладную на него вы подписали еще год назад, он теперь принадлежит банку, госпожа Баррейро...

— Мои драгоценности, — Надежда испытала легкую панику.

Неужели давно забытый призрак нищеты восстал из небытия? Она вроде бы не так уж много и покупала... Хотя журналы и писали, что у нее было восемьсот пар обуви, но это преувеличение, выдумки желтой прессы. У нее не может не быть денег!

— Ваши драгоценности также давно заложены, разве вы не помните, — сказал финансовый советник. — Госпожа Баррейро, вы, как мне кажется, не можете себе позволить вести такой же расточительный образ жизни, как и раньше. Банк, который скупил ваши векселя, заявил, что намерен в течение месяца заставить вас оплатить их. Вы знаете, о какой сумме идет речь? О двух миллионах шестистах двадцати тысячах реалов, госпожа.

Надежда содрогнулась, ей внезапно стало холодно.

— А что будет, если я не смогу оплатить эти векселя? У меня ведь нет таких денег...

Эксперт пожал плечами. Ему, облаченному в шикарный костюм от лучшего столичного портного, не было дела до финансовых затруднений вдовы некогда самого богатого человека в Коста-Бьянке. Времена меняются, что же поделать...

— Тогда на ваше имущество наложат арест, продадут его с аукциона и попытаются оплатить долги. Если этого не хватит, что вероятнее всего, то вас как злостного должника отправят в тюрьму.

— Меня — в тюрьму! — закричала Надежда. — Этого не может быть! Что вы мне посоветуете, господин финансовый советник? Почему вы раньше не предупреждали меня о грозящей катастрофе?

— Я предупреждал вас, госпожа Баррейро, только вы не хотели слышать, — сурово ответил тот. — Выход у вас один — в течение семи дней отыскать требуемую сумму и предъявить ее к оплате. Иначе...

Не закончив многозначительно-роковой фразы, он ретировался. Надежда, которая думала, что утро прекрасно, а кофе восхитителен, запустила унизанные перстнями пальцы в прическу и облокотилась на столик. Ей нужно найти эти два миллиона шестьсот двадцать тысяч, но каким образом? Ее любовники — безденежные перекати-поле, ее друзья никогда не одолжат такой гигантской суммы.

Похоже, она знала, к кому обратиться. Выбрав самое страшное из имевшихся платьев, она отправилась к Сергею, которого не видела уже несколько лет. Сын проживал в самом шикарном районе Эльпараисо, в квартире в одном из коста-бьянкских небоскребов.

Он принял Надежду более чем холодно, не пустив далее порога. Как она поняла, сын приходил в себя после очередной попойки и оргии. Из апартаментов слышались веселые женские голоса и хохот.

— Тебе нужны деньги, — выслушав сбивчивый рассказ Надежды, произнес Сергей. — Ничем помочь не могу.

— Но, Сережа, — в отчаянии взмолилась Надежда. — Я знаю, у тебя есть деньги, ты должен мне помочь, прошу тебя. В конце концов, не забывай, мне известно, как умер Ринальдо...

Сергей, откинув со лба белокурые пряди волос, разразился неприятным смехом.

— Ага, да ты, оказывается, на старости лет заделалась шантажисткой, мама. Кто тебе поверит, кто посмеет заняться расследованием убийства, которого не было? Ты не получишь от меня ни цента, учти это.

В ее же присутствии, по домофону, он приказал охранникам не впускать к нему больше госпожу Баррейро.

— Мне пора в бассейн, — сказал он. — Всего хорошего!

Надежда, не ожидавшая такого приема от родного сына, впала в шок. Что же ей делать? Неделя, казавшаяся такой бездной времени, пролетела совершенно незаметно. Финансовый советник не обманул — банк предъявил к оплате множество бездумно подписанных ею векселей, и Надежда, не в состоянии оплатить ни один из них, лишилась всего.

Газеты, когда-то превозносившие ее как образец вкуса и элегантности, обрушились на Надежду с резкой критикой и злобными нападками. На первых полосах поместили фото, на которых ее переправляли в тюрьму за неуплату долгов.

Имя Баррейро еще кое-что значило в Коста-Бьянке, за нее вступились высокопоставленные знакомые, и Надежду через два месяца выпустили. Но этих шестидесяти дней хватило, чтобы потерять вкус к жизни и разочароваться в смысле существования.

Она резко постарела. Президент именным указом выделил ей крошечный домик на окраине столицы и скромную пенсию — за заслуги мужа перед Отечеством. Надежда, сгоравшая от стыда, не могла больше сталкиваться с богатыми друзьями и, продав домик, переехала в провинцию, где ее никто не знал.

Она хотела разыскать Евгению, ей удалось узнать, что та много лет жила в Париже, но после войны ее след потерялся. Сестра наверняка помогла бы ей, но и тут судьба оказалась безжалостной к Надежде — Евгения исчезла, и никто не знал, что с ней произошло.

Через год она затеяла грандиозный судебный процесс против Сергея, желая получить часть денег мужа. Доведенная до отчаяния, она заявила журналистам, что именно ее сын убил Ринальдо Баррейро, и в подробностях рассказала о событиях вечера более чем десятилетней давности, когда Сергей, весь в крови, вернулся с телом Ринальдо с охоты.

Все, что произошло дальше, вовсе не соответствовало ее ожиданиям. Никто не бросился эксгумировать тело Ринальдо, полиция не занялась расследованием этого дела. Сергей, уверенный в себе, как всегда, красивый, окруженный сворой лучших говорливых адвокатов, заявил, что его мать сошла с ума.

Надежда проиграла процесс, ее заявления никто не воспринял всерьез. Разозленный Сергей добился, чтобы ее заперли в психиатрическую клинику. Консилиум купленных им врачей постановил — госпожа Надин Баррейро страдает остротекущей формой шизофрении, манией преследования, а также личностной дезориентацией и нуждается в специализированном лечении в стенах сумасшедшего дома.

Смирившись с почетной нищетой, Надежда никак не ожидала, что окажется среди пациентов, страдающих расстройствами психики. Сергей постарался сделать так, чтобы она никогда не вышла на волю. Это ему удалось. Консилиум, прозаседав три часа, постановил, что госпожа Надин Баррейро опасна как для общества, так и для самой себя и призвана провести остаток жизни под надзором врачей.

Проведя три месяца в психиатрической клинике, Надежда попыталась покончить жизнь самоубийством. Ее, накачавшуюся таблеток, которые она стащила у медсестры, заперли в отдельный бокс. Временами, вспоминая прекрасную жизнь, полную богатства и расточительства (а что было еще? да и было ли что-либо еще? Она уже не знала...), Надежда грезила наяву. Может быть, она на самом деле постепенно теряет рассудок?

В психиатрической клинике она провела пять лет, где и скончалась, превратившись к февралю 1954 года в молчаливую, глядящую на собеседника стеклянными глазами старуху с патлатыми седыми волосами и морщинистыми руками. Получив известие о смерти матери, Серж Баррейро, расслаблявшийся в Сен-Тропе, не соизволил даже оплатить ее погребение. Похороны прошли на кладбище, принадлежащем больнице. Надин Баррейро упокоилась под скромным каменным крестом с лаконичной надписью — имя, дата рождения и стих из книги псалмов...

Сергей никогда не задумывался о том, что поступает ужасно и жестоко. Этому его научил отчим, Ринальдо Баррейро, которого он любил и ненавидел одновременно. Получив в средиземноморском отеле телеграмму о том, что его мать умерла, он пробормотал единственное слово:

— Наконец!

Когда-то он по-детски пытался отравить ее, чтобы заполучить все деньги. Ему это не удалось, она, скорее всего, поняла, кто пытался это сделать. Но она молчала, когда он вернулся с охоты и сообщил ей о смерти Ринальдо, смолчала и потом... Когда же она решилась рассказать всему миру о том, что он отправил на тот свет Ринальдо, было слишком поздно. Сергей не мог позволить себе рисковать огромными деньгами, которыми он привык обладать.

Оказалось, что быть миллионером совсем не так тяжело. Километровые счета в банке, яхты, беззаботная жизнь, красавицы, которые сами тянулись к нему, бега, казино, элегантные костюмы, особняки, самолеты... Список можно было продолжать до бесконечности.

Он брал от жизни по максимуму, не задумываясь о последствиях. Он был молод, красив, богат — что еще требовалось для полного счастья? Женщины сами кидались ему на шею, но он не спешил с выбором. Ему всего лишь тридцать с небольшим, зачем торопить события...

Сергей не подозревал, что у судьбы были другие планы. Он слишком бездумно относился к тому, чем обладал. Как и его мать, он, не задумываясь, тратил деньги, окружил себя льстецами, которые прикидывались друзьями, негодными финансовыми советниками, искавшими исключительно собственную выгоду. Деньги таяли, как снег на жарком солнце, но Сергея это нимало не заботило. Подумаешь, долгов на полтора миллиона, у него всегда есть в запасе кофейная плантация или провинциальная газета, ее можно продать и снова окунуться с головой в омут наслаждений.

В августовский день, после сногсшибательной вечеринки по случаю своего тридцать четвертого дня рождения, он мчался на темно-сапфировом «Ягуаре» по трассе, ведущей из столицы Эльпараисо в близлежащий курортный городок. Там, в уединенной вилле на песчаном берегу, его ждала Стелла, коста-бьянкская кинозвезда, недоступная дива с репутацией стервы-девственницы, питающейся мужчинами. Перед ним она не смогла устоять, тешил себя сладкой мыслью Сергей. Еще бы, он, Серж Баррейро, никогда не был мелочным с женщинами. Разве что пару раз его привлекали к суду за рукоприкладство — на самом деле подобных случаев было несоизмеримо больше, но полиция расследовала только те, которые были самыми вопиющими.

Стелла окажется в его постели, ему удалось купить эту милашку. Ему принадлежала студия, которая производит фильмы с ее участием. Стелле пообещали грандиозную роль в новом хите, она получила от него редкостный по красоте бриллиант, и вот, она его ждет...

Сергей чувствовал себя не очень хорошо. Похоже, на вечеринке он перебрал с коктейлями и виски. Однако он никогда бы не признался себе, что в последнее время слишком увлекся алкоголем. Он, белокурая бестия, красавец Серж, являлся душой светского общества Коста-Бьянки. Как же все-таки хорошо, что мать успела убежать из унылой России, где правят большевики. И теперь он наслаждается жизнью в теплой и тихой Коста-Бьянке. Затем его мысли переключились на Стеллу.

Внезапно, как это часто бывает в тропиках, разразилась гроза, хлынул проливной дождь. До виллы оставались считаные километры. Струи воды хлестали по лобовому стеклу, Серж знал, что разумнее всего — остановиться и переждать. Вряд ли ливень затянется надолго. Но он и без того опаздывал, а его так влекла волоокая Стелла...

Он наращивал скорость. Опасность никогда не была для него сдерживающим фактором. Через несколько минут он будет на вилле, и кинозвезда окажется в его объятиях. Он уже предвкушал ночь, полную огня и страсти...

Огонь был на самом деле. «Ягуар» на полном входу врезался в скалу, Сергей попросту заснул за рулем.

Он не погиб, но после катастрофы часто ловил себя на мысли, что лучше бы ему сгореть заживо в «Ягуаре», чем продолжать жизнь в том состоянии, в каком он оказался после того страшного случая. Автомобиль расплющило и покорежило, Сергей пролежал на совершенно пустой трассе под проливным дождем до самого рассвета, временами теряя сознание, временами снова приходя в себя. Машина не взорвалась только из-за того, что ливень затушил огонь, но на долю Сергея хватило.

Самые лучшие врачи оказались бессильны. Переломанные ребра, поврежденный позвоночник, множественные ожоги... Из красавца, который внушал трепет всем женщинам Коста-Бьянки, Сергей превратился в страшного инвалида, прикованного к креслу на колесиках. Он никак не мог поверить, что прежняя жизнь закончилась.

Несчастья в том году следовали одно за другим. К власти в ноябре пришла новая военная хунта, которая постановила начать национализацию ряда предприятий. Практически все изумрудные шахты в стране принадлежали семейству Баррейро, Сергей лишился их в течение двух часов. Прикованный к креслу, занятый своим здоровьем, он не мог сопротивляться и подкупить нужных людей. Он потерял большую часть своего и без того растраченного состояния.

Финансовый кризис, который разразился на Рождество, добил его окончательно. Коста-бьянкский реал упал в стоимости в три раза за неделю, Сергей реально оказался на грани банкротства. Он лежал в палате интенсивной терапии и подписывал, даже не читая, кипы бумаг, которые подносили ему советники. Позднее он узнал, что ему не стоило этого делать, — он сам вырыл себе яму, в которую шагнул с закрытыми глазами.

Он считал себя неуязвимым — и поплатился за это. Пятьдесят пятый год он встретил в своем особняке, том самом, где он когда-то убил Ринальдо. Особняк в провинции был единственным имуществом, которое у него осталось. Все непомерное богатство испарилось, растаяло в дымке, исчезло...

Сергей плакал над колоссальными счетами, хохотал, читая газеты с новыми декретами военной хунты, молчал, вспоминая прошлое. Мысли, похожие на юрких ящериц, сновали в его голове. Возможно, это и есть расплата за все то, что он совершил. Но почему именно сейчас, почему именно таким образом?

Ответа на этот вопрос он не знал. Он запретил держать в доме зеркала, дабы не видеть себя, превратившегося в живую мумию. Он мог передвигаться только в инвалидном кресле или на костылях, поддерживаемый двумя медсестрами.

Дикие забавы, роскошная жизнь, многочисленные любовницы — все безвозвратно ушло в прошлое. Он остался один, его бросили знакомые и те, кого он считал друзьями.

Он смог в полной мере почувствовать то, что испытала когда-то Надежда, всеми преданная и отвергнутая. Но у него был дом, который превратился в тюрьму. Плантации, окружавшие особняк, давно перешли в чужие руки, слуги разбежались, осталась пожилая негритянка-кухарка, конюх и садовник. Больше в его жизни никого не было.

Выезжая в заброшенный сад в инвалидном кресле,

Сергей вспоминал о том, как великолепна была до несчастного случая его жизнь. Он совершенно опустился, ускоренно уничтожая запасы вина в погребах особняка. Его забавой сделалось стрелять в птиц и зверьков. Однажды, когда он намеренно выстрелил в мулата-садовника и тот был легко ранен, к Сергею наведалась представительная делегация из местных чинов полиции.

Одутловатый полковник полиции, потирая потную шею, сказал:

— Синьор Баррейро, прошли времена, когда вы могли безнаказанно издеваться над простыми людьми. Запомните, если еще раз повторится нечто подобное, то вы будете привлечены к ответственности.

— Что ты говоришь, черномазая обезьяна? — прохрипел Сергей, обращаясь к полковнику, который был мулатом. — Я же убью тебя, мулат!

Он попытался дотянуться до револьвера, но полковник ударил его по руке хлыстом.

— Я повторять больше не буду, Баррейро, — произнес он твердо. — Многие жаждут видеть твой труп на виселице, и я один из них. Ты когда-то засек до смерти мою беременную сестру и не понес никакого наказания. Запомни, я внимательно слежу за тобой!

Сергей запустил вслед ему бутылкой, но поостерегся впредь стрелять по живым мишеням.

Его состояние постепенно ухудшалось, он уже не мог вставать из кресла, временами чувствуя, что паралич распространяется и выше талии. Он пил еще больше, желая приблизить смерть.

В поместье появилась обитательница, сиделка-мулатка, доводившаяся внучкой новому садовнику. Молодая женщина была чрезвычайно красива и хитра. Она понравилась Сергею, несмотря на то что он ненавидел темнокожих. Она частенько возила его по саду в инвалидной коляске, приносила из погреба бутылку вина или раскуривала сигару.

Все это закончилось совершенно неожиданно — Лютеция стала госпожой Баррейро. Сергей за короткое время пристрастился к наркотикам, которые смягчали

Хозяйка Изумрудного города

страшные боли в изувеченном теле и позволяли ему грезить о прекрасном. Лютеция потакала его вредной привычке и полностью подчинила Сергея своей воле. Внучка садовника, мечтавшая стать настоящей госпожой, добилась своего. Вызванный в поместье представитель власти заключил брак между Сержем Баррейро и Лютецией Орривейро.

Меньше чем через шесть месяцев после заключения брака Лютеция родила девочку. Никто не мог поверить, что полупарализованный Сергей мог быть отцом, но голубые глаза и светлые волосы не оставляли в этом сомнений. Он был ужасно рад рождению дочери, еще больше радовалась этому Лютеция.

Сергей скончался два года спустя, задохнувшись во сне. Его, с выпученными глазами, обнаружила маленькая дочка. С криками она прибежала к матери, читавшей на террасе журнал. Та, лениво перевернув страницу, промолвила единственное слово, которое когда-то проронил Сергей, узнав о смерти Надежды:

— Наконец!

Вопреки ее ожиданиям, ей и дочери достались сущие крохи. Земля под особняком была заложена, ценностей в доме, за исключением недопитой коллекции вин и столового серебра, не осталось. Лютеция, всегда мечтавшая о богатой жизни, была разочарована.

Она растила дочь в замкнутом мирке, наполненном рассказами о ее благородном происхождении и особом предназначении. Девочка, нареченная Урсулой, практически не общалась с внешним миром, мать не позволяла ей играть с соседскими детьми или видеться с работниками на плантации. Лютеция возомнила себя аристократкой, напрочь забыв о своем неблагородном происхождении.

Так и летели годы, Урсула подрастала, превращаясь в красавицу с темно-русыми волосами, высокими скулами и голубыми глазами. Именно такими изображали в книжках принцесс. Она была уверена, что является одной из них.

Лютеция постепенно распродавала немногочисленные сокровища, доставшиеся от Сергея. Наконец в огромном доме, затянутом паутиной, покрытом пылью, с немытыми годами стеклами и провалившимися полами, практически ничего не осталось. Жилой была только спальня, в которой на древних проржавленных кроватях спали мать и дочь. Настал день, когда и сам дом был заложен.

Лютеция, обнаружив большие запасы морфия, оставшегося от Сергея, постепенно стала наркоманкой. Урсула не понимала, что происходит с ее любимой мамой, но чувствовала, что нечто страшное.

Однажды днем к ним в дом пришли деловитые чиновники, которые поразились ветхости и всеобщему запустению. Они даже не подозревали, что в старинном особняке кто-то обитает. Навстречу им вышла все еще красивая дама, мулатка с затуманенным взором, и прелестная девушка в изношенном, перелатанном десятки раз платье.

— Срок залога истек, теперь это собственность банка, вы не имеете права находиться на его территории, — заявили судебные исполнители. — Госпожа Баррейро, — обратились они к Лютеции, — вы обязаны покинуть особняк немедленно, иначе к вам и вашей дочери будет применена сила.

Лютеция, давно ставшая морфинисткой, мало понимала, о чем идет речь. В их распоряжении было около двух сотен реалов, два чемодана, набитых тряпьем, и несколько потрепанных детских книжек про сказочных принцев и принцесс.

Урсула с матерью отправились в близлежащий город, где поселились в католическом приюте. Сестры-монашки оказались милосердными, и, пообщавшись с ними, Лютеция приняла решение посвятить себя Господу.

— Моя жизнь была с самого начала неправильной, — сказала она, обняв дочь. — Постарайся не совершать моих ошибок. И кстати, дорогая, где та коробочка с порошками, которая была у меня в чемодане?

Оставив мать, метавшуюся между служением церкви и страстью к морфию, Урсула ушла в большой мир, совершенно ей незнакомый и враждебный. Мать-настоятельница монастыря, добрая душа, которая искренне хотела помочь девушке, нашла ей место горничной в богатом доме местного плантатора.

Супружеская пара, узнав, что Урсула — внучка того самого Ринальдо Баррейро и его блистательной супруги Надин, немедленно согласилась. Их мещанское сознание грела мысль, что им будет прислуживать родственница некогда самого богатого и могущественного в стране человека.

Урсула попала в дом к синьору и синьоре Бальтазаро. Синьора, молодая еще дама, несколько полноватая брюнетка, отвечала за армию слуг. Ее муж, синьор Бальтазаро, выращивал папайю и бананы.

Девушку поселили в отдельной комнате и относились к ней чрезвычайно предупредительно, не загружая особо работой. Урсула, не имевшая представления об обязанностях горничной, старалась, как могла. Впрочем, добрая синьора Бальтазаро никогда не ругала ее, если она нечаянно разбивала фарфоровую собачку или забывала поливать многочисленные цветы.

— Милая моя девочка, — синьора звала девушку к себе в будуар, усаживала в кресло и самолично наливала ароматный чай. — Скушай это пирожное, прошу тебя, тебе это необходимо. Ты такая худая и бледная. Думаю, тебе нужно показаться доктору.

Мать-настоятельница, которой Урсула рассказывала о своей жизни в доме четы Бальтазаро, умилялась от счастья, узнавая, как великодушно и с истинно родительской любовью они относятся к девушке.

— Я всегда знала, что они истинные христиане и никогда не оставят тебя в беде, — говорила ей мать-настоятельница. — Цени это, девочка, и выполняй все, о чем бы тебя ни попросили.

Доктор, который произвел осмотр Урсулы, нашел, что она страдает легкой формой анемии. Впрочем, это недомогание можно легко устранить при помощи солнца, большого количества витаминов и положительных эмоций. Бальтазаро обеспечили Урсулу всем необходимым, не загружали работой, а советовали лишний час полежать в гамаке или почитать книжку.

Когда здоровье девушки стабилизировалось, господин Бальтазаро стал наведываться к ней в комнату вечером. Он садился на кровать, гладил ее ноги и руки, восхищался изяществом форм Урсулы. Девушка, совершенно оторванная от реальной жизни и не просвещенная ни матерью, ни монашками в вопросах секса, не понимала, чего добивается хозяин.

— Дорогая, — сказала ей как-то вечером синьора Бальтазаро. — Мой муж хочет доставить тебе приятное, поднимись ко мне в будуар, он тебя ждет. И не сопротивляйся тому, что он будет с тобой делать. Это совсем не больно, а даже приятно. Ты меня поняла?

Синьор Бальтазаро был с ней ласков и нежен и проделал любопытные вещи, о которых Урсула и не подозревала. Так продолжалось еще несколько раз. Синьора строго-настрого запретила рассказывать кому-либо о том, что делает с ней ее супруг.

Через некоторое время Урсула стала замечать, что с ней происходит что-то неладное. Стал расти живот, начались приступы тошноты. Она в панике обратилась к доброй синьоре Бальтазаро. Та, окрыленная радостной для нее новостью, успокоила девушку.

— С тобой все в порядке, у тебя будет ребенок. Ты ведь знаешь, что каждая женщина предназначена господом для того, чтобы стать матерью. Ну да, ты мало что в этом понимаешь, Урсула. Тебе нельзя выходить на улицу и общаться с другими слугами. Ты обязана сидеть в своей комнате.

Она заперла Урсулу в комнате и стала лично носить ей еду. Но в большом доме, полном посторонних глаз и ушей, утаить что-либо было невозможно. Поползли странные слухи, к ним в дом наведалась матушка-настоятельница, чтобы справиться о состоянии здоровья Урсулы. Монашку в комнату к девушке не допустили, сославшись на то, что та плохо себя чувствует. Через день мать-настоятельница пришла в дом с полицией, которая вежливо, но чрезвычайно настойчиво попросила синьора Бальтазаро провести их к Урсуле Баррейро.

— Она тяжело больна, у нее заразная болезнь, оспа... — бормотала, трясясь от страха, синьора Бальтаза-

Антон ЛЕОНТЬЕВ

ро, не в состоянии объяснить, почему она не сообщила о таком страшном заболевании органам здравоохранения.

Чрезвычайно нехотя синьор Бальтазаро, срочно вызванный с плантаций, открыл дверь в комнату Урсулы. Глазам сердобольной монахини и представителям полиции предстала невероятная картина: Урсула, на седьмом месяце беременности, лежала на кровати и поедала виноград. Она несказанно обрадовалась визиту матушки, которую полюбила всем сердцем..

— У меня будет ребенок, это божья благодать, я должна отдать моего сына или дочку синьоре Бальтазаро, — сказала, улыбаясь, Урсула. — Матушка, вы хотите виноград?

Скандал разразился необыкновенный для небольшого городка, где обитала чета Бальтазаро. Выяснилось, что по причине перенесенного в детстве воспалительного процесса синьора Бальтазаро была абсолютно фертильной, то есть неспособной к деторождению. Но и она, и в особенности муж нуждались в ребенке, поэтому они и разработали хитроумный план, для претворения коего в жизнь им понадобилась молодая, здоровая и непросвещенная девица. Именно такой и была Урсула, на которой они остановили свой выбор — их прельстило ее благородное происхождение.

Урсула была предназначена для того, чтобы родить от синьора Бальтазаро ребенка. Ребенка, который затем немедленно бы был у нее изъят и провозглашен чадом семейства Бальтазаро.

План почти удался, во всяком случае, под сердцем Урсула носила отпрыска Бальтазаро. На дворе стоял 1972 год, времена изменились, и замолчать такой вопиющий факт было невозможно. Синьор Бальтазаро, как и его бесплодная супруга, предстали перед судом, получили небольшой условный срок и были обязаны выплатить весомый штраф в карман государства.

Матушка-настоятельница, которая сама выбрала для Урсулы семью, причитая и охая, забрала беременную с собой в монастырь. Лютеция к тому времени готовилась принять постриг и, отрешенная от мирских дел, и слышать не хотела о проблемах дочери и невесть откуда взявшегося внука или внучки.

Урсула разродилась в октябре 1972 года крепкой девчушкой с кожей цвета кофе с молоком, пронзительными васильковыми глазами и, что самое невероятное, шелковистыми белыми прядями волос. Ребенок появился на свет третьего числа, в день святой Изабеллы, покровительницы монастыря, что было сочтено особым знаком расположения небес. Поэтому-то девочку и окрестили Изабеллой — Изабеллой Вероникой Марией Баррейро. Ее генетический отец, синьор Витторио Бальтазаро, был обязан выплатить достаточно большую сумму на содержание дочери. Ее мать, Урсула, разрешившись от бремени, приняла решение, вслед за матерью, стать невестой Христа и уйти в монастырь, прочь от несправедливой мирской жизни, полной негодяев и лицемеров. Напрасно матушка-настоятельница уговаривала Урсулу одуматься и заняться воспитанием Изабеллы. Та была тверда, как скала, в принятом решении.

— Это дитя греха и порока, — повторяла она вдолбленные кем-то в ее голову догмы. — Изабелла моя дочь только по плоти, но я не хочу иметь с ней ничего общего.

Даже матушка осерчала, прикрикнула на Урсулу, но ничего не добилась. Та была уверена, что дочь, зачатая ей от синьора Бальтазаро, является дьявольским порождением.

Изабеллу ожидала обычная участь коста-бьянкских беспризорников и сирот — ее отправили в монастырский приют. Католическая церковь была по-прежнему сильна в Коста-Бьянке. Матушка-настоятельница не смогла добиться того, чтобы девочка осталась при ней в ее монастыре. Церковные иерархи, знавшие о скандале, предшествовавшем рождению Изабеллы, настояли на том, чтобы девочку отправили в монастырь Святой Терезы, расположенный в соседней провинции.

Именно туда в начале 1973 года и угодила Изабелла Вероника Мария Баррейро, правнучка Надежды Арбениной, именно там началась ее удивительная судьба...

Хозяйка Изумрудного города

Евгения, еле пришедшая в себя после смерти Павлуши и исчезновения сестры и племянника, решила навсегда покинуть Берлин, город, в котором было слишком много невыносимых для нее воспоминаний. В немецкой столице оставалась могилка ее сына, это было единственным, что препятствовало ее переезду. Но ей был нужен живой Павлуша, а не надгробный ангелочек с его именем и фамилией.

Профессор Майдт был разочарован, узнав о том, что Евгения подыскала себе место в Сорбонне. И все же, понимая ее стремление бежать от самой себя, он напутствовал Евгению теплыми словами и пожеланиями успеха.

— Я крайне завидую моему коллеге профессору Николя де Форжу, он приобрел в вашем лице на своей кафедре блистательного ученого и замечательного человека. Ваша последняя статья, в которой вы полемизируете с Нильсом Бором, просто уникальна...

Евгения полностью погрузилась в перипетии ядерной физики; это позволяло ей хотя бы ненадолго забыть о боли, которая выедала ее душу. Она переехала в Париж, оборвав всяческие связи с Берлином. Прошлое ее тяготило, и она хотела сбросить его бремя в воды забвения.

Париж, огромный, живущий собственной жизнью, поразил и очаровал ее. Она снимала небольшую, но весьма уютную квартирку недалеко от университетского центра. Профессор де Форж оказался предупредительным и галантным парижанином, который с восхищением относился к Евгении и ее идеям.

Постепенно под влиянием веселой атмосферы, царившей на кафедре, возглавляемой Николя, она стала забывать об обрушившихся на нее несчастьях. Вскоре она с удивлением отметила, что уже и не мыслит своего существования без профессора де Форжа. Евгения, давно поставившая крест на личной жизни и считавшая себя некрасивой и непривлекательной, вдруг поняла, что может нравиться.

Профессор, отпрыск знатной и богатой аристократической семьи, приглашал ее в небольшие ресторанчики, по вечерам они сидели в крошечных подвальчиках и наслаждались бокалом красного (или белого) вина. Евгения, которая раньше с отвращением относилась к спиртному, открыла для себя чарующий мир французских вин.

Работа захватывала ее, она с азартом и интересом писала статью за статьей, всегда находя поддержку и понимание у Николя де Форжа. Евгения удивлялась, как профессор, еще нестарый человек, безусловно, привлекательный как мужчина, может обращать на нее внимание. Вокруг него было столько красивых дам, которые мечтали об одном — заполучить в свои руки перспективного холостячка. Как признавался сам профессор, в последние тридцать лет у него не было времени для личной жизни.

Евгения познакомилась с его семьей — благородным стариком-отцом и матерью-герцогиней. О Евгении составились самые наилучшие отзывы — она была блестяще образована, происходила из древнего рода баронов Корфов, обладала некоторым капиталом и, таким образом, не являлась охотницей за состоянием. Самое главное, что она нравилась Николя де Форжу.

Как и он ей. Они понимали друг друга с полуслова, у них были одни и те же интересы. Что еще требовалось, чтобы заключить брак?

Поэтому, когда Николя де Форж декабрьским вечером в ресторанчике сделал ей предложение и преподнес обручальное кольцо с жемчужиной, Евгения не стала долго раздумывать. Николя был тем самым человеком, которого она так долго искала. Он помог ей отойти от боли, все еще пронзающей ее сердце. Она с благодарностью приняла его предложение.

Свадьба прошла без помпы, присутствовали только лучшие друзья и коллеги по работе. Родители Николя были удовлетворены выбором сына. Евгения, не отличавшаяся красотой, их вполне устраивала. Как поняла

Антон ЛЕОНТЬЕВ

Евгения, для них самым важным была знатность происхождения и любовь к их сыну.

Они поселились в старинном особняке, наполненном антикварными вещами. Дом так напоминал Евгении петербургский особняк — и в то же время так разительно от него отличался! Отличался тем, что не было у нее больше ребенка, который наполнял бы этот дом своим криком...

Когда в начале 1938 года, в возрасте сорока четырех лет, она ощутила первые признаки беременности, то не поверила. Ведь она давно вышла из возраста девочки, давно превратилась в солидную даму, маститого ученого... Николя никогда не заводил с ней разговоры о потомстве, благо что у него были две сестры и брат, которые позаботились о том, чтобы славный род де Форжей не угасал. Для него, как теперь и для Евгении, существовало одно — наука.

И все же Николя был беспредельно счастлив, когда супруга сообщила ему, что ожидает ребенка. Он уже смирился с тем, что детей у него не будет, и вот горячо любимая им Евгения сообщает, что скоро на свет должен появиться новый де Форж.

— Как же я люблю тебя, Евгения, — признался ей профессор. После четырнадцати лет брака он не уставал повторять это снова и снова.

Евгения расцвела, беременность превратила ее из дурнушки, которой она всегда считала себя, в красивую полную даму, всю светящуюся от грядущего счастья. Профессор настоял на том, чтобы она взяла длительный отпуск и отправилась вместе с его сестрой в Марсель, к Средиземному морю. В летнем доме семейства де Форжей на свет и появился Владимир Антуан Гастон де Форж, сын Евгении и Николя.

Его нарекли так в честь дедов — Владимиром звали отца Евгении, Антуаном — отца Николя. Маленький Владимир (его имя произносилось с ударением на последний слог) родился в тот самый момент, когда в Европе вызревала новая война. Евгения в тысячный раз вознесла молитвы, что вовремя уехала из Германии, которая в последние годы превратилась в страну, управляемую безумцем.

Через несколько дней после того, как на свет появился ее сын, началась война — Германия напала на Польшу. Евгения, никогда не увлекавшаяся политическими событиями, в этот раз внимательно следила за происходящим. Она не хотела, чтобы война докатилась до Парижа, но меньше чем через два года французская столица пала к ногам тевтонских завоевателей.

Николя, пламенный патриот, не мог смириться с таким положением вещей. Днем профессор с мировым именем, вечером он превращался в борца за независимость Франции. В их доме находили убежище преследуемые нацистским режимом, Евгения помогала мужу, как могла. Она боялась одного — немцы узнают об их деятельности и разлучат ее с маленьким Владимиром, который стал для нее смыслом существования. Нового удара судьбы она не вынесет.

Профессор де Форж попал на прицел гестапо незадолго до того, как Париж был освобожден. Беснуясь оттого, что власть, казавшаяся нерушимой, уплывает из их рук, захватчики начали тотальный террор. Они вышли на след подпольной организации в Сорбонне, возглавляемой Николя. Его схватили, состоялся скорый и несправедливый процесс. Военный суд приговорил Николя де Форжа и еще двенадцать видных ученых к смертной казни через повешение. Евгения осталась в стороне, профессор не допускал ее к участию в движении Сопротивления.

Она помнила свое последнее свидание с ним в стенах тюрьмы. Николя, изможденный, но удивительно стойко державшийся, пожал ей руку и поцеловал в лоб. Сказал, что любил и всегда будет любить — ее и сына.

Утром приговор был приведен в исполнение.

А еще через три недели Париж, охваченный восстанием против оккупантов, был освобожден американскими войсками. Евгения в который раз убедилась, что судьба выбирает причудливые, тернистые пути. Почему

Хозяйка Изумрудного города

Николя не было рядом с ней, ведь свобода, о которой он мечтал, была так близка...

Николя де Форж стал одним из национальных героев, а она была его женой и матерью его сына. Евгения снова выжила благодаря присутствию ребенка, он спас ее от тягостных мыслей и черного безумия.

Париж, преображенный после освобождения, стал еще более пленительным, чем до войны. Евгения возглавила кафедру, которой ранее заведовал ее супруг. Она давно стала признанным авторитетом в вопросах теоретической физики, ее имя значило много для тех, кто занимался фундаментальной наукой. Ее часто сравнивали с Марией Кюри и намекали, что не за горами день, когда Евгения де Форж получит Нобелевскую премию.

Евгения же знала, что единственным человеком, который заслуживал столь почетной награды, был Николя. Николя, повешенный нацистами...

Париж, который она любила всем сердцем, стал для нее ловушкой. Слишком много мест было в огромном городе, которые напоминали ей Николя. Здесь он сделал ей предложение, а в этом ресторанчике она сказала ему, что беременна... Тут они отмечали десятилетие их совместной жизни... О, слишком многое тянуло ее обратно в прошлое.

Евгения ощутила неожиданную тоску по России. Скорее всего этому способствовали встречи с соотечественниками, которые оказались из-за войны в Париже. Она мало что знала о режиме Иосифа Сталина, безраздельно правившего в Советском Союзе. В Париже, городе вольном и либеральном, всегда в чести был идеи бунтарства, свободы, равенства и братства. Советский Союз рисовался радужными красками, многие представители интеллектуальной элиты открыто признавались в симпатиях к коммунистам и, посетив Москву, писали восторженные книги о благополучной и идиллической жизни россиян.

Были и те, которые критиковали диктаторские замашки Сталина, указывали на то, что его режим во многом подобен режиму Гитлера, и перечисляли множество недостатков жизни в СССР. Евгения, помнившая, что именно представители этой власти, тогда еще только нарождающейся, убили Сергея Терпинина, ее первого мужа, настороженно относилась к восторгам. И все же ее тянуло на родину, прошло почти двадцать пять лет с того момента, как она покинула Россию.

Поэтому, когда распространилась удивительная весть о том, что советское правительство позволяет вернуться на родину тем, кто когда-то бежал из империи, Евгения, немного подумав, решила, что это и есть ее шанс. Родители Николя давно отошли в мир иной и не могли противиться ее желанию возвратиться в Петербург, который носил теперь имя Ленинград.

Евгению отговаривали, заявляли, что верить большевикам нельзя, многие друзья, также русские эмигранты, отвернулись от нее. Другие, наоборот, поддержали ее в смелом решении. Владимир, которому к тому времени исполнилось почти восемь, был пленен рассказами матери о России и хотел во что бы то ни стало уехать туда.

Собрав вещи, в основном научные труды и книги, Евгения уладила формальности, побывав в советском посольстве. Там, предъявив паспорт, полученный ею еще в николаевской империи, она получила разрешение вместе с сыном вернуться на родину. К ней отнеслись крайне благожелательно, Евгения, ожидавшая застать в посольстве злобных монстров, поразилась, когда ее встретили так тепло и искренне. Может быть, и на самом деле Советский Союз и есть та самая благословенная страна, о которой мечтали философы-идеалисты?

Она въехала в Союз и попала в Ленинград. Евгения де Форж знала, что ее родине требовались ученые. А она была ученым с мировым именем. Ей обещали место в университете и комнату в общежитии.

Обещания сдержали, но Евгения очень быстро убедилась, что жизнь в новой России еще хуже, чем ее существование под игом нацистов в оккупированном Париже.

Сплошной страх, наушничество, интриги — и тотальная нищета, которая почему-то воспринималась почти всеми как благосостояние. Раздутый, непомерный культ личности товарища Сталина, чьи портреты висели везде, был для нее чем-то идиотически-смешным. Евгения, не привыкшая скрывать своих мыслей, так и заявила на заседании кафедры в Ленинградском университете, где работала на должности доцента. Она абсолютно не понимала, почему обязана цитировать в своих работах, состоящих практически только из формул, мысли Иосифа Виссарионовича, который, как она опять же открыто заявила, ничего не понимает в теоретической физике.

Она помнила удивленные, опасливые взгляды, приоткрытые от удивления рты, шепоток, который пополз по аудитории. Она, выскочка, белоэмигрантка, предательница, посмела хулить имя товарища Сталина и сомневаться в правильности проводимой им политики?

— Евгения Владимировна, — с апломбом заявил ей как-то заведующий кафедрой профессор Петров, ставленник декана и послушная марионетка в его руках. — Если у вас есть какие-то претензии, то вы имеете полное право возвратиться к себе в Париж. Нам не нужны те, кто сомневается в правильности коммунистического курса нашей страны и лично Иосифа Виссарионовича!

На родине, в ее России, почти все неузнаваемо и фатально изменилось. От прежней страны ничего не осталось, она была в плену иллюзий и пропаганды, когда приняла решение вернуться в Ленинград. Владимир, посещавший советскую школу, стал предметом насмешек и всеобщей обструкции. Его дразнили буржуенком, часто били, учителя не признавали его несомненных успехов, и даже учительница французского языка кричала, что он-то, свободно говоривший на подлинном французском, не знает языка Мольера и Ромена Роллана.

Евгения подумывала о том, чтобы вернуться в Париж, но, как ей заявили, приехавшие в Советский Союз и принявшие советское гражданство не могут вернуться обратно. Она же не предательница, чтобы ехать в капиталистическую Францию! Евгения не понимала, к чему такие громкие заявления, она любила Францию, ставшую ее второй родиной, ничуть не меньше, чем Россию. Именно Россию, а не Советский Союз, страну, явно ей чуждую и антипатичную.

Евгения чувствовала всеобщее отчуждение и зависть. Но чем же все это могло закончиться?

Как-то глухой ночью в дверь комнаты раздался бесцеремонный стук. Евгения, работавшая над статьей, вздрогнула. Кто бы это мог быть в такое время?

— Открывайте, мы знаем, что вы дома! — повелел грубый мужской голос.

Евгения, в халате, накинутом на плечи, повиновалась приказанию.

— Гражданка де Форж, — на пороге стоял военный в окружении нескольких человек, также одетых в форму. — Посторонитесь...

Как стервятники на добычу, военные ринулись в ее комнатушку. Не предъявив ордера на обыск, который главный военный держал в руках, ничего не объяснив, они стали переворачивать комнату Евгении вверх дном. Владимира, мирно спавшего, бесцеремонно выпихнули из кровати.

Когда Евгения поинтересовалась, в чем же дело, военный, рассмеявшись, сказал, что она как враг народа не имеет права задавать такие вопросы.

— Что ты делаешь в Советском Союзе? — тыкая ей, сказал он. — Зачем к нам приехала, по чьему заданию? Французской разведки?

— Что за бред, — спокойно заявила Евгения, не веря в то, что эта фантасмагория происходит именно с ней. — Я желаю беседовать с французским послом, причем немедленно. Если я арестована, то хочу переговорить со своим адвокатом! И требую к себе и моему сыну уважения, вы обязаны позволить мне хотя бы одеться!

Хозяйка Изумрудного города

— Что ты сказала, французская шлюха? — протянул военный. — У тебя еще какие-то требования? Шпионка, враг народа, вот ты кто!

— Что вы себе позволяете, вы пьяны, — Евгения не терпела беспардонного хамства. — Если бы французский полицейский позволил себе такой тон, то немедленно потерял бы работу. Я пожалуюсь вашему начальству!

Военный, грубо отпихнув Евгению, самолично принялся за обыск. Многочисленные бумаги, чертежи, формулы завернули в три простыни, которые опечатали сургучом.

— Это доказательства твоей вины, предательница, — промямлил военный.

— Вы что, взяли на себя функции суда, раз выносите мне приговор? — продолжила Евгения.

Военный, не выдержав, ударил ее по лицу.

И это был только первый удар, который ей пришлось испытать. В тюрьме, куда ее доставили, со всеми заключенными обращались, применяя меры физического воздействия. Когда Евгения разъяснила следовательнице, даме с жирными волосами и скверным дыханием, что враг народа — это изобретение французских революционеров-якобинцев, устроивших когда-то сумасшедший террор и отправлявших на гильотину своих политических противников и вообще всех, кто выказывал хотя бы малейшее недовольство их режимом, та запустила в нее чернильницей.

Евгения знала только, что арестовали ее по анонимному доносу. Она так и не узнала, кто же наклеветал на нее — коллеги в университете, завидовавшие ее успехам и таланту, соседи по общежитию, желавшие получить ее комнатушку, или родители одноклассников Володи, опасавшиеся дурного влияния «буржуенка» на своих чад.

Никакого свидания с французским послом ей не предоставили, разлучили с Владимиром и запихнули в камеру, заполненную такими же, как она, несчастными и недоумевающими женщинами. Евгении предъявили обвинение в шпионаже в пользу французских и американских спецслужб и краже секретных материалов из университета.

На процессе, который более всего напоминал пародийное зрелище, она попыталась объяснить, что физические формулы не являются национальным достоянием, а интернациональны и принадлежат всему человечеству. Ее немедленно лишили слова. Всех интересовало одно — когда, где и как она встречалась с представителями разведки, чтобы передать им секреты производства атомной бомбы. Кто-то явно хотел сделать на Евгении карьеру, представляя ее как супершпионку, желавшую украсть военные тайны страны Советов.

Она пыталась заявить, что в Ленинградском университете производством ядерной бомбы не занимаются, но ее не слушали. Газеты писали о ней как о ренегатке, которая прославилась еще во время революции тем, что работала на охранку, и теперь, спустя много лет, воспользовавшись добротой советского правительства и товарища Сталина, вернулась на родину, чтобы нанести народу СССР колоссальный ущерб, — и все в таком же бредово-пафосном духе...

Тяжелее всего Евгения переживала расставание с Владимиром, о судьбе которого ничего не знала. Она умоляла сообщить ей, что случилось с ее мальчиком, но ей было заявлено, что, только подписав полное признание собственной вины, она получит возможность увидеться с сыном. Евгения отказалась.

— Моего мужа схватили нацисты, однако, с их точки зрения, он совершал преступления, на самом деле борясь против их режима. Я же не совершила никакого преступления, кроме, похоже, одного — поверила россказням и вернулась на родину. Увы, это не моя родина, это нечто совсем другое...

Ей припаяли восхваление фашистского режима. Евгения, вдова героя Сопротивления, стала «нацистской сволочью», как писали газеты. Ее присудили к двадцати пяти годам лагерей.

Владимира, как она узнала, отправили в детский

дом. Сына Евгения так и не увидела. Ее отправили по этапу в Сибирь. Самый страшный сон стал явью...

Евгения попала на лесоповал, где и скончалась через два месяца от дикой простуды, перешедшей в воспаление легких. Ее тело, как тела всех заключенных, бросили в котлован, вырытый в вечной мерзлоте, и засыпали сверху землей. Так и умерла Евгения Арбенина...

Владимир Антуан Гастон де Форж, которому немедленно изменили фамилию (он именовался отныне Владимир Иванович Коротков) оказался в детском доме, где воспитывались в основном отпрыски врагов народа. Отношение к мальчикам и девочкам со стороны персонала было соответствующее, их шпыняли, подвергали унижениям, каждую минуту указывали на то, что их родители изменили советским принципам и находятся в заключении или вообще расстреляны.

Юный Владимир, которому тем временем исполнилось десять, понимал многое — и молчал. Он потерял маму, которая внезапно превратилась во врага народа. Он потерял свою родину — Францию, по которой скучал. Но он не хотел терять самого себя. Он понимал, что единственный способ выжить — это смириться, молчать и приспособиться.

Он стал примерным пионером, твердо заучивал наизусть стихи про счастливое детство, писал сочинения про мудрую политику товарища Сталина. Воспитатели его приметили, хвалили, ставили в пример и умилялись тому, что Владимир полностью перевоспитался.

Рожденный двумя гениями от физики, Владимир унаследовал как от отца, так и от матери уникальные способности. В возрасте двенадцати лет он стал победителем городской олимпиады по физике и математике, а еще через три года занял абсолютное место во всесоюзной олимпиаде. Его заметили, о нем стали писать газеты, но, в отличие от его матери, только в восторженных тонах.

Закончилась эра Сталина, наступила оттепель. О его матери, сгинувшей где-то в восточносибирском лагере ГУЛАГа, предпочитали не вспоминать. Владимир стал гордостью и надеждой науки. Он без малейших проблем поступил в университет, который закончил за три года. К двадцати годам у него была готова кандидатская диссертация, посвященная плазменным процессам. В двадцать семь лет он стал доктором наук и остался работать на той самой кафедре, где когда-то преподавала Евгения.

Владимир сделал удивительную карьеру. Физика стала смыслом его жизни. Наука, вот что спасало его от суровой и беспощадной действительности. Он знал, что слишком ценен для страны и его не тронут. Да и времена изменились.

Он презирал интриги, в которые оказались вовлечены его коллеги по университету, ему не требовалось кого-то подсиживать, чтобы в возрасте тридцати одного года стать едва ли не самым молодым профессором. Он отказался от настойчиво предлагаемого ему поста заведующего кафедрой.

Советское государство, давно заметив его необыкновенные дарования, всячески поощряло Владимира Ивановича Короткова. Большая, просторная квартира в новом доме, автомобиль с личным водителем, дача, огромная зарплата. Он стал заведовать лабораторией, получал большие средства на проведение научных изысканий и экспериментов. Особенно заманчивыми были его разработки в области военных технологий и аэрокосмонавтики.

Наряду с такими корифеями, как Ландау, Капица и Семенов, Владимир Коротков относился к сливкам науки, являлся гордостью всей страны. Он женился на дочери министра сельского хозяйства, Александре, милой и простой девушке, не испорченной столичной жизнью.

В октябре 1972 года, а именно третьего числа, Александра Короткова родила крепкую, здоровую девочку, которую, в честь ее матери, назвали Натальей.

Через восемь лет, в 1980 году, ее отцу присудили Нобелевскую премию. Его исследования в области плазменной физики и новации, положившие начало лазерной технике, нашли понимание и признание за рубежом. Владимир Иванович, к тому времени самый молодой академик Академии наук СССР, поехал в декабре в Стокгольм, где король Карл XVI Густав Бернадотт, пожав ему руку, вручил диплом нобелевского лауреата.

Крупную сумму, равную почти что девятистам тысячам долларов, Владимир Иванович пожертвовал в фонд защиты детей, что не преминули отметить газеты всего мира как самый благородный и бескорыстный поступок. Деньги никогда не занимали Владимира, государство, признав его несомненные заслуги, полностью обеспечивало его всем необходимым. Он относился к элите советской науки, обладал всем, о чем только мог мечтать рядовой гражданин СССР, был удачно женат и являлся отцом замечательной маленькой дочери.

В Наталье Коротковой пробудилась к жизни генетика ее бабки, Евгении Арбениной, происходившей из рода баронов Корфов. Уже в пять лет девочка выделялась среди своих сверстников тем, что была слишком крупная, если не сказать толстая. Круглое лицо, мучнистые щеки, черные, висящие прядями волосы, выдающиеся вперед зубы... Она не была красавицей, и Александра Короткова, эфемерное создание, не переставала удивляться, почему ее дочь получилась такой... Такой страшненькой!

Именно это — клеймо «бедная девочка, она ведь такая страшненькая!» — и определило во многом будущую судьбу Натальи Коротковой...

КНИГА ВТОРАЯ

ИЗАБЕЛЛА И НАТАЛЬЯ
ГОДЫ 1972—2002

Изабелла, попав младенцем в монастырь Святой Терезы в провинции Сабана-Марина, росла непоседливым и живым ребенком. Она резко отличалась от прочих обитателей монастырского приюта. Хотя бы потому, что выделялась своей необыкновенной для Коста-Бьянки внешностью. Блондинка с голубыми глазами и смуглой кожей — необыкновенное сочетание, которое придавало ей особое очарование.

Нравы в монастырском приюте были суровые, однако Изабелла, обладавшая бунтарским характером, сразу же противопоставила себя им — и попала в немилость к сухопарой матери-настоятельнице, которая считала Изабеллу несносной и распутной.

— Вы только посмотрите на нее, — говорила мать-настоятельница. — Господь отметил ее среди прочих детей такой внешностью... И вспомните ее происхождение! Нет, из этой девчонки толка не выйдет! За ней нужен глаз да глаз!

Изабелла с самых ранних лет знала, что происходит из рода Баррейро. Она вслушивалась в истории о своем могущественном прадеде Ринальдо, который когда-то держал в страхе всю страну, и о своей необыкновенной бабке Надин, прибывшей из Польши. Она по происхождению графиня, хотя бы и на одну восьмую, Изабелла никогда об этом не забывала. Она была уверена, что

Хозяйка Изумрудного города

судьбой ей предназначен особый путь. Она добьется всеобщего признания и обожания!

В монастыре детей воспитывали, прививая им католические нравы, пугая греховной жизнью и рассказывая о грехах и грешниках, которые подстерегают за воротами. Униформа — черная, похожая на одеяние самих монашек — была строго обязательна круглый год, даже в самую жару, когда солнце раскаляло воздух до сорока градусов. Изабелла противилась этим глупым, как она считала, требованиям. Почему она должна париться в страшном и убогом платьице, когда в соседнем городке женщины ходят в таких соблазнительных купальниках и легких сарафанчиках?!

— Изабелла, — заявляла ей в очередной раз мать-настоятельница, вызывая к себе на ковер провинившуюся девочку. — Как ты смеешь подбивать других не повиноваться мне? Почему ты организовала вылазку на пляж? Разве ты не понимаешь, что я по-матерински забочусь о тебе, а ты не хочешь это воспринимать. Мне очень, очень обидно.

Девочка в свои восемь лет обладала великолепными актерскими способностями. Ей ничего не стоило прикинуться невинной овечкой, поплакаться, смиренно попросить прощения. Мать-настоятельница терялась, видя крупные, как дождевые капли, слезы, блестящие на личике Изабеллы, и смягчалась.

— Ну хорошо, я не буду применять к тебе наказание, — говорила она.

Изабелла этого и добивалась. Она не хотела отправляться в темный, сырой подвал, полный пауков и крыс, где два раза в день через отверстие в железной двери подавали кружку воды и кусок черствого хлеба. Ей не хотелось читать пять сотен раз молитвословы, стоя на коленях перед распятием, или драить кухню. Мать-настоятельница, в душе добрая и сентиментальная, прощала Изабеллу раз за разом. Фантазия у девочки была неистощимая, и она придумывала новые отговорки, которые действовали безотказно.

Все же настал неотвратимый момент, когда она не смогла больше обманывать аббатису. Ей было шестнадцать лет. Изабелла организовала путешествие нескольких девушек в соседний городок, на пляж, чтобы искупаться в океане и посидеть в баре с кавалерами. Узнав об этом, мать-настоятельница не выдержала.

Она вызвала к себе Изабеллу и суровым тоном произнесла:

— Изабелла, я не потерплю, чтобы ты превращала подвластный мне монастырь в вертеп. Тебе уже шестнадцать, и ты давно не ребенок. Ты намеренно игнорируешь установленные мною правила.

Изабелла попыталась сочинить очередную историю, но мать-настоятельница, обычно уравновешенная, стукнула рукой по столу так, что брякнул бронзовый колокольчик, лежавший на кипе бумаг. Изабелла вздрогнула. Она никогда не видела аббатису в таком гневе.

— Я сыта по горло твоими выходками, милая моя, — сказала она. — Ты лжешь с радостью, не понимая, что это один из смертных грехов. Вся твоя жизнь, Изабелла, — это ложь. У тебя пока что есть возможность спасти свою бессмертную душу и отвратить ее от вечных мучений в геенне огненной. Другие девочки, в отличие от тебя, оказались честными, они рассказали, что вы не просто гуляли по пляжу, не просто пили алкогольные коктейли в баре, ты подбивала их на то, чтобы познакомиться... — Тут аббатиса запнулась. Ее лицо покрылось пурпурными пятнами, а кончик острого носа затрясся от негодования. — ...чтобы познакомиться с мужчинами! — Она выплюнула последнее слово, как червяка, оказавшегося в яблоке. — Я вижу, что ты пошла в свою мать, которая родила тебя во грехе. Изабелла, я уже решила, что тебе нужно!

Изабелла замерла, стоя перед аббатисой, сидевшей в кресле. Она поняла, что та не поддастся на ее уловки. Значит, она выдумала новое наказание. Что это — стояние на коленях на горохе или уборка помещений?

— Я не имею права рисковать другими воспитанницами, вверенными моему попечению, — продолжала

Антон ЛЕОНТЬЕВ

аббатиса. — Поэтому, Изабелла, я приняла решение — ты покидаешь стены монастыря Святой Терезы!

О, Изабелла внутренне возликовала. Она и представить не могла, что окажется на свободе. Как же она ненавидела этот монастырь, который именовала тюрьмой. Аббатиса, сама того не подозревая, сделала ей шикарный подарок.

— Ты рано радуешься, — заметив блуждающую улыбку на красивом лице Изабеллы, произнесла мать-настоятельница. — Если ты думаешь, что я отправлю тебя на все четыре стороны, то глубоко ошибаешься. Я не могу отпустить тебя в мир, полный греха, ведь ты так восприимчива к этому, видимо, это семейное, девочка моя. Я делаю все тебе во благо, запомни это. Я уже договорилась с моей старинной подругой, аббатисой монастыря Тела Господня, ты отправишься немедленно туда и примешь постриг.

— Но я не хочу, — вырвалось у Изабеллы. — Матушка, о чем вы, я не собираюсь становиться монахиней...

— Я знаю, что для тебя лучше всего, — поджав губы, твердым и не терпящим возражений тоном, гнула свое мать-настоятельница. — Ты станешь монахиней в одном из самых почитаемых в Коста-Бьянке монастырей, это исправит тебя и поможет обрести себя. Ты отправляешься туда сегодня же вечером, все решено!

Изабелла, покинув кабинет аббатисы, впала в некое подобие шока. Значит, за нее решили ее судьбу. Но она не желает, как мать и бабка, посвящать себя монашеской жизни. Что за бред — ходить всю жизнь в рясе, молиться по пять раз в день, вставать в четыре утра, питаться постным супчиком. Нет, она мечтала совершенно о другом.

Кроме того, монастырь Тела Господня был известен тем, что он походил на филиал тюрьмы. Те, кто попадали туда, обратно никогда не возвращались. Туда ссылали строптивых, провинившихся и неугодных. В монастыре царила железная, почти военная дисциплина, монахини обитали в замшелых кельях и во всем подчинялись властной и жестокой аббатисе, сестре председателя национального собрания Коста-Бьянки. Шепотом этот монастырь прозвали «концлагерем», и каждая из послушниц и монахинь страшилась впасть в немилость и оказаться в этом ужасном месте.

Изабелла моментально разработала план. Она должна бежать и начать самостоятельную жизнь. В конце концов, ей шестнадцать, кто может заставить ее уйти в монастырь против собственной воли? Но она прекрасно знала нравы в монастырях. Ее никто не будет спрашивать, отправят туда без разговоров — и остаток жизни она проведет за молитвами и грешными мыслями.

А как же белоснежные яхты, которые она видела в океанской бухте, как же загорелые красавцы, шикарные кабриолеты, дорогие наряды? Как можно променять все это на служение богу? Она этого не понимала!

Как и обещала мать-настоятельница, Изабелла, собрав старый чемоданчик с несколькими сменами белья, потрепанной Библией и распятием, в тот же вечер покинула монастырь. Подруги, провожая Изабеллу, всеобщую любимицу, не смогли сдержать слез.

Даже аббатиса проронила несколько скупых капель и, обняв девушку, сказала:

— Это для твоего же блага. Я знаю, что господь одарил тебя множеством талантов, самое важное — дать им верное направление. Ты колеблешься между добром и злом, и я не хочу, девочка, чтобы в итоге ты попала в преисподнюю.

— О да, матушка, — с видом скромницы и умницы ответила Изабелла.

Потупив глаза, она потащила чемодан к старенькому грузовичку, на котором ее должны были отвезти в монастырь Тела Господня.

— Всего вам хорошего, — сказала она на прощанье и помахала рукой. — До встречи!

Она больше никогда не собиралась видеться ни с подругами, ни с аббатисой. За рулем дребезжащего автомобильчика сидела одна из монахинь, доверенное лицо аббатисы, ее правая рука. Именно ей поручили такую ответственную миссию, как транспортировка Изабеллы в новый монастырь.

До него было около пяти часов езды. Они выехали под вечер, и, когда грузовик приближался к конечной цели их путешествия, уже давно стемнело. В джунглях, окружавших с обеих сторон проселочную дорогу, стрекотали цикады, слышались завывания диких зверей и крики обезьян. Они въехали в городок, расположенный неподалеку от монастыря-концлагеря.

— Сестра, — жалобным тоном произнесла Изабелла. — Мне надо в туалет!

— Подожди, нам еще ехать полчаса, — ответила та, щурясь на дорогу.

— У меня живот прихватило, — продолжала ныть Изабелла, скрестив руки и приняв вид раннехристианской мученицы. — Вы же не будете такой жестокой, прошу вас!

— Ну хорошо, — смягчилась монашка. — Вообще-то мать-настоятельница запретила мне делать остановки, она сказала, что ты, Изабелла, можешь бежать.

— Я и не думаю об этом, — не краснея, соврала девушка.

Именно об этом она и думала. Она не собиралась оказаться в «концлагере».

— Смотрите, вот вокзал, — она ткнула пальцем в небольшую железнодорожную станцию, около которой, дымя и свистя, стоял древний паровоз. В костабьянкских провинциях на ходу были средства передвижения пятидесяти-, а иногда и семидесятилетней давности. — Там обязательно есть туалет, — жалобно ноя, продолжала девушка. — Ой, сестра, быстрее!!! Такие рези в желудке, мне не стоило есть чечевичный суп!

Монахиня затормозила около станции и сказала:

— Чемодан останется при мне, я тебя провожу.

— Конечно.

Изабелла побежала в туалет. Монахиня, проследив, что девушка исчезла за деревянной дверью, успокоилась и стала ждать.

Прошло пять минут, потом десять. Паровоз отошел от станции и, рассекая тьму, покатил прочь. Монахиня забеспокоилась. Изабеллы не было уже двадцать минут. Может быть, с бедняжкой что-то случилось? Она и в самом деле выглядела несколько бледной.

Монахиня зашла в женский туалет. Пусто. Поочередно открыв все кабинки, она убедилась, что там никого нет. Зато окно, ведущее на задворки вокзала, было распахнуто. Монахиня поняла — Изабелла элементарно бежала, обманув ее самым простым образом. Обыскав вокзал, она убедилась, что девушки след простыл. Она бросила чемодан и скрылась в неизвестности.

— Я видела девушку, похожую на ту, которую вы ищете, — сказала кассирша. — Она села на поезд, который отправился со станции четверть часа назад.

Монахиня, тихо выругавшись (что, учитывая ее сан, делать было категорически воспрещено), поняла: Изабеллу не поймать.

— А куда направляется этот состав? — спросила она кассиршу.

Та, лениво зевнув, ответила:

— В Эльпараисо, столицу нашей республики, сестра.

— Можно как-нибудь сообщить на следующую станцию о том, что я разыскиваю одну сбежавшую девушку? — поинтересовалась монахиня.

Кассирша сказала:

— Если она не преступница, то никто вам помочь не может. Она что, не пожелала идти в монастырь? Ну а кто в здравом уме туда отправится? И правильно она сделала, что драпанула от вас, сестра. В ее-то годы только развлекаться, а не сидеть в этой тюрьме!

Убедившись, что на станции ей никто не поможет, монахиня с бьющимся от страха сердцем отправилась в монастырь Тела Господня. Ей предстояло получить большую головомойку за то, что она прозевала Изабеллу.

Хозяйка Изумрудного города

Изабелла, уютно устроившись в салоне первого класса на мягком сиденье, хохотала, представляя себе дурацкое выражение лица монахини, когда та обнаружит, что птички-то след простыл. Она едет в Эльпараисо, в столицу, где сможет стать, например, актрисой! Перед ней лежал весь мир, и она не преминет воспользоваться подвернувшейся возможностью!

У нее не было с собой ни единой вещи, весь ее скудный скарб остался в чемоданчике. Зато Изабелла прихватила деньги. Жалостливые подруги насобирали ей пятьдесят реалов. Билет до Эльпараисо стоил шестьдесят восемь.

Вскоре появился кондуктор. Сурово оглядев премиленькую девушку, которая что-то лепетала, не в состоянии предъявить ему билет, он сказал:

— Сеньорита, вы едете в поезде зайцем, да к тому же в первом классе. Вы обязаны уплатить штраф в сто реалов, а затем либо приобрести билет, либо сойти на ближайшей станции. Что вы выберете?

Изабелла почувствовала, как в горле запершило, слезы, подлинные, а не искусственные, навернулись на глаза. Она только что радовалась тому, что сумела обхитрить монахинь и бежать прочь, и вот — ей предлагают выйти на полустанке, где-то в джунглях. Там поезд останавливается раз в день...

Кондуктор оказался неумолим, на него не подействовали рассказы о том, что бедная бабушка Изабеллы, проживающая в Эльпараисо, находится на смертном одре и заботливая внучка едет к ней, чтобы проститься с любимой старушкой.

— Через десять минут остановка в Санта-Раймондо, — произнес кондуктор. — Я лично прослежу, сеньорита, чтобы вы покинули поезд.

Санта-Раймондо — это настоящая дыра, провинциальный городишко с населением в пять или шесть тысяч. Оттуда до Эльпараисо пешком идти две недели. Оказаться там ночью, практически без денег, да еще будучи симпатичной девушкой, было опасно...

— Господин кондуктор, — раздался вдруг приятный

мужской голос. — Сколько, вы сказали, необходимо уплатить милой сеньоре, чтобы беспрепятственно добраться до Эльпараисо?

— Сто реалов штрафа за безбилетный проезд и шестьдесят восемь за билет, — сердито ответил тот, обернувшись.

В дверях купе стоял пожилой, хорошо одетый господин. Он опирался на трость с серебряным набалдашником в виде головы льва.

— Прошу вас, здесь двести реалов, — господин, открыв портмоне, достал две сиреневые бумажки. — Сдачу оставьте себе.

Кондуктор поднял на господина глаза:

— Вы желаете заплатить за сеньориту?

— Разве это запрещено? — спокойным тоном ответил тот. — Или у вас есть возражения?

Возражений у кондуктора не нашлось. Он выдал Изабелле билет и покинул купе. Девушка с благодарностью посмотрела на своего спасителя. Лет пятьдесят пять — шестьдесят, элегантный, одетый в легкий светлый костюм, в темном шелковом галстуке сияет крупный рубин. Явно обеспечен. И на пальце нет обручального кольца, цепкий взгляд Изабеллы отметил это в первую очередь. А что, если...

Если этот господин станет ее мужем? Почему нет? Она не откажется. Он — богат, сумеет оплатить ей ту жизнь, какую она видела только на красочных страницах глянцевых журналов, которые тайком листала в келье монастыря.

Господин с загадочной улыбкой подсел к Изабелле. Она ощутила терпкий аромат парфюма. Скорее всего, французский, стоит бешеные деньги.

— Спасибо, — произнесла Изабелла. — Я даже не знаю, как вас благодарить.

— И не надо, — ответил незнакомец. — Я всегда рад оказать услугу красивой даме. Вы ведь чрезвычайно красивы, вам об этом говорили? Вы разрешите...

Его наманикюренные пальцы дотронулись до щеки Изабеллы.

Хозяйка Изумрудного города

— Какая бархатистая кожа, у вас редкостное сочетание, один из ваших родителей был из Европы?

— Мой дед был польским графом, — с достоинством ответила Изабелла. — Серж Баррейро.

Тонкие брови незнакомца взлетели вверх, он присвистнул:

— Что вы говорите, прекрасная незнакомка! Вы — сеньора Баррейро, не может быть! Неужели вы внучка, нет... правнучка самого старого дьявола Ринальдо и его великолепной супруги Надин?

— Да, — с апломбом ответила Изабелла. Она гордилась своим происхождением и не собиралась его скрывать. — Меня зовут Изабелла Вероника Мария Баррейро.

Кивнув головой, незнакомец сказал:

— Позвольте и мне представиться в свою очередь. Карл Мейзингер. Мои родители были родом из Австрии. Я живу в Эльпараисо. И вы, как я понимаю, направляетесь тоже туда? Зачем, позвольте полюбопытствовать?

— Да, — ответила Изабелла. — Я хочу... хочу стать актрисой.

— О, для этого у вас есть все задатки, — рассыпался в комплиментах Мейзингер. — С вашей внешностью, происхождением и шармом это — пара пустяков. Кстати, главный режиссер Национальной оперы — мой старинный приятель. Хотите, Изабелла, я переговорю с ним?

Изабелла и поверить не могла, что сбываются ее самые сокровенные мечты. Не прошло и нескольких часов, как она оказалась на свободе — и вот, у нее уже есть место в театре, да не в каком-нибудь, а в Национальной опере Коста-Бьянки.

— У вас есть где остановиться в столице? — продолжал Мейзингер. — Ах, нет... Бедная девочка. Разреши, я буду называть тебя на «ты»... Тогда моя холостяцкая квартира к твоим услугам. Не подумай чего-то плохого, у тебя будет отдельная комната... И называй меня Карлом, мне так приятно услышать это из твоих уст, милая моя Изабелла!

Изабелла давно оценила Карла Мейзингера. Он — как раз то, что ей требуется. Она не упустит такой шанс.

— Буду рада, Карл. Буду очень рада.

Мейзингер пригласил ее в вагон-ресторан, и всю ночь они провели за разговорами, сдобренными изысканными кушаньями и винами, которых Изабелла никогда в своей жизни не пробовала. Карл, как выяснилось, был крупным дельцом, занимался, как он сам выражался, и тем и другим, сотрудничал с рядом газет как журналист, организовывал выставки, вращался в артистической среде. Он свободно произносил имена политических деятелей Коста-Бьянки, жонглировал фамилиями знаменитых режиссеров и актрис. Все это пленяло Изабеллу.

Они прибыли в Эльпараисо следующим утром. Уже сам вокзал, выстроенный в стиле модерн, поразил Изабеллу роскошью, размерами и суетой. Она попала в город, где проживало четыре с половиной миллиона жителей.

Мейзингер взял такси, и они направились к нему на квартиру. Он жил в высотном здании, снимал последний этаж с видом на океан. Изабелла подивилась тонкому вкусу и обилию редких и явно дорогих безделушек в обиталище Карла.

— Располагайся, — Карл распахнул дверь спальни для гостей. — Это твоя комната, моя милая. В шкафу найдешь кое-какие вещи, а во второй половине дня мы с тобой поедем по магазинам.

Изабелла не могла поверить — спальня, декорированная в пастельно-розовых тонах, принадлежала ей. Шкаф, набитый платьями, о которых она и мечтать не смела. Ванная комната с зеркалом во весь рост, мраморной облицовкой и десятками, если не сотнями флакончиков, баночек, пузырьков с косметикой, кремами, духами...

Откуда все это в холостяцкой квартире Карла? Она

предпочитала не задаваться такими вопросами. Мейзингер был мил, очень мил, и пока что не пытался домогаться ее. Изабелла не была наивной простушкой и давно знала, что такое секс. Монахини в монастыре, как она убедилась, самые распутные в мире женщины, их мысли на это только и направлены.

Сама Изабелла потеряла девственность в одну из своих вылазок год назад. Темноволосый красавец, спасатель на пляже, овладел ею прямо на золотистом песке. Изабелла потом страшно боялась, что забеременеет. Но все обошлось, и мать-настоятельница ни о чем так и не узнала, иначе бы ссылка в монастырь Тела Господня произошла гораздо ранее.

— Ты обустроилась? — Он, не стучась в дверь ее комнаты, шагнул в ванную. Изабелла еле успела прикрыться громадным полотенцем. Она только что приняла ванну.

— Ты великолепна, — прошептал Карл, и его зеленые глаза плотоядно сверкнули. — Ты, Изабелла, похожа на алмаз, которому требуется шлифовка и соответствующая оправа, и тогда ты засверкаешь всей своей красотой. Одевайся, и мы поедем на Рио-дела-Плаза. Ты знаешь, что это такое? На этой улице расположены самые шикарные и дорогие магазины Эльпараисо, а следовательно, и всей Коста-Бьянки.

Он все же оставил ее одну, и Изабелла смогла переодеться без посторонних глаз. Затем они на самом деле отправились за покупками. Они посетили магазины и лавки, о которых девушка лишь читала. Продавцы с улыбками встречали их, Изабелла, как ребенок, могла выбирать все, что только хотела.

А ей хотелось так много! Карл не скупился, все записывалось на его счет. Они ходили по Рио-дела-Плаза до самого завершения рабочего дня, потом, отправив многочисленные свертки и пакеты на квартиру Карла, поехали во французский ресторан.

Изабелла, облаченная в черное узкое платье, которое облегало ее тонкую фигуру, как перчатка, была самой красивой дамой. Ее шею обвивала тонкая платиновая цепочка с квадратным голубоватым топазом — один из подарков Карла. Она видела, как мужчины оборачиваются ей вслед, а их спутницы злобно шипят на своих кавалеров.

Единственное, что вызывало ее затруднение, так это великое множество ножей и ножиков, вилок и вилочек, бокалов и бокальчиков, которые в таинственном порядке выстроились на столе. Она не знала, как ими пользоваться, в монастыре нравы были простые, иногда и вилки были недоступной роскошью.

— Да, дорогая девочка, — заметив, как неуклюже Изабелла пытается разрезать блюдо из кальмара ножом, произнес Карл. — Тебя нужно немного воспитать, прежде чем представить свету. Но я, подобно профессору Хиггинсу, с радостью примусь за воспитание новой Элизы Дулитл. Об этих героях ты, разумеется, не слышала. Ну что же, это тебе и не нужно. Красота у женщин, запомни это, всегда перевешивает ум. Во всяком случае, у тех женщин, которые мне нужны.

Изабелла не совсем поняла, что имеет в виду Карл, но ей было так хорошо в ресторане, что она не захотела его спрашивать.

Они вернулись к нему на квартиру поздно ночью, скоростной лифт вознес их в пентхауз Мейзингера. Там он откупорил бутылку шампанского, и Изабелла, уже выпившая несколько бокалов вина, захмелела окончательно.

В изнеможении упав на мягкую софу, застеленную тигровой шкурой, она почувствовала, как руки Карла заскользили по ее телу. Он расстегивал ее платье. Через минуту она осталась пред ним, украшенная только топазом на шее. Изабелла не собиралась сопротивляться. Она понимала — Карл потребует платы за все, что он сделал для нее. Но и она не хочет отдаваться ему просто так. Дорогие тряпки и побрякушки — только начало. Она станет его женой. Она же видела, что он от нее без ума.

— Ты так мне нравишься, Изабелла, — бормотал

Мейзингер, овладевая ею. — О, ты будешь иметь успех, попомни мое слово.

Она стала его любовницей. Постепенно Изабелла поняла, чем именно занимается Карл. Он подбирал и выпестовывал юных красивых дам, которые потом с его подачи становились любовницами политиков, миллионеров и представителей шоу-бизнеса. За право приобрести содержанку, с которой не стыдно показаться в свете, которая обучена всем премудростям любовной техники и которая никогда не заявится к жене своего покровителя с компрометирующими фотографиями, богатые господа и платили Карлу. Платили много, что и позволяло тому вести необременительный образ жизни.

Как признавался сам Мейзингер, Изабелла была его лучшим детищем. Она чувствовала, что он к ней неравнодушен. Однако ни о каком браке речи не шло. Карл делал бизнес, готовя Изабеллу к роли великосветской проститутки. Он не обманывал, когда говорил, что может представить ее, например, главному режиссеру Национальной оперы — но не в качестве будущей актрисы, а как возможную пассию.

Карл, как узнала Изабелла, на самом деле был австрийцем по происхождению. Однако не его родители приехали в Коста-Бьянку после Первой мировой, как обычно рассказывал он. Сам Карл, запятнавший себя кровавым служением режиму Третьего рейха, бежал в сорок пятом молодым еще человеком в Южную Америку. Он обустроился в Эльпараисо, некоторые ценности, благоразумно прихваченные им из Европы, помогли ему встать на ноги. Он понял, что богатым костабьянкцам не хватает спутниц жизни, с которыми они могли весело тратить деньги и заниматься любовью. Вот он и основал совершенно уникальное по своей сути предприятие, где он был и директором, и, так сказать, испытателем-экспериментатором в одном лице.

Изабелла оказалась способной ученицей. Уроки Карла не прошли даром — меньше чем через полгода она превратилась в томную даму, которая могла поддержать разговор практически на любую тему, правильно вести себя за столом, танцевать и, что самое важное, верно выражать себя в интимной обстановке. Верно — значило уметь подстраиваться под своего любовника. Ее мечта стать актрисой отчасти сбылась, она применяла актерское искусство в постели.

Настал момент, когда Карл сказала Изабелле:

— Я доволен, а это, моя милая девочка, бывает крайне редко. В основном я имею дело с неподатливым материалом, который, несмотря на смазливую внешность, практически необучаем. Ты — редкое исключение. Тебе и не потребуется создавать легенду, имя Изабеллы Баррейро, правнучки великого Ринальдо, возбудит к тебе шквал интереса.

Это значило, что настал момент расставания. Изабелла привыкла к Карлу, он ей нравился, но что поделаешь... Уверенная в себе, она рассчитывала, что в самом скором будущем сможет добиться гораздо большего, чем Карл. Она видела, что вокруг нее столько богачей. Их просто так не округишь, но нужно приложить смекалку, которой ей не занимать.

На прощание расчувствовавшийся Мейзингер подарил Изабелле браслет с бриллиантами и, по-отечески поцеловав ее в лоб (он уже перестал спать с ней), заметил:

— Завтра я представлю тебя одному очень богатому и влиятельному господину. Он наслышан о тебе и жаждет познакомиться с тобой, Изабелла. Он сможет обеспечить тебя, моя девочка...

У Карла появились к тому времени две новые ученицы, сестры-близняшки из провинции, которых он начал, как в свое время и Изабеллу, превращать в светских львиц.

Первый любовник Изабеллы, к которому она попала, выпорхнув из-под крыла Карла, был банкиром, занимавшим пост министра финансов в правительстве. Пожилой, крайне богатый, бородатый господин не понравился Изабелле, но выбора у нее не оставалось, никто не интересовался ее мнением. Об этом ли она

Антон ЛЕОНТЬЕВ

мечтала, когда, полная надежд и стремлений, бежала из монастыря? Может быть, иногда думала она, ей стоило тогда сойти где-то в провинциальной глуши — и вся ее нынешняя судьба сложилась бы иначе?

Банкир, несмотря на непрезентабельную внешность, оказался любезным и щедрым. Карл подыскал для своей любимицы достойного кандидата в меценаты. В обязанности Изабеллы входили даже не сексуальные, а скорее полусветские функции. Она, одетая с ног до головы на деньги банкира (а по большей части на деньги налогоплательщиков), показывалась с ним в театре, в лучших ресторанах, на вечеринках в узком кругу. У банкира имелась супруга, пожилая почтенная дама, весившая никак не меньше ста двадцати килограммов, поэтому-то он и искал утешений на стороне.

Раз в неделю, по субботам, после окончания трудовой недели, Изабелла, обитавшая на небольшой, но роскошно обставленной вилле, ожидала визита господина министра финансов. Ему нравился эротический массаж, ванна, наполненная лепестками роз, а также разговоры о своем величии и успешной экономической политике. Изабелла, до того времени практически не читавшая газет, была вынуждена знакомиться с текущим состоянием валютных резервов Коста-Бьянки, курсом реала и величиной национального долга. К собственному удивлению, она поняла, что и это может быть увлекательным.

Банкир был доволен приобретением, он не зря заплатил Карлу Мейзингеру внушительную сумму. Изабелла Баррейро входила в моду. После очередного правительственного кризиса банкир потерял теплое место министра финансов, его дела пошатнулись, он впал в немилость. Изабелла отошла на второй план. Ей пришлось покинуть виллу, которую она уже успела обставить по собственному вкусу, надо признать, достаточно тонкому, воспитанному на уроках Карла. С сожалением она переехала в «Президент-отель», самую роскошную гостиницу Эльпараисо, где ее любовник напоследок оплатил ей месячное проживание в номере-люксе.

Помимо этого, она сохранила весь парижский и нью-йоркский гардероб и массу драгоценных безделушек, которыми ее баловал господин экс-министр финансов республики.

Изабелла знала, что не останется долго одна. Так и произошло. Карл заботился о благополучии своих питомец и, таким образом, о своем собственном. Не прошло и недели, как на коктейль-парти Изабелла, о которой уже говорили в восторженных тонах, была представлена крупному промышленнику и владельцу частной авиакомпании.

Маленький, бурно жестикулирующий, вечно хохочущий, он носил шелковые костюмы попугайных расцветок, курил гаванские сигары и увешивал волосатую грудь и запястья массивными золотыми цепочками. Изабелле он крайне не понравился своими манерами (через минуту после знакомства он уже пытался залезть ей за вырез), но Карл не терпел возражений. Она была уже обещана в любовницы, и сделка была заключена.

Владелец авиакомпании оказался неутомимым в постели, ему не требовались разговоры, он предпочитал секс. Он оказался несколько скуповатым, с неохотой оплачивал счета любовницы и преподносил ей вместо драгоценностей цветы и шампанское. Когда через пару месяцев после знакомства он сделал Изабелле предложение, она моментально отказала. Ее пробирала дрожь, когда она представляла себя супругой этого господина. Ей не хотелось еще годами трястись над каждым реалом и выполнять извращенные прихоти подобного супруга.

Они расстались по взаимному согласию, и Изабелла вновь обрела временную свободу. К тому времени она вошла в моду и обрела кое-какой опыт. Карлу Мейзингеру приходилось считаться с ее мнением, она не хотела походить на рабыню, которой торгуют на невольничьем рынке.

Изабелла Баррейро умела ценить себя. Ей требовалось все самое дорогое, и только те мужчины, которые могли это себе позволить, имели шанс оказаться в ее постели. Она поняла — нужно самой диктовать правила игры, иначе она превратится в обыкновенную шлюху.

Однажды она организовала своего рода аукцион, где мужчины, соревнуясь друг с другом, покупали право провести с ней ночь. Изабелла решила, что если судьбой ей уготовано продаваться, то нужно назначать самую высокую цену.

В тот раз ее приобрели за двести семьдесят тысяч долларов. Она с удовлетворением отметила, что за других не дадут и десятой части. Видимо, имя Баррейро, которое она носила, также делало свое дело. Кроме того, она разительно отличалась от других девушек внешностью, манерами и живым умом.

Так прошло четыре года. Изабелла могла выбирать из множества предложений. Итак, кто в этом месяце? Председатель суда из провинции, крупный военный промышленник из соседнего Уругвая или киноактер? Изабелла не оставила попытки пробиться в долину Мангаратибо, так именовалась местность под Эльпараисо, где были сосредоточены офисы кинокомпаний, павильоны и виллы звезд экрана. О, с каким воодушевлением она бы взирала на тысячи, нет, миллионы поклонников с красочных плакатов. У нее же есть актерские способности, она это знала!

Об этом же ей твердили любовники-кинозвезды. Один из них, коста-бьянкский Кларк Гейбл, холеный смуглолицый красавец с усиками и повадками леопарда, заметил:

— Дорогая, ты создана для экрана, но в тебе чего-то не хватает... Мне сложно сказать, чего именно. Но зрители, я уверен, будут тебя боготворить.

На ее многочисленные просьбы представить ее кому-нибудь из кинобоссов всегда следовала снисходительная усмешка или никогда не выполняемое обещание «сделать это на следующей неделе». Она все же добилась своего и стала любовницей одного из директоров самой крупной кинокомпании в стране «Коста-студио-филмз».

Тот, делавший на слезливых мелодрамах и детективах ежегодно многие миллионы, прямо сказал Изабелле, которую нежно любил:

— Милая моя, не стоит тебе заниматься тем, к чему ты не рождена. Кто-то забил твою прелестную белокурую головку глупостями о том, что ты талантливая актриса. Увы, тебе этого не дано.

Изабелла настояла на своем и попробовала себя в качестве актрисы в пробных эпизодах одного из фильмов. Затем, сидя с любовником-директором студии в зале и глядя на себя со стороны, она благодарила бога, что находится в темноте. О, какой неестественной, фальшивой, надменно-лживой выглядела она с экрана! Красоты и экзотической внешности не было достаточно, чтобы стать новой звездой. Все же, не смирившись с поражением, она брала частные уроки актерского мастерства, это улучшило ее дикцию, помогло побороть страх перед камерой, но отнюдь не превратило ее в Грейс Келли или Бриджит Фонда. С диким разочарованием Изабелла похоронила идею стать актрисой. Ну что же, успокаивала она себя, у каждого свои таланты.

Очередным ее любовником стал Теодор Коваччо, один из самых могущественных и богатых людей Коста-Бьянки. Его жена не так давно скончалась, и ему требовалась дама, сопровождающая его на светских раутах. Снова обременять себя узами брака он не собирался, а миллиардное состояние и политический вес позволяли ему появляться с любовницей. Его прозвали «Делатель президентов», потому что под его непосредственным руководством было осуществлено по крайней мере два государственных переворота. Про него говорили, что Коваччо предпочтет сместить президента и кабинет министров, чем потерять тысячу реалов.

Изабелла была лакомым кусочком, его прельстила необыкновенная внешность девушки, ее слава и происхождение. Он сам признался ей, что его кумиром был ее прадед Ринальдо Баррейро.

— И вот теперь ты принадлежишь мне, — заявил он Изабелле. — Учти, мне плевать, что ты спала с двумя дюжинами мужчин до меня, но я не потерплю, чтобы у тебя был кто-то после меня. Ты — моя собственность.

Изабелла знала, что Теодор не шутит. О его мстительности и злопамятности шептались по всему Эльпараисо. Вроде бы он лично разработал план свержения законно избранного президента Чандлерса только из-за того, что тот когда-то нелестно отозвался об умственных способностях Коваччо.

Изабелла на правах метрессы переселилась в столичный особняк Коваччо. Она успела повидать множество богатых домов и поняла, что Теодор на самом деле ужасно богат. Четыре этажа, все из мрамора, огромные лестницы, вертолетные площадки, сады, бассейны, поле для гольфа, теннисная площадка... Он обитал во дворце, выстроенном только для него и его детей.

Ей отвели самую роскошную комнату, которая соединялась дверью с апартаментами Теодора. Он выторговал себе право входить к ней без стука и разрешения в любое время дня и ночи. За это он по-царски платил. Теодор подписывал счета, не соизволяя даже посмотреть на итоговую сумму. Драгоценности он скупал оптом, иногда все то, что лежало на витрине. Его личный самолет доставлял Изабеллу в Париж, Вену, Чикаго — в любой город, где она хотела пройтись по магазинам.

Источником богатства Теодора была нефть. Он являлся основателем и бессменным президентом концерна, который практически монополизировал добычу всей нефти в Коста-Бьянке. Республика обладала кажущимися неисчерпаемыми запасами «черного золота», и Теодор контролировал эти запасы. Политический деятель, будь это даже президент страны, покусившийся на его нефть, немедленно терял пост.

Изабелла купалась в роскоши, скучая и страдая. Карьера великосветской проститутки ей надоела. У нее было предостаточно денег, чтобы жить в свое удовольствие, но она понимала, что вряд ли может выйти из игры. Она привыкла к тому, чтобы жить за счет других. Она никогда и нигде не работала, у нее не было образования, красота и соответствующая репутация — вот все, чем она обладала. Годы шли, сменяя друг друга в безумной гонке, а ничто по сути не менялось.

Когда она пыталась завести с Теодором разговор о том, что она не прочь подыскать работу, тот отвечал грубым смехом и покупал ей новый автомобиль или подписывал чек на десять тысяч долларов. Изабелле это не требовалось, она чувствовала, что готова к большему, но Коваччо и слышать об этом не хотел.

У Теодора было двое сыновей и дочь. Младший сын, еще подросток, воспитывался где-то в элитной английской школе, посещая один класс вместе с представителями королевской семьи, а некрасивая дочь, давно вышедшая замуж, относилась к Изабелле, как к мухе, попавшей в суп, — с отвращением и презрением. Изабелла платила ей тем же. Старшего сына она за два года жизни с Теодором ни разу не видела.

Ей было известно, что его зовут Александро-Аурелиано, или, как называли его в семье Коваччо, Алекс. Александро-Аурелиано был бунтарь по природе, давно ушел от отца, с которым прекратил всяческие отношения, увлекся идеями анархизма и социализма. Теодор неохотно говорил о старшем сыне, а если и упоминал его, то употреблял малопечатные выражения. Как поняла Изабелла, Коваччо возлагал на Алекса особые надежды, тот должен был стать со временем главой могущественной империи, а он пренебрег такими возможностями. Пришлось механически перенести право наследования на второго сына, вечно болеющего и хлипкого подростка.

Когда Изабелла все же столкнулась с Алексом Коваччо, наступил крах отношений с Теодором. Сын приехал совершенно неожиданно. Изабелла в тот день принимала воздушные ванны, загорая около бассейна с дамским журналом в руке. Мимо нее прошел привлекательный темноволосый молодой человек, который неуловимо напоминал Теодора в молодости. Изабелла посмотрела ему вслед сквозь темные очки от Версаче. В госте чувствовалась сила и непонятная энергетика.

Хозяйка Изумрудного города

— Кто это? — спросила она у прислуги, и та объяснила Изабелле, что она имела возможность лицезреть синьора Коваччо-младшего, того самого Алекса, который считался черной овцой в благородном семействе.

Алекс явился к отцу, чтобы выяснить финансовые дела, однако этот визит перерос в политическую ссору. Полчаса спустя сын покинул кабинет отца. Теодор в ярости продолжал выкрикивать ругательства вслед Алексу. Изабелла еще не видела любовника в таком нервном возбуждении. Она попыталась его успокоить, но досталось и ей.

— Я не понимаю, Теодор, в чем причина такого гнева? — спросила она.

Коваччо продолжал бушевать и заявил, что она лезет не в свое дело. У них уже давно возникали легкие стычки, и Изабелла намеревалась в ближайшем будущем положить конец отношениям с Теодором, однако ждала подходящего момента. Она поняла, что такой момент наступил.

Месяц спустя, когда Коваччо впервые упрекнул ее в том, что она слишком много тратит, она собрала вещи (двадцать один чемодан) и покинула его виллу. Теодор поклялся, что не простит ей измены. Он не мог смириться с тем, что женщина первая бросила его. Изабелла, знавшая, что это не пустые угрозы, решилась идти до конца. Ей надоели бесконечные претензии и придирки со стороны Теодора.

Она укрепилась в мысли, что пора кончать с тем видом деятельности, который она практиковала последние пять лет. Ей было почти двадцать два, имелся солидный счет в банке, весь мир лежал у ее ног. Скорее по инерции, а не ради обогащения она завязала роман с телевизионным продюсером, который был ей на самом деле симпатичен. Он заворожил ее рассказами о сказочном мире телевидения.

Вот оно, то самое, что ей требуется. Изабелла поняла, что телевидение может стать ее новой стезей. Ее любовник, критически относясь к данным Изабеллы, заметил:

— Ты вполне фотогенична, но, чтобы попасть на телевидение, этого мало. Это ведь целый мир, точнее, космос...

— Но ты не последний там человек, — промурлыкала Изабелла. Она знала, как убеждать мужчин. — Милый, ты поможешь мне освоить этот космос?

Ее методы внушения возымели успех, и телепродюсер согласился устроить Изабеллу на работу на ведущий телеканал Коста-Бьянки «Ли-1». Изабелла едва ли не прыгала от счастья, узнав об этой новости. Наконец-то у нее появится новое дело, такое интересное.

— Я не могу обещать, что ты сразу окажешься в выпуске новостей, — предупредил ее продюсер. — Возможно, со временем... А пока поработай в моем офисе.

Изабелла постаралась скрыть разочарование. Ну что же, она понимает, нельзя в одно мгновение стать звездой. Она умеет ждать.

Коллеги по цеху отнеслись к Изабелле Баррейро с нескрываемой ненавистью. Еще бы, безмозглая крашеная кукла, которая попала на «Ли-1» только благодаря тому, что спит с одним из продюсеров канала. Изабелла столкнулась с обструкцией и саботажем. Никто не хотел ей помочь, никто не желал разговаривать с ней, никто даже не садился за один столик с ней в кафе, расположенном в телебашне.

Изабелла, не привыкшая к подобному отношению, сначала разозлилась, потом обиделась, а в итоге поняла, что должна каким-то образом доказать свою профессиональную пригодность.

Она во что бы то ни стало хотела осуществить свое затаенное желание стать знаменитой. И идти к этому она хотела не окольными, а прямыми путями. Изабелла усердно брала уроки у маститых ведущих, посещала лекции в университете Эльпараисо, где преподавали медиакультуру, много читала. Но этого оказалось мало.

Никто, даже любовник-продюсер, не замечал ее несомненных успехов. Она поняла, в чем дело, — для всех она остается фавориткой, эксцентричной богатой проституткой, которая играет в телевидение, не понимая его сути. Требовалось переубедить всех, но каким образом?

Ее час пробил, когда на «Ли-1» возникла новая программа, политическое ток-шоу, скопированное с американских аналогов. Продюсеры поставили одно условие — вести его должна женщина, это привлечет внимание аудитории, ибо в патриархальной Коста-Бьянке все еще сильны были предрассудки. Если новую программу будет вести красивая дама, к тому же еще компетентная в вопросах политики, это станет настоящей сенсацией и прорывом в коста-бьянкском телебизнесе. Рейтинг непременно будет огромным, хотя бы из-за простого любопытства зрителей — а справится ли она с программой и гостями?

Изабелла пожелала получить это место, поэтому обратилась к любовнику с просьбой рассмотреть ее кандидатуру. Тот отмахнулся, едва Изабелла завела об этом речь:

— Дорогая, нет, нет и еще раз нет. Наши спонсоры не пропустят тебя, так что извини!

Она была готова получить подобный ответ. Поэтому Изабелла, как тысячи жительниц Коста-Бьянки, подала заявку на занятие вакансии телеведущей. Канал решил провести необыкновенную акцию — выбрать истинно народную ведущую в результате открытого конкурса.

Изабелла поставила все на карту, она знала, что обязана победить. Первые два отборочных тура она прошла без проблем. Предстоял последний, перед тем как десять претенденток предстанут перед продюсерами и владельцами канала для принятия окончательного решения. Изабелла, которая была слишком хорошо известна многим на телевидении, прибегла к хитрости. Она надела рыжеватый парик, сделала кожу чуть более смуглой, вставила контактные линзы, полностью сменила гардероб, сделав его более консервативным. В результате из нее получилась симпатичная мулатка в возрасте около тридцати лет, с завораживающим голосом и отличной дикцией. Она назвалась Авророй Сильванио.

Ее эссе, посвященное политическим преобразованиям в Коста-Бьянке, произвело настоящий фурор. Никто не мог поверить, что никому не известная Аврора Сильванио высказывает такие глубокие, здравые и нестандартные мысли. Изабелла хорошо усвоила уроки, которые получила у лучших преподавателей. Кроме того, она многое уловила, живя с Теодором Коваччо. Тот не стеснялся при любовнице раскрывать секреты политической кухни Коста-Бьянки.

Она вошла в десятку финалисток, ей предстояло предстать перед лицом продюсеров и владельцев «Ли-1» и провести пилотный выпуск ток-шоу. Изабелла готовилась две недели, и Аврора Сильванио, положив на лопатки девять конкуренток, вышла победительницей из теледуэли. Ее любовник, так и не узнав в Авроре Изабеллу, горячо поздравил ее с победой.

Ее пригласили в прямой эфир на беседу с ведущим журналистом Коста-Бьянки. Никто не ожидал особой сенсации, однако Изабелла решила раскрыть все карты. В прямом эфире, на глазах изумленных журналистов, операторов и телезрителей, она призналась в обмане, на который пошла, чтобы одержать победу в конкурсе, и сняла парик. Ее любовник-продюсер, находившийся в студии, лишился дара речи, увидев Изабеллу собственной персоной. Трансляция неожиданно прервалась.

После эфира срочно созвали заседание боссов телеканала, на котором с перевесом всего в один голос было принято решение позволить Изабелле Баррейро вести новое ток-шоу. Сочли, что шумиха, которая возникла вокруг этого проекта, только усилит зрительский интерес, что в итоге на руку владельцам «Ли-1». Однако в принудительном порядке было запрещено упоминать о прошлом Изабеллы, ей создали приемлемую легенду, использовав эпизоды ее биографии. Она, воспитанница монастырского приюта, потомок знаменитого рода, сама добилась всего в жизни, закончила университет и

Хозяйка Изумрудного города

пробилась благодаря несомненному таланту на телевидение. О том, что она пять с лишним лет была элитной гетерой, упоминать запрещалось.

Так начала формироваться легенда.

— Дамы и господа, рада приветствовать вас в студии канала «Ли-1», я Изабелла Баррейро, ведущая программы «Прямой разговор». Сегодняшняя тема посвящена последнему заявлению министра здравоохранения о том, что состояние питьевой воды в Эльпараисо внушает самые серьезные опасения...

Так — или примерно так — Изабелла начинала каждый выпуск программы, выходившей сначала раз в неделю, потом, после резкого скачка популярности, два раза в неделю, по средам и пятницам, в самое смотрибельное время — с половины восьмого до девяти. Таинственная улыбка Изабеллы, ее напористый тон, язвительные замечания стали ее визитной карточкой. Зрителям нравилось, как она сбивает с толку, ловит на лжи, застает врасплох неприятным вопросом высокого политика или известного певца, знаменитого киноактера или светскую красавицу. Мало кто знал, что Изабелла спала с третью гостей, которые приглашались в студию, но это не мешало ей подрезать и выставлять на посмешище бывших любовников, тем более что ей были известны их секреты и слабые места.

Никто не смел отказаться от приглашения в ее токшоу, это значило подписать себе смертный приговор. Трусость в Коста-Бьянке была не в чести, особенно если кто-то пасовал перед женщиной. Наоборот, политики выстраивались в очередь, чтобы попасть в программу к Изабелле Баррейро. Визит к ней в студию означал всеобщее признание, Изабелла, или Белла, как ласково называли ее телезрители в потоках благожелательных писем, могла сделать из неизвестного депутата всего одним замечанием звезду. Или, наоборот, разрушить чью-то карьеру хлесткой фразой.

Ее изысканно-простыми нарядами восторгались, шептались о ее драгоценностях и задавались вопросом, сколько же она получает. Телебоссы, не рассчитывавшие на подобный феноменальный успех «Прямого разговора», радостно потирали руки, считая прибыль. Десять секунд рекламы в промежутке между частями ток-шоу Изабеллы стоили триста тысяч реалов. Она превратилась в законодательницу телевизионной моды, во всеобщую любимицу. Мужчины мечтали о ней, женщины копировали ее стиль. Скоро в парикмахерских посыпались заявки «подстричь, как Беллу».

О ней ходило множество слухов, в особенности о ее необычайном сочетании светлых волос, смуглой кожи и голубых глаз. Периодически кто-то заявлял, что Изабелла Баррейро не так давно промышляла проституцией, но этому не верили. Как может Белла, эта орхидея, быть замешана в такие непотребства? На Изабелле делали большие деньги, и тот, кому это было выгодно, был нем, как рыба.

Популярность Изабеллы выросла после того, как она занялась расследованием шумных политических дел. Как-то раз она представила убедительные доказательства того, что один вроде бы солидный финансовый фонд на самом деле намеревается обмануть вкладчиков. Она утаила то, каким способом получила информацию — через постель. Изабелла не оставила прежние привычки, покупая эксклюзивные новости при помощи собственного тела. В другой раз она раскрыла смрадную тайну элитного пансиона для благородных девиц во втором по величине городе Коста-Бьянки Барра-Гуартиба. В прямом эфире она поведала шокирующую правду — девушек на самом деле используют как проституток, заставляя их обслуживать отцов города. Она опять же не сказала, что сама продалась, чтобы получить эту информацию от Карла Мейзингера, который желал таким образом убрать с дороги конкурентов по обучению элитных путан. Наконец, когда ей удалось дознаться, что полиция Эльпараисо скрывает, что в столице действует маньяк-педофил, в результате чего глава полиции города подал в отставку, а вместе с ним ушли еще и семь его заместителей, Изабеллу стали бояться.

Хозяйка Изумрудного города

Она превратилась в мощное оружие, которое могло в любой момент повернуться против любого. Боссы канала «Ли-1» не допускали, чтобы ее передачи повредили их интересам, Изабелле это не нравилось. Она чувствовала обожание публики, это горячило ее кровь и затуманивало сознание. Ее любят, на нее равняются, ей шлют письма... О, как же долго она шла к этому!

И все же Изабелла ощущала, что ей хочется большего. Она была так близка к власти, что порой задумывалась — если политики в Коста-Бьянке такие лжецы и коррупционеры, то чем хуже она? Почему она, Изабелла Баррейро, не сможет попасть наверх? На самый верх?

Но, будучи трезвомыслящей, хотя и не интеллектуалкой, Изабелла понимала — ее мечты, скорее всего, таковыми и останутся, если не произойдет чуда. Она решила подождать — не исключено, что когда-нибудь она сумеет вскарабкаться наверх...

Популярность ее ток-шоу возрастала, телезрители не мыслили вечер без Изабеллы Баррейро. О ее феномене судачили, удивляясь, как это ей удалось стать суперзвездой Коста-Бьянки. Изабеллу приглашали на светские рауты, где она встречалась со своими бывшими любовниками. Но статус у нее был совершенно иной. Изабелла Баррейро, богатая и самоуверенная, превратилась в идола. Ее фотографии регулярно появлялись в газетах и журналах, у нее брали интервью, задаваясь вопросом: каково чувствовать себя знаменитой?

— Приятно, — честно отвечала она. — И очень ответственно...

Телевизионные боссы были довольны. Она вызывала подлинный интерес у жителей страны, отвлекая их от насущных проблем — перманентной политической нестабильности, огромной безработицы, вечного финансового кризиса. Ток-шоу «Прямой разговор» превратилось в отдушину для людских жалоб. К Изабелле взывали, к ней обращались за помощью, на нее возлагали надежды. Она с удивлением и некоторым страхом обнаружила, что к ней зачастую апеллируют как к последней инстанции.

Письма из провинции, написанные на плохой бумаге корявым почерком с множеством ошибок, повествовали о тяжелой судьбе простых коста-бьянкцев. Впрочем, телевизионное начальство не позволяло Изабелле чересчур увлекаться критикой существующего режима. Так, немного, и то лишь тогда, когда это санкционировались из президентского дворца. Учитывая, что военные хунты сменяли одна другую, приказания зачастую были противоречивы. Изабелла пыталась выбить большую свободу действия для себя, но у нее не получалось. Ей с улыбкой намекали, что не стоит суетиться, иначе...

— Иначе, синьора Баррейро, вы сами понимаете, ток-шоу «Прямой разговор» может исчезнуть из сетки вещания. Не сразу, конечно, для начала мы задвинем его далеко за полночь, когда ваши поклонники, встающие часов в пять, чтобы отправиться на завод или плантации, уже спят. Мы много потеряем, нас будут критиковать, но что поделаешь — телевидение всегда является мишенью для критики. О вас постепенно забудут, вы исчезнете из памяти людей. И все — вашей блистательной карьере придет конец. Поэтому советуем вам выполнять то, что от вас требуется. Никакого ток-шоу на следующей неделе, посвященного вредным выбросам химического концерна в провинции Санта-Тереза. Вы же понимаете, кому принадлежит этот концерн — синьору Коваччо. Он вкладывает столько денег в наш канал...

Теодор Коваччо, который являлся владельцем крупного пакета акций канала «Ли-1», резко выступал против кандидатуры Изабеллы Баррейро, однако, не обладая, как он к этому привык, правом единственного голоса, он остался в меньшинстве. Изабелла знала — Теодор не мог простить ей то, что она ушла от него самовольно.

Ей пришлось подчиняться существовавшим правилам. Жизнь на телевидении оказалась полна интриг, зависти и скрытой борьбы. Изабелла, обретшая популярность, подвергалась нападкам со стороны коллег.

Хозяйка Изумрудного города

Антон ЛЕОНТЬЕВ

Ее прошлое тяготело над ней. Разоблачительные статьи о том, что Изабелла Баррейро когда-то продавала себя за очень большие деньги влиятельным господам, вызывали всеобщий ажиотаж. Вокруг Изабеллы ходило столько слухов, легенд и домыслов, что никто не знал, чему же верить. Изабелла, чтобы сбить с толку, сама про себя распускала сплетни.

То о ней писали как о бывшей проститутке, то как о любовнице бывшего президента, то как о преступнице, отсидевшей несколько лет в тюрьме. Изабелла плевала на такие россказни. В многочисленных письмах, которые приходили на адрес «Ли-1», ей признавались в любви, проклинали, предлагали руку и сердце или обещали убить.

Апофеозом ее карьеры стало происшествие, которое произошло в государственной тюрьме Леблон. По скудным сведениям, распространяемым подконтрольными президенту Суаресу средствами информации, в отдаленной провинции, где располагалась тюрьма для особо опасных преступников, были зарегистрированы волнения. Впрочем, как с постными минами успокаивали телезрителей говорящие головы — дикторы, правительственные войска держат ситуацию под контролем.

Так продолжалось около двух недель, пока, наконец, канал «Ли-1», владельцы которого находились в оппозиции президенту и правительству, не выдал сенсационный репортаж. Из него следовало, что тюрьма Леблон уже пять дней пребывает в руках восставших заключенных. Они убили нескольких надзирателей, сумели открыть камеры и захватить оружие. Правительственные войска, стянутые к тюрьме, расположенной в джунглях, не могли урегулировать обстановку. Президент, об этом было сообщено особо, раздумывает над тем, чтобы штурмовать тюрьму элитными отрядами специального назначения, а если это не возымеет положительного эффекта, то и вовсе разбомбить ее при помощи авиации или применить отравляющий газ.

Президентский дворец немедленно опроверг это сообщение, заявив, что, несмотря на то что ситуация в тюрьме Леблон и на самом деле «несколько внушает опасения», никто и никогда не возьмет на себя ответственности и не отдаст приказ уничтожить несколько тысяч человек, пускай они и являются закоренелыми преступниками, осужденными к длительным срокам заключения.

— Президент и его продажная администрация, как всегда, лгут, — сообщил главный продюсер «Ли-1» на экстренном заседании, где присутствовали ведущие журналисты страны. — Мы это прекрасно знаем, однако нам закрыт доступ к тюрьме. Там работают только два государственных телеканала, которые затем редактируют пленку и транслируют умиротворяющие кадры. В тюрьме убито по крайней мере десять надзирателей, директор и его заместители находятся в руках бунтовщиков, и об их судьбе нет точных сведений. Военные уже пытались штурмом взять Леблон, их попытка провалилась, в результате было убито никак не менее пятидесяти заключенных. Я предлагаю раскрутить этот скандал.

Расчет олигархов, стоявших за спинами телепродюсеров, был прост — сообщения о том, что президент собирается хладнокровно уничтожить при помощи военных несколько тысяч человек, вызовет политический кризис и, вероятнее всего, волны забастовок и протестов. Действовавший режим Коста-Бьянки держался уже два с половиной года, рекордный срок, и кто-то захотел его сменить, используя мощное оружие — телевидение.

— Это еще не все, — продолжил продюсер «Ли-1». — Волнения возникли из-за того, что с заключенными обращались, как со скотом, кормили отвратительной пищей, подвергали систематическим пыткам. Министр юстиции и председатель Верховного суда знали обо всем, господин президент страны тоже был в курсе, и ничего не предпринималось. Изабелла, тебе необходимо посвятить этому твою сегодняшнюю программу.

Изабелла сделала потрясающую программу, министр юстиции и председатель Верховного суда, кото-

Хозяйка Изумрудного города

рые не посмели отказаться от участия в ее ток-шоу, выглядели жалкими лгунами, которые дурят народ. Изабелла сыпала фактами, колола вопросами, уничтожала доказательствами. Все сводилось к тому, что президент и его команда, намеренно обрекая на гибель две с половиной тысячи человек, больше не имеют морального права возглавлять Коста-Бьянку.

На следующий день «Ли-1» вырубили из эфира. Официальное объяснение — поломка антенны, хотя каждый понимал, что это месть режима за оппозиционное высказывание. В Эльпараисо состоялась грандиозная демонстрация, в которой приняло участие более полумиллиона человек, в поддержку заключенных Леблона. Лозунги демонстрантов были «Долой президента» и «Остановите кровавую бойню». «Ли-1», вещавший из запасной студии, срывал самые высокие рейтинги, Изабелла стала героиней дня. Ей пришлось покинуть шикарную квартиру в элитном небоскребе, потому что, как стало известно, министр внутренних дел подписал ордер на ее арест. Она превратилась в диссидентку.

— Великолепно, — отзывался продюсер опального канала. — Белла, ты наша путеводная звезда. О тебе только и говорят. Президент падет в течение двух недель, это очевидно, но он не хочет сдаваться без боя. Старый дурень Суарес недооценил влияние телевидения. Кто смотрит его официозные новости, такие нудные и лживые?..

Отклики посыпались со всей страны. Забастовки потрясли всю Коста-Бьянку, столица оказалась на осадном положении, возникли массовые беспорядки, часть провинций объявила о низложении власти действовавшего президента. Новый национальный герой, председатель Национального собрания, ставленник магнатов, заявил, что президент больше не контролирует ситуацию и поэтому, согласно Конституции, именно он становится его преемником. Президент, конечно же, не смирился с этим, объявил чрезвычайное положение и призвал не подчиняться самозванцу. Коста-Бьянка вошла в новый политический кризис.

— Изабелла, — сказал продюсер «Ли-1». — Еще немного, и мы впервые в истории Коста-Бьянки добьемся смены политического руководства, используя телевидение. Для этого необходимо еще чуть-чуть. Смотри, какие новости поступили из тюрьмы Леблон...

Губернатор провинции Санта-Тереза заявил, что не признает власти президента и присоединяется к тем, кто присягнул новому главе государства. Спикер парламента, украшенный зелено-золотой лентой с массивным орденом, символом президентской власти, находясь где-то в бункере, уже подписывал указ за указом, назначая новых силовых министров и начиная дележку богатств страны. Ситуация в тюрьме Леблон не менялась к лучшему, бунтовщики не признавали ни старого, ни нового президента и выдвигали совершенно новые требования, обещая в случае их невыполнения убить заложников.

— С тобой хочет увидеться наш новый президент, господин Сантьяго, — сказал продюсер Изабелле. — И это напрямую связано с событиями в Леблоне.

Бронированный джип доставил Изабеллу поздно вечером на окраину Эльпараисо, в квартал, подконтрольный силам нового президента. Часть армейских подразделений признала его власть, другие военные остались верны присяге и защищали президентский дворец со старым главой государства, генералом Пабло Суаресом.

Господин Диего Сантьяго, экс-председатель Национального собрания, полноватый брюнет лет сорока пяти, находился в бункере глубоко под землей. Он радушно встретил Изабеллу, поцеловал ей руку и проводил в кабинет. У дверей комнаты замерли два спецназовца с автоматами. Сантьяго был одним из козырей в политическом покере, который затеяли крупные промышленники и олигархи страны.

Изабелла всегда критически относилась к смене президентов и премьер-министров в Коста-Бьянке.

Хозяйка Изумрудного города

Народ вначале восторженно приветствовал нового главу, а через полгода, видя, что ситуация вовсе не улучшается, а даже становится хуже, начинал проклинать того, кого боготворил совсем недавно.

Сантьяго предложил Изабелле кофе, та отказалась. Она знала, что ему требовалась ее помощь. Президент, усевшись в кожаное кресло под собственным портретом на коне, произнес:

— Изабелла, нам... мне лично нужно ваше содействие. Вы же видите, что режим президента Суареса агонизирует. Старый, давно выживший из ума генерал не понимает, что для него все закончено, стране нужны новые политические силы...

Изабелла усмехнулась — господин Сантьяго, говоривший заученными прилизанными фразами, явно имел в виду себя.

— Ваше последнее ток-шоу имело, как вы уже убедились, огромный резонанс. Собственно, оно и положило начало доблестной борьбе нашего народа с узурпатором в президентском дворце...

«И начало передела богатств Коста-Бьянки», — подумала Изабелла, но смолчала.

— Заключенные, захватившие тюрьму Леблон, видели вашу программу. Они уверены, что вы единственная, кто правдиво освещает события, и я тоже так считаю. Они просят... требуют... чтобы вы приехали к ним и сделали репортаж с места событий. Они доверяют только вам, Изабелла.

Вот, оказывается, для чего ее так неожиданно вызвали в бункер к эрзац-главе государства. Они хотят, чтобы она, как обезьяна в басне, таскала для них каштаны из огня.

— Я предлагаю вам... прошу вас, Изабелла, отправиться в провинцию Санта-Тереза, благо губернатор на нашей стороне. Вы беспрепятственно проникнете в тюрьму и сделаете репортаж, который канал «Ли-1» немедленно даст в эфир. Думаю, после этого президенту Суаресу придется уйти. Необходимо крупным планом показать жертвы его зверств — убитых заключенных, взять интервью у восставших. Возможно, вы сумеете переговорить с их главой... И освободить заложников. Это будет ваш триумф...

— И ваш тоже, — произнесла Изабелла. — Вы понимаете, что ради вас я пойду на смертельный риск, господин... господин Сантьяго?

Отметив, что Изабелла не называет его «господин президент», Сантьяго нехотя признался:

— О да, я понимаю это, Изабелла. Но обещаю вам, что после того, как режим Суареса падет, вы получите самые льготные условия. Ваша программа будет выходить на главном государственном канале каждый день, если вы того пожелаете.

Изабелла подумала, что она может выторговать себе и пост в правительстве. Например, министра средств массовой информации.

— А как обстоит дело, например, с тем, чтобы я вошла в ваш новый кабинет? — спросила она.

Сантьяго напрягся. В его планы явно не входило платить такую высокую цену.

— Все зависит от того, Изабелла, чего вы добьетесь. Думаю, вы на самом деле окажетесь полезной мне, после того как я займу место в президентском дворце. Как я понимаю, вы покушаетесь на пост министра средств массовой информации. Что же, я согласен...

— Учтите, господин президент, — уже титулуя его таким образом, продолжила Изабелла, — я не потерплю обмана. Если вы не сдержите слово, то я оставляю за собой право предать содержание этого разговора огласке.

— О да, не беспокойтесь, — согласился Сантьяго.

Изабелле не понравился блеск его глаз. Она не доверяла новому президенту, он такой же жулик, как и тот, против кого он борется. Ну что же, она рискнет. Это — ее судьба.

— Я отправлюсь в тюрьму Леблон немедленно, — твердо произнесла она. — Но не раньше, господин президент, чем выпью кофе. Вы, кажется, предлагали мне? Теперь в самый раз.

Хозяйка Изумрудного города

Антон ЛЕОНТЬЕВ

К ее услугам был предоставлен небольшой самолет и профессиональный пилот ВВС Коста-Бьянки. Лететь до провинции Санта-Тереза пришлось около двух часов. Той же ночью они приземлились на небольшом, затерянном в джунглях аэродроме военной базы. Изабелла пересела в джип, который доставил ее к воротам тюрьмы.

Огромное серо-бетонное здание было погружено во тьму. Электричество и воду отключили сразу же после начала бунта. Изабеллу приветствовал энергичный военный, который тотчас связался по телефону с восставшими.

— Госпожа Изабелла Баррейро прибыла, — сказал он. — Оператор с кинокамерой тоже. Они готовы посетить вас. Да, хорошо...

Он положил трубку телефона и сказал:

— Они вас ждут. К сожалению, вы отправитесь туда только в сопровождении своего оператора, они не разрешили кому-то еще проникнуть внутрь. Несмотря на то что они благожелательно настроены по отношению к вам, не доверяйте им. Там полно опасных преступников, убийц и насильников, которые давно не видели женщину. Они готовы на все, сеньора Баррейро.

Изабелла, облаченная в военный комбинезон, с забранными в пучок волосами и минимумом косметики, согласно кивнула. Она имела представление о том, на что решилась. Не исключено, что это последний репортаж в ее жизни. Но и шанс стать министром средств информации в правительстве президента Сантьяго.

Они с оператором, молодым негром по имени Джек, отправились из лагеря военных, расположенного в двухстах метрах от ворот тюрьмы, к центральному входу. Изабелла чувствовала себя неуютно. Она знала, что находится под прицелом винтовок снайперов. А вдруг у кого-то сдадут нервы? Вдруг кто-то нажмет на спусковой крючок? Нет, она предпочитала не думать об этом. Ей нельзя выказывать страх!

Металлические ворота распахнулись ровно настолько, чтобы в образовавшуюся щель могли пройти Изабелла и Джек с кинокамерой. Ее встретили бородатые, обнаженные по пояс мужчины, поедающие ее глазами, с оружием наперевес.

— Привет, Изабелла, — сказал один из них. — Мы рады, что ты с нами. Ты единственная, кто говорит правду.

В нос Изабелле ударил страшный запах разложения, пота и пороха. Ее провели по тюрьме, показали убитых. Джек, сначала трясшийся от страха, снимал и снимал, регистрируя безмолвные свидетельства зверств президентского режима.

— Они расстреливали нас из пулеметов, а потом стали использовать базуки, — говорили заключенные. — Они не считают нас за людей...

Изабелле удалось повидать заложников, которые располагались в камерах. Директор тюрьмы был мертв, растерзанный обезумевшей толпой, а вот несколько его заместителей, избитых и павших духом, сидели там, где раньше находились заключенные.

— Тебя хочет видеть Алекс, — сказал ей один из заключенных.

Она знала, что таинственного предводителя заключенных, который и организовал бунт, продолжая руководить силами внутритюремного сопротивления, зовут Алекс. Он выходил на связь с военными, осадившими здание тюрьмы, никто не знал, кто же из заключенных скрывается под этим прозвищем.

Ее провели в кабинет директора тюрьмы. Перед входом ее в который раз тщательно обыскали, Изабелла чувствовала, как потные горячие руки заключенных шарят по ее телу. Страх проснулся в ее душе. Это ловушка! Она сделала глупость, что согласилась отправиться в тюрьму, где она находится в полной власти двух с половиной тысяч головорезов. Ее не выпустят живой... Джеку запретили увидеть Алекса.

— Алекс тебя ждет. Он даст тебе интервью, но снимать Алекса будет наш человек. Ты потом получишь кассету с интервью. — Дверь распахнулась, и Изабелла прошла в кабинет директора Леблона.

Хозяйка Изумрудного города

В кабинете царил беспорядок, железные ящики с делами были выпотрошены, их содержимое сожжено. На стене красовался портрет президента Пабло Суареса с продырявленной выстрелами головой.

Кто-то сидел в кресле, повернутом к Изабелле спинкой. Она замерла около стола, на котором лежали три пистолета, винтовка и граната. Там же стоял бокал с красным вином, видимо, из запасов убитого директора.

Кресло неожиданно развернулось, и Изабелла увидела Алекса. Воспоминания всплыли у нее в памяти. Она же видела его, но где? На кого похож этот красавец с темными длинными вьющимися волосами, орлиным профилем и холодным взглядом? Ну, конечно же, он копия Теодора Коваччо, ее бывшего любовника...

— Ты правильно угадала, я его сын. — Алекс поднялся из кресла и пожал ей руку. Она его видела во время краткого визита, когда Алекс поссорился с отцом, лет пять назад. В то время она еще была... была элитной шлюхой.

— Я и не знала, что вы... что ты в тюрьме, — сказала Изабелла.

— О, это самая тщательно охраняемая тайна моего отца, — ответил Алекс. — Он не хочет, чтобы кто-то знал: его старший сын, на которого он возлагал такие надежды, отвергает жизненные ценности отца. Меня осудили за сопротивление политическому режиму этого сатрапа Суареса. Впрочем, мерзавец Сантьяго, который так и норовит сесть в его кресло, не лучше. Я рад, что ты здесь, у меня есть много что рассказать тебе...

Алекс, под очарование которого Изабелла попала немедленно, действительно поведал ей политическую программу военизированной организации, которую он возглавлял. Его целью было низвержение существующего строя и установление другого. Своего.

— Не подумай, что я новый Че Гевара. Я понимаю, что коммунизм, как и анархизм, давно изжил себя. Но я хочу, чтобы к власти пришли те, кто на самом деле подарит народу Коста-Бьянки свободу. Суарес, Сантьяго, мой отец — это старая гвардия, они жаждут власти, чтобы обогатиться. Мне не нужны деньги, я за демократию с военным уклоном.

Алекс представлял собой особый тип политика, который не гнушался использовать террор для достижения власти. Он ненавидел капиталистов в такой же степени, как и коммунистов.

— Ты расскажешь всей Коста-Бьянке о том, чего я добиваюсь, — сказал он. — Я тебе верю. Ты, Изабелла, мне нравишься. У моего отца отличный вкус...

Их разговор, длившийся около получаса, закончился неожиданно — тюрьму подвергли бомбардировке с воздуха силы президента Суареса.

— Они начали штурм, ну что же, я не позволю им одержать верх. — Алекс, прихватив со стола оружие, направился к выходу. — Пусть твой оператор снимет то, как доблестные военные бомбят нас. Я знаю, ты работаешь на Сантьяго, но пока что я готов закрыть на это глаза. Думаю, ты рано или поздно станешь моей союзницей. Ты мне нужна, Изабелла!

И, не обращая внимания на разрывы бомб, он прижал ее к себе и поцеловал.

— Потом покинешь тюрьму по подземному ходу, который мы успели прорыть. Он ведет в джунгли. Возьмешь с собой заложников, эти ублюдки нам больше не нужны. Пусть все знают, что Алекс Коваччо не убивает безоружных. Прощай!

Изабелла, сбитая с толку поведением Алекса, выполнила его требования. Джек сделал великолепные кадры. Их вместе с заложниками проводили к подземному ходу и отпустили на все четыре стороны. Изабелла боялась, что бомбы, сносившие с лица земли здание тюрьмы, убьют ее, но все обошлось.

Чумазая, грязная, пропитанная запахом крови, гарью и потом, она выбралась в джунгли из-под земли. Атака на тюрьму увенчалась успехом сил президента Суареса — гнездо бунтовщиков было разрушено.

Ей удалось добраться до военной базы, а оттуда перебраться в пригород Эльпараисо. В столице республики ее считали погибшей и несказанно обрадовались ее неожиданному воскрешению из мертвых. Ее снова принял президент Сантьяго, который, посмотрев смонтированный в течение восьми часов репортаж из тюрьмы, сказал в потрясении:

— Это уничтожит Суареса. А вот упоминание про Алекса Коваччо вырезать, мне это не нужно. Он политический проходимец. Да и его отец, синьор Теодор, не хочет, чтобы его имя оказалось скомпрометированным из-за сына-отщепенца. Репортаж пойдет в эфир через два часа. Вы успеете все исправить?

Изабелла заверила Сантьяго, что успеет. На самом деле она решила ничего не менять. Кассету с репортажем она сама вставила в видеоаппаратуру на телестудии. Начался импровизированный, заранее не объявленный в программе выпуск ток-шоу «Прямой разговор». Изабелла представила миллионам жителей страны и загранице правду о восстании в Леблоне. Кадры поразили всех — измученные лица, камеры пыток, тела убитых, падающие бомбы, военная авиация, уничтожающая тюрьму.

И беседа с Алексом Коваччо.

Последствия не заставили себя ждать. Поддерживаемый некоторыми соседними южноамериканскими государствами, президент Суарес после эфира оказался в полной изоляции. Никто не пожелал показать себя сторонником человека, отдавшего приказ бомбить собственных граждан. Военные, находившиеся на его стороне, присягнули президенту Сантьяго. Генерал Суарес попытался тайно бежать вместе с семьей и приспешниками, но был арестован. Его режим пал.

В Коста-Бьянке вновь сменилась власть.

Началось всеобщее ликование. Президент Сантьяго принес присягу под прицелами телекамер на балконе обугленного президентского дворца, выступив с речью перед сотней тысяч человек, которые запрудили главную площадь Эльпараисо. Его назвали новой надеждой страны и молодым спасителем нации.

Изабелле дали понять, что ее самоуправство не приветствуется. Президент Сантьяго снова принял ее уже в новых апартаментах. Первым делом он начал ремонт, перепланировку и отделку президентского дворца. Сантьяго заявил, что она совершила большую политическую ошибку, дав в эфир интервью с предводителем бунтовщиков.

— Слава богу, что он погиб во время бомбардировки тюрьмы, — сказал его высокопревосходительство господин президент. — Изабелла, я одновременно восхищен вами и разочарован. Вам не стоило предоставлять слово Алексу Коваччо. Его отец очень недоволен... Он требует, чтобы я забыл о своем обещании. Но я честный человек, Изабелла, вы станете министром средств массовой информации.

Назначение Изабеллы на этот пост было обставлено с соответствующей помпой. Изабелла понимала, что Сантьяго был вынужден сдержать свое обещание, иначе бы это сразу нанесло удар по его имиджу. Он подписал указ в прямом эфире, и так Изабелла стала первым в истории Коста-Бьянки министром-женщиной.

Впрочем, ей недолго пришлось наслаждаться министерской властью. Она не принимала решений, это делал ее заместитель, верный пес президента Сантьяго. Ее отстранили от реальной власти. Она, эффектная женщина и знаменитая журналистка, встречала послов, брала интервью у зарубежных высоких гостей, участвовала в благотворительных акциях.

Ее карьера министра длилась ровно три месяца. Затем, провозгласив, что средства массовой информации Коста-Бьянки по Конституции совершенно свободны и не нуждаются в цензуре власти, министерство, возглавляемое Изабеллой, упразднили. Она не могла ничего возразить — все, как обычно, делалось в интересах демократии и народа.

Затем, спустя два дня, было создано новое министерство, получившее название Министерства государственной информации. Ему-то и поручили надзирать за газетами и телевидением. Создание нового министерства не афишировали, а его главой стал заместитель Изабеллы, который был рьяным сторонником президента Сантьяго и старинным другом Теодора Коваччо.

Изабелла поняла, что затея с ликвидацией, а затем воссозданием министерства под другой вывеской была осуществлена только для того, чтобы избавиться от нее. Ее ток-шоу пока не трогали, хотя Изабелла понимала, что новый президент и Теодор Коваччо доберутся и до него. Они поставили себе целью убрать слишком популярную и, таким образом, чересчур могущественную телеведущую, которая, выполнив то, что от нее требовалось, стала опасной.

Рождественским вечером 1997 года Изабелла была приглашена на прием, который давал канал «Ли-1». Она блистала в специально заказанном в Милане нежно-голубом платье, вырез которого украшало потрясающей стоимости бриллиантовое ожерелье. Она ловила восхищенные взгляды, к коим давно привыкла.

Она скучала, Изабелле казалось, что она достигла всего, о чем только мечтала. У нее были деньги, она побывала, пускай и кратковременно, во власти, у нее была любимая работа и миллионы поклонников...

— Изабелла, — сказал один из продюсеров канала. Она поставила бокал с шампанским на поднос скользящего мимо официанта и обернулась на зов. — Разреши представить тебе полковника Рамона Эстебальдо ди Санто-Стефано. Он в восхищении от тебя!

Изабелла увидела перед собой высокого, облаченного в военную форму песочного цвета человека с тонкими чертами лица и черными усиками. Лет сорок пять — сорок семь... Холеный, уверенный в себе, удивительно скрытный, с тяжелым взглядом... Рамон Эстебальдо ди Санто-Стефано, она уже слышала это имя... Заместитель начальника Генерального штаба Коста-Бьянки.

Полковник склонился, целуя руку Изабелле:

— Сеньора Баррейро, я чрезвычайно польщен, что

могу быть представленным вам. Я в восхищении от вас и вашей журналистской деятельности.

Изабелла тысячи раз слышала подобные фразы, но сейчас это звучало совершенно иначе. В полковнике ди Санто-Стефано было что-то особенное, то, что именуется харизмой.

— Я верю, что все в этом мире заранее предопределено, — сказал он, пристально глядя в глаза Изабелле. Ее пронзила внезапная дрожь. Отчего? — И наша встреча тоже, синьора Баррейро. Вы разрешите пригласить вас на новогодний ужин?

Маленькая Наташа в полной мере ощутила на себе, что значит выделяться среди сверстников непрезентабельной внешностью. Она была самой крупной в классе, учителя всегда обвиняли ее в том, что она относится к сверстникам жестоко — стоило ей толкнуть обидчика, как тот улетал в угол или на пол, а затем, притворно завывая, ябедничал учительнице и показывал синяки.

Родители Натальи Коротковой, которые знали, что их дочь отличается выдающимися способностями, хотели, чтобы она пошла по стопам отца. Например, стала знаменитой ученой. А для этого необходимо посещать занятия в элитной школе.

О, сколько раз Наталья говорила отцу и матери, что не хочет снова идти в класс, где она всех ненавидела. Еще бы, какими только прозвищами не награждали ее. Фигура Натальи, на самом деле далекая от идеала, обеспечила ей кличку Колбасина. Черные, непослушные пряди волос, которые всегда казались грязными, мой ты голову даже пять раз в день, привели к тому, что ее дразнили Вонючкой. Плохая кожа, юношеские прыщи — и безжалостные подростки, гогоча, именовали Наталью Короткову Рябухой.

Единственное, как она могла ответить на эти злобные выпады, — не отвечать на них вовсе. Она делала вид, что совершенно равнодушна к этим замечаниям, хотя на самом деле сидела часами перед зеркалом, стараясь улучшить свою внешность. Почему она родилась такая... Такая страшненькая, как говорила ее изящная и всегда следящая за последними тенденциями в моде мать.

— Дочка, тебе не стоит слишком увлекаться сладким, — говорила Александра Короткова, убирая из-под носа Натальи блюдо с заварными пирожными. — Ты и так весишь почти восемьдесят килограммов. Боже, ну почему ты пошла в родственников отца!

Наталье не было дела до того, что ее бабка из рода баронов Корфов. Она хотела, как и все сверстницы, ходить на дискотеку, надевать мини-юбки, нравиться молодым людям. А кто польстится на нее, такую?

— Я не понимаю, в чем проблема, — совершенно искренне говорил Владимир Иванович Коротков.

Он, многое переживший, бежал в науку. Он — неоспоримый авторитет в физике. Его имя было включено в Большую советскую энциклопедию. Он, нобелевский лауреат, являл собой гордость интеллектуальной элиты страны.

— Ты должна гордиться тем, что у тебя такие родители, что ты унаследовала математические способности своих предков, — внушал ей отец, которого Наталья обожала. — Согласен, ты немного полновата для своего возраста, но, думаешь, твоя бабка была красавицей? И это не помешало ей быть счастливой в двух браках и стать знаменитой ученой.

Наталья внимательно изучала семейную хронику. Судьба Евгении Арбениной — Терпининой — де Форж, сгинувшей в сталинских лагерях, завораживала ее. Владимир Коротков, бывший когда-то Владимиром де Форжем, мог позволить себе многое, в том числе иметь мать, осужденную как враг народа.

И в самом деле Наталья унаследовала уникальные способности бабки и отца. Она с детства увлекалась математикой, ее душа лежала к точным наукам. Этим-то она и мстила одноклассникам, она была выше их на голову в прямом и переносном смысле. Победительница различных олимпиад, она без проблем поступила в Бауманский университет. Конечно же, на нее обращали пристальное внимание из-за того, что ее отец, академик и нобелевский лауреат, стоял на самой высокой ступени общественного и научного признания.

Она оправдала надежды, возложенные на нее отцом. Он чрезвычайно гордился дочерью, повторяя, что через пару лет она может заняться фундаментальной наукой. Наталья же боялась ему признаться, что формулы, которые она щелкала, как орешки, на самом деле тяготили ее. Она любила математику и физику, но не собиралась посвятить этому жизнь. С каким бы удовольствием она занялась, к примеру, дизайном одежды... Но с ее-то фигурой... Это исключено.

Она предпочитала одеваться в темные тона, практически не пользовалась косметикой и общалась не с молодыми людьми, а с пожилыми профессорами и еще более ветхими академиками, коллегами отца, которые часто посещали их дом.

Власть обеспечила Владимира Короткова по полной программе. Его жена, дочь бывшего министра сельского хозяйства, тоже ни в чем не нуждалась. Наталья имела весьма смутное представление о дефиците, очередях, нехватке продуктов и погоне за импортным ширпотребом. У нее на столе в любое время года были бананы и апельсины, однако Наталья, постоянно изводившая себя диетами, предпочитала сдобные булочки, жареные пирожки и воздушные пирожные. Дома, под присмотром матери, высчитывавшей каждую калорию и контролировавшей их кухарку, она питалась правильно, но стоило ей оказаться в университетской столовой... Ассортимент не отличался разнообразием, но Наталья, накупив беляшей и пирожков, усаживалась в укромном уголке и читала очередной труд ученого-физика.

Она, в отличие от сверстниц, не имела поклонников. Молодые люди, которые появлялись с ней дома у Коротковых, интересовались исключительно наукой и были под стать Наталье — или такие же полные, или чрезвычайно худые. Из разряда тех, кто не входил ни в

Хозяйка Изумрудного города

одну из студенческих группировок и носил обидное прозвище «ботаник».

Наталья, принадлежавшая к высшему обществу Советского Союза и, выражаясь метафорически, родившаяся с серебряной ложкой во рту, чувствовала себя на вечеринках столичной молодежи скованно и неуютно. С ней никто не разговаривал, на нее взирали со смешанным чувством презрения и жалости, ее никто не приглашал танцевать.

Неужели все дело в ее внешности? Наталья, которая знала, что она во много раз умнее и одареннее симпатичных куколок с длинными ногами и тонкой талией, много раз заводила с отцом разговоры о пластической операции. У него были друзья-хирурги, они бы могли превратить ее в красавицу при помощи скальпеля.

— Нет! — всегда резко отвечал академик Владимир Коротков. — Об этом не может быть и речи! Я не желаю, чтобы моя единственная дочь превратилась в голливудскую телезвезду или жену партийного босса. Ты должна в полной мере использовать то, чем тебя наградила природа. Если тебе не нравится твоя фигура, займись спортом!

Наталья знала, что это ни к чему не приведет. Она уставала, пробежав пятьдесят метров, в бассейне она боялась утонуть, а популярная аэробика навевала на нее сонливость. Лучше усесться на диване с блюдом сладких вафель или коробкой шоколадных конфет с начинкой.

Трагедия неожиданно ворвалась в жизнь семейства Коротковых перед двадцатым днем рождения Натальи, в октябре 1992 года. Академик, которому не так давно исполнилось пятьдесят три, предложил жене и дочери съездить в закрытый пансионат на Черном море. Он хотел отпраздновать юбилей дочери. Александра и Наталья с радостью согласились, вечно занятый академик не так часто находил время, чтобы провести с семьей несколько дней без суеты и забот. Наталья без проблем получила разрешение пропустить занятия в университете в начале октября, благо семестр только начинался.

Ей, самой лучшей студентке курса, всегда шли навстречу, памятуя при этом, кем является ее отец.

Наталья с матерью приехали в пансионат, заняли номер и прогуливались по берегу моря, наслаждаясь теплым октябрем. Отдыхающих практически не было. Наталья предвкушала встречу с отцом, которого в последнее время видела урывками — академик был в постоянных заграничных разъездах. После развала Союза ученые получили свободу действий, и те из них, кто на самом деле обладал именем и знаниями, могли зарабатывать деньги за рубежом. Владимир Коротков попеременно читал лекции в Стэнфордском университете и преподавал в Сорбонне, на той самой кафедре, которой руководил его отец Николя де Форж и где работала его мать Евгения.

Академик, обещавший приехать третьего числа, задерживался. Как узнала слегка обеспокоенная Александра, ее муж, прилетевший из Парижа, сел в самолет до Сочи. Однако в пансионат он не приехал ни днем, ни вечером, ни следующим утром.

Жена и дочь академика испугались не на шутку: что могло случиться с ним? Они повисли на телефоне, имя академика Короткова было слишком весомым, чтобы его родственников отфутболили в милиции. Александре удалось узнать, что он вылетел из Москвы утренним рейсом. Но прибыл ли он в Сочи?

Они обнаружили его в бессознательном состоянии в больнице, куда он был доставлен прямо из аэропорта. Как свидетельствовали очевидцы, академик, который плохо перенес полет, потерял сознание, едва сойдя с трапа, на летном поле. Его забрала срочно вызванная карета «Скорой помощи» и отвезла в областную больницу.

Наталья не могла поверить — ее отец, которого она любила больше всего в жизни, находится в коме. Врачи разводили руками и отводили глаза в сторону. В возрасте пятидесяти трех лет он стал жертвой гемморрагического инсульта. Его частично парализовало. Шансов не только вернуться к прежней жизни, но и вообще выжить было очень мало.

Жена и дочь проводили у его постели день и ночь, они надеялись на чудо. Чуда не произошло. Академик умер десятью днями позже, так и не успев поздравить дочь с двадцатилетием.

Привычный мир для Александры и Натальи рухнул. Они всегда чувствовали себя защищенными и огражденными от любых проблем и неприятностей любящим мужем и отцом. И вот — его не стало. В газетах, журналах и на центральном телевидении появились репортажи, посвященные безвременной кончине знаменитого ученого. Смерть, как отмечали все, забрала его к себе, полного сил и новых идей.

Наталья переживала из-за того, что считала себя виновной в смерти отца. Он, не придя в себя после перелета из Парижа, вылетел через несколько часов в Сочи, чтобы успеть на ее юбилей. А в итоге убил себя этими перегрузками...

Александра переживала смерть мужа так же сильно. Она поняла, что оказалась на этом свете совершенно одна. И хуже всего, что наступили новые, пугающие ее времена. Имя ее отца, бывшего министра, уже ничего не значило, в одночасье исчезли магазины-распределители и ведомственные поликлиники, пенсия ввиду огромной инфляции составляла сущие гроши.

От академика у них осталась роскошная четырехкомнатная квартира в самом центре столицы, деревянная двухэтажная дача, коллекция картин художников-передвижников, две «Волги», крупные гонорары в валюте, полученные академиком за рубежом. Все это несколько компенсировало боль утраты и позволило вдове и дочери Владимира Короткова существовать, не заботясь о куске хлеба.

Александра, которая всегда следила за своим здоровьем, внезапно простудилась. Она, не признававшая вредных, по ее мнению, антибиотиков, лечилась гомеопатическими средствами. Когда же кашель не прошел, а боли в горле стали нестерпимыми, она обратилась к врачу.

Тот поставил неутешительный диагноз — рак гортани. Александра, сраженная страшным вердиктом, сдалась без боя. Находившаяся в депрессии из-за неожиданной кончины мужа, она оказалась лицом к лицу со страшной болезнью.

Наталья, всегда дистанцировавшаяся от матери, больше увлеченной нарядами, чем дочерью, приложила все усилия, чтобы спасти Александру. Она обошла всех столичных онкологов, пыталась внушить матери, что та в свои пятьдесят не имеет права умирать, обращалась к знахарям и ведунам.

Но ни они, ни усиленный курс химиотерапии не помогли. Отступив на время, болезнь затаилась и нанесла удар, вернувшись в виде множественных метастазов. Александра, утомленная бесплодной борьбой, тяжелым лечением и еще не оправившаяся после трагедии с Владимиром, решила добровольно уйти из жизни. Она уговорила дочь съездить на выходные на дачу, якобы забрать кое-какие записи отца и его фотографии, а заодно и заночевать там. Когда в воскресенье Наталья, ничего не подозревая, открыла ключом дверь и прошла в спальню матери в московской квартире, то обнаружила Александру Короткову без признаков жизни в постели. Она, облаченная в свое любимое платье, удивительно красивая и умиротворенная, приняла смертельный коктейль из опиатов, снотворных таблеток и шампанского. Дочери она оставила короткую записку, в которой просила прощения за малодушный шаг и велела похоронить себя рядом с мужем.

Наталья выполнила последнюю просьбу матери.

Так она осталась совершенно одна — в двадцать два года. Она уже закончила институт, поступила в аспирантуру, у нее была практически готова к защите кандидатская диссертация. Наталья, ничего не объясняя изумленным профессорам в вузе, забросила науку. Она отключила телефон, забаррикадировалась на подмосковной даче, не открывала дверь. В кладовке у нее имелся солидный запас консервов и солений. И она ела, ела, ела...

Она не выходила на улицу почти два месяца, пытаясь совладать с собой. Что ей делать дальше, как жить после того, как в течение короткого промежутка времени она потеряла двух самых близких людей? Она думала о самоубийстве, но, хотя временами, особенно когда смотрелась в зеркало, у нее возникало желание перерезать себе вены, Наталья так и не решилась. Она хотела жить.

Потом пришло осознание того, что наконец-то она может делать то, что считает нужным. Александра отписала все имущество, доставшееся от мужа, дочери. Наталья была, таким образом, единственной наследницей. Причем богатой наследницей. Только московская квартира на рынке недвижимости оценивалась в бешеную сумму. И это не считая коллекции картин, которую собирал академик, драгоценностей матери, валютных счетов, на которые стекались средства за публикацию книг Владимира Короткова за рубежом.

Наталья постепенно пришла в себя. Она категорически отказалась продолжить работу и довести диссертацию до ума. Она не собиралась всю жизнь работать в институте, это тяготило ее. Она пошла в этом в мать — ее тянуло к развлечениям.

Но с ее-то слоновьей внешностью! Проведя на даче взаперти пятьдесят восемь дней, она пополнела на девятнадцать килограммов. Наталья заставила себя лечь в элитную клинику на обследование. Здоровье, как заверили ее медики, у нее отменное, как и аппетит. Все дело в дурной наследственности. У нее есть шанс превратиться в красавицу, однако это очень сложно. Но сложностей Наталья Короткова не боялась.

Именно в этот момент она и повстречала Кирилла. Она читала о любви с первого взгляда, но всегда относилась к этому с иронией. С ней такого не произойдет, была уверена Наталья.

С Кириллом, приятным молодым человеком нордической внешности, она познакомилась в метро. Она заметила, как он пристально смотрит на нее. Обычно Наталья ловила на себе пристальные взгляды людей, смеявшихся над ее внешностью. На этот раз все было иначе. Она смело посмотрела на симпатичного блондина-незнакомца, и тот в смущении отвел взгляд. Она вышла на «Площади Революции», он в последний момент выскочил из вагона и увязался за ней. Наталья, одетая в безразмерное балахонистое пальто, не выдержала и, подкараулив молодого нахала за углом, набросилась на него.

— Что вы себе позволяете! — бушевала она. — Если у меня внешность не как у Синди Кроуфорд, то вы имеете право издеваться надо мной? Как бы не так!

Молодой человек, оторопев, в изумлении уставился на рассвирепевшую Наталью. Когда же она дала ему возможность высказаться, он, чуть заикаясь, произнес:

— Прошу прощения, но я едва не пропустил свою остановку... Я не хотел вас напугать, просто мне с вами по пути, я вообще-то еду к своей девушке, она живет в двух кварталах отсюда...

Наталья почувствовала себя полной идиоткой. Так она познакомилась с Кириллом. Она, пристыженная, оставила ему свой телефон и обещала угостить ужином в знак извинения за необоснованные нападки. Что же, вообще-то он ей приглянулся, но у него есть подруга, разве она с ней сравнится!

Кирилл, который явился к ней на ужин с трогательным букетиком фиалок и бутылкой сухого шампанского, стоившего не один десяток долларов, по достоинству оценил ее кулинарные изыски — свиные отбивные в соусе ткемали. Он позднее сказал:

— Ты понравилась мне с первого взгляда, милая Наташа... Почему ты считаешь, что не можешь нравиться мужчинам? Да, я шел к подруге, с которой, кстати, в тот же вечер окончательно расстался, а увидел тебя. Ты была права в своих подозрениях, я преследовал тебя, но только из-за того, что не знал, как же с тобой познако-

Хозяйка Изумрудного города

миться. Ты выглядела такой недоступной и погруженной в свои мысли!

Наталья, плененная словами, которые не мечтала и услышать, растаяла перед скромным обаянием Кирилла. Он, студент экономического факультета, стал ее первой и самой сильной любовью.

Он старался изо всех сил, ежесекундно выражая Наталье свои неземные чувства. Цветы, билеты в театр, поездки за город. Наталья поражалась, насколько совпадали их интересы. Он, как и она, любил классическую музыку, в особенности гениального Баха и Генделя, и не выносил слащавого Моцарта. Читал Фолкнера и Джойса и детективы Честертона. Предпочитал собак кошкам и яблоки грушам. Она не могла и помыслить, что в этом мире существует кто-то, настолько близкий ее...

Ее мечтам!

И секс... Наталья не подозревала, что этот аспект так важен для нее. Кирилл оказался нежным и ласковым любовником. Он стал первым мужчиной в жизни Натальи.

Они были знакомы уже почти полгода, когда Кирилл, очаровательно смущаясь и краснея, сделал ей предложение. Наталья давно ждала заветных слов — и немедленно согласилась. У Кирилла, как и у Натальи, на свете никого не было, родители умерли, когда он был еще ребенком, и его воспитывала тетка, также не так давно отдавшая богу душу.

Свадьба по обоюдному согласию прошла без помпы, они никого не пригласили, тихо расписались в загсе и отправились в путешествие в Прагу. Кирилл очень переживал, что не может оплатить волшебную поездку, но Наталья, любившая его больше всего в жизни, велела не обращать внимания на такие пустяки.

— Дорогая, — обнимая ее и целуя, шептал Кирилл. — Поверь, как только закончу учебу, я найду себе хорошее место. В банке или страховой компании. Буду получать много денег, и тебе не придется за меня платить.

— Ну о чем ты говоришь, Кирюша, — Наталья закрывала ему рот ладошкой. — У меня есть деньги, ты же знаешь, что все деньги и имущество отца и матери достались мне. Мы сможем позволить себе очень многое...

Кирилл в качестве свадебного подарка преподнес ей небольшой золотой кулон с сапфиром. Он сказал, что это семейная реликвия, доставшаяся ему от рано умершей матери. У Натальи навернулись на глаза слезы. Она знала, что Кирилл обожает ее, и это было лишним тому подтверждением.

Они провели незабываемые две недели в чешской столице. Гуляли, наслаждались старинным городом, занимались любовью. Наталья даже немного похудела от душевных волнений. Сменила гардероб и стала выглядеть вполне приемлемо. Но все равно, украдкой бросая взор в витрину магазина, когда они с Кириллом проходили мимо, она видела, как смешно они выглядят — красивый молодой человек и толстая, неповоротливая, глупо-счастливая дамочка.

Вторым его подарком к свадьбе был щенок колли. Наталья, давно втайне мечтавшая о собаке, визжала от восторга, прижимая к себе скулящего песика. Они вместе выбрали ему имя — Филя, прогуливались с ним по утрам и вечерам...

Наталья не могла поверить, что это происходит с ней на самом деле. Кирилл, радикально изменивший ее одинокую жизнь, был рядом с ней. Наталья заговаривала с ним о ребенке, но он отвечал, что пока еще не время, он не готов к такой серьезной ответственности, и вообще, у него близится сессия.

Наталья хотела, чтобы муж, заканчивавший последний курс, удачно сдал экзамены. Он жаловался на то, что в коммерческом вузе, где он был студентом, преподаватели ввели негласные поборы и те, кто не внесет крупную сумму в долларах, могут не рассчитывать на вожделенный диплом экономиста. Конечно же, Наталья не могла допустить, чтобы ее супруга выбросили из

Хозяйка Изумрудного города

вуза, она без колебания дала ему полторы тысячи долларов.

— Моя радость. — Он поцеловал ее в лоб. — Я пленен тобой! Ты — самая ценная женщина в моей жизни, клянусь тебе, что я говорю правду!

Его глаза не могли лгать, Наталья ему верила.

Как-то он предложил поехать за город, где снял небольшой домик на турбазе. Он живописал Наталье озеро, на берегу которого они будут отдыхать, и она сразу же согласилась.

— А как же твоя учеба, ведь ты говорил, через две недели защита диплома? — спросила она его в день отъезда.

Кирилл, нахмурившись, обнял ее и ответил:

— Милая Ташенька, ради тебя я готов на все. Забудь об этом, прошу тебя, я сдал диплом на кафедру вчера вечером. Я не хотел тебе говорить, желал сделать сюрприз...

— Какая же я дура! — воскликнула Наталья. — Милый, а где шампуры?

Три дня в уединенном домике, где им никто не мешал, пролетели, как сон в летнюю ночь. Наталья, похудевшая настолько, что могла облачиться в закрытый купальник, плескалась в озере.

В их последний вечер, когда уже смеркалось и в небе загорались бледные звезды, Кирилл сказал:

— Дорогая, я хочу прокатиться с тобой на лодке. Представь, что мы с тобой в Венеции, плывем в гондоле по каналу к палаццо...

Она закрыла глаза и представила себе эту великолепно-трогательную картину! Кирилл вывел лодку на середину озера. Наталья, разговаривавшая с местными жителями и работниками турбазы, случайно узнала, что озеро, кажущееся маленьким, на самом деле опасное — заплывать на середину не рекомендовалось. Там били ледяные ключи, что могло вызвать судороги, кроме того, встречались воронки и водовороты...

— Давай искупаемся при луне, — предложил Кирилл и, не дожидаясь ответа, сбросил одежду. Секунда — раздался всплеск, и он исчез за бортом.

— Кирюша, — залепетала Наталья. — Купаться посередине озера нельзя, там же так опасно.

Ответа не было. Наталья прислушалась. Веселый смех Кирилла не разносился по окрестностям, до ее уха не долетало абсолютно ничего.

— Кирилл, что с тобой, отзовись! — закричала она, смертельно испугавшись. Неужели он попал в водоворот или ударился, нырнув, обо что-то головой? Вдруг он, без сознания, идет ко дну...

Недолго думая, она прыгнула в воду. Ее окружала темнота, по ногам била ледяная вода, похожая на прикосновения пальцев утопленников. Держась за борт лодки, Наталья оплыла ее. Кирилла нигде не было. Она чувствовала, что в ней нарастает истерика. Потерять любимого мужа... О нет, в ее жизни за последние три года было и так слишком много потерь!

Внезапно она услышала чье-то сопение, и нечто поволокло ее под воду. Наталья пыталась сопротивляться, но вода заливала глаза, попадала в горло... Она потеряла сознание.

Она пришла в себя от резкого, бьющего в глаза света. Все тело болело, как будто ее жестоко избили. Она попыталась произнести имя мужа:

— Кирилл!

Над ней склонилось заботливое лицо медсестры:

— Вы пришли в себя, как хорошо, я сейчас позову доктора. Но не говорите, у вас повреждены связки.

Вошел врач, радостно потиравший руки. Он рассказал Наталье, что она едва не утонула, попав в водоворот на озере.

— Если бы не ваш супруг и рыбаки, оказавшиеся поблизости, то вы бы наверняка пошли ко дну, — сказал врач. — Неужели вы не понимали, какой опасности подвергаете себя, когда решаетесь на купание ночью? Ваша идея была безумной!

Наталья хотела сказать, что это Кирилл предложил прокатиться на лодке, а потом искупаться, но не смогла — горло было туго перебинтовано. Кирилл, встревоженный, все еще в мокрой одежде, гладил ее и плакал у постели.

— Наташенька, я не мог тебя потерять, — шептал он. — Я так тебя люблю, дорогая!

Она оправилась от шока и легких повреждений и дала обещание Кириллу никогда больше не купаться в озерах. Когда она его спросила, что с ним произошло, почему он не отзывался на ее крик, он с недоумением ответил:

— О чем ты, Наташа? Я нырнул, а когда вынырнул, то тебя в лодке уже не было. Может, ты меня и звала, но я не слышал.

Наталья тогда впервые засомневалась в искренности его слов. Он уверял ее, что отсутствовал меньше минуты, но она прекрасно помнила, как звала его по крайней мере пять минут и потом еще оплывала лодку...

— О, в таких ситуациях минута тянется, как десять, — сказал со смехом Кирилл. — Дорогая, не могла бы ты дать мне еще пятьсот баксов, мы решили скинуться на подарки преподавателям...

Две недели спустя, в конце июня, Наталья столкнулась в магазине с одной из своих немногочисленных подруг. Они мило почирикали, та заметила, что Наталья выглядит потрясающе счастливой.

— И здоровой, — добавила она. — А то на днях мне звонил Кирилл и сказал, что ты была у онколога и он поставил тот же страшный диагноз, что и твоей бедной маме. Ты ничего от меня не скрываешь, у тебя нет рака? Кирилл сказал, что у тебя жуткая депрессия и ты думаешь о самоубийстве. Но, честно, ты не похожа на отчаявшуюся больную!

— Что за бред! — воскликнула Наталья. — Ты хочешь намеренно поссорить меня с Кириллом. Я всегда подозревала, что ты двуличная и завистливая старая дева!

И, оставив обиженную подругу одну, она решительным шагом вышла из магазина.

— Что за бред! — выдал точно такую же фразу Кирилл. — Конечно же, я не звонил ей, Ташенька, и не говорил таких глупостей. С чего она это взяла? Ты права, она завидует нам. Не общайся с ней больше, прошу тебя!

Наталья впервые заметила, что Кирилл, убеждая ее, не смотрит ей в глаза, а на его лице играет странная ухмылка. Еще через день совершенно случайно, собирая белье в стирку, она наткнулась в кармане его джинсов на счет из гостиницы, где Кирилл провел ночь. Он же говорил, что ездил к потенциальному работодателю и остался у него на даче до утра. Наталья, едва не впав в истерику, заподозрила — у Кирилла есть любовница. Еще бы, он не выдержал семейной идиллии с коровоподобной супругой и завел интрижку на стороне.

На этот раз она решила вести себя по-другому. Она не выдаст своих подозрений, а сама проведет расследование. Она вытрясла все ящики письменного стола мужа, вывернула каждый карман в его брюках и куртках.

Ничего. Однако в самый последний момент, уже заслышав, как поворачивается в двери ключ — Кирилл пришел домой, — Наталья наткнулась на небольшой чемоданчик, запрятанный далеко в шкафу. Чемоданчик был заперт на ключ.

— Все в порядке, милая? — Кирилл поцеловал жену, еле успевшую выбежать из его комнаты и сделать вид, что занята стиркой.

Наталья с бьющимся сердцем пробормотала, что у нее болит голова.

— У меня есть отличные таблетки, подожди, — он отправился в свой кабинет.

Наталья на цыпочках прокралась вслед за ним. В замочную скважину она увидела, как Кирилл вытащил тот самый запертый чемоданчик, раскрыл его, достал флакончик с таблетками. Что еще содержалось в чемоданчике, она не смогла разглядеть, муж стоял к ней спиной, загораживая обзор.

— Выпей сразу две, это патентованное средство из Англии, — сказал он.

Антон ЛЕОНТЬЕВ

Наталья, у которой на самом деле не было головной боли, прилегла на диван, сделав вид, что приняла таблетки.

Наталья не заметила, как погрузилась в тяжелый, полный кошмаров сон. Когда она открыла глаза, было около полуночи. Она увидела в кабинете мужа свет. Босиком, неслышно ступая по ковру, она подошла к Кириллу, сидевшему за столом и считавшему деньги. Она положила ему руку на плечо.

Он подскочил, как будто увидел привидение. В его глазах застыл страх. Это продлилось не более нескольких секунд. Затем, обретя самообладание, он произнес недовольным голосом:

— Почему ты меня обманула, Наташа? Ты вовсе не приняла таблетки.

— Да нет же, — ответила Наталья. — Кирилл, я тебе клянусь...

Он прервал ее и обиженно заметил:

— Ну что же, если ты мне не доверяешь! Я хотел как лучше, дорогая!

Это была их первая ссора. Следующим утром, когда Кирилл, позавтракав без нее, исчез, Наталья принялась за детальное исследование его вещей. Она заметила, что ключ от чемоданчика он носит у себя в портмоне. Провозившись с чемоданчиком около часа, она при помощи отвертки открутила замочек. Наталья ожидала увидеть там доказательства измены.

В чемоданчике находился странный набор предметов. Несколько пузырьков с таблетками, как гласила этикетка, снотворными, несколько фотографий. На них-то и набросилась в первую очередь Наталья. Кирилл с несколькими девушками. Что ее поразило, все они, как на подбор, были одного типа — полные, некрасивые... Такие же, как и она сама. С одной он в обнимку стоял на фоне Эйфелевой башни, другая прижималась к нему на пляже, третью он держал на руках перед древним собором в каком-то европейском городе. У всех его спутниц на шее висел золотой кулон с сапфиром, тот самый, который украшал теперь ее вырез. Наталья инстинктивно схватилась за него, словно желая проверить, не ошибка ли это.

Кто эти женщины? Судя по датам, обозначенным твердым угловатым почерком ее супруга на обороте каждой фотографии, он менял подруг почти каждый год. Их имена — Вера, Нелли, Марина. Кирилл не рассказывал много о себе, вполне понятно, что у него были до нее женщины, она ведь столкнулась с ним, когда он ехал в метро к подруге. К какой именно?

Непонятное чувство беспокойства не оставляло Наталью. Что-то было неладно, почему Кирилл выбирал себе... выбирал себе таких страшноватых спутниц жизни? Она не считала, что у ее мужа скверный вкус или извращенные эротические фантазии.

В чемоданчике она нащупала темный пакет с бумагами. Ее глазам предстало три свидетельства о браке. С Верой Павленко, Мариной Миловановой и Нелли Лурьяновой. Браки были заключены соответственно четыре, два с половиной и полтора года назад в Москве, Петербурге и Твери. Наталья поразилась — Кирилл никогда не упоминал о своих предыдущих трех супругах. Может быть, это была трагическая страница его жизни?

Наталья не могла поверить, что в свои двадцать шесть лет он успел сменить четырех жен. И подарить каждой из них один и тот же кулон.

Самая страшная находка ожидала ее в плотном конверте из серой бумаги. Она открыла его дрожащими руками и вытащила три свидетельства о смерти. Все три супруги Кирилла скончались. Вера 21 сентября 1992-го, Марина 17 февраля 1994-го, Нелли 8 марта 1995-го. Тут же лежали ксерокопии результатов вскрытия. Первая супруга Кирилла ушла из жизни в результате остановки сердца, вызванной несчастным случаем — ударом электрического тока. Вторая покончила жизнь самоубийством, приняв огромную дозу снотворного. Третья утонула.

Наталья, ощутив внезапный холод, оглянулась. Она вдруг представила, что Кирилл стоит у нее за спиной. Нет, это расшалившееся воображение, в кабинете мужа она была одна.

Хозяйка Изумрудного города

Несчастный случай с электричеством... Сразу после свадьбы ее едва не убил тостер, который она включила в сеть. Ей повезло. Как повезло и на озере... Рыбаки, ее спасли рыбаки, мелькнула мысль. Врач что-то говорил о рыбаках, которые помогли Кириллу вытащить ее из воды. Или не дали ему утопить ее в озере? А слухи про ее депрессию, смертельный диагноз и склонность к суициду? Подруга, которую она оскорбила и заподозрила в распространении лживых сплетен, говорила, что именно Кирилл позвонил ей и сообщил роковую весть.

Наталья, словно в тумане, положила свидетельства о смерти обратно в конверт. Там же она нащупала несколько бордовых книжиц. Паспорта. Советские паспорта, выданные органами внутренних дел Калуги, Вильнюса, Волгограда и Москвы. Все на имя Кирилла, но с разными отчествами, фамилиями и датами рождения. Она знала мужа как Кирилла Анатольевича Тельнова, родившегося в Москве 2 марта 1970 года. Ага, вот этот паспорт... Однако почему его красивая физиономия красовалась в паспортах на имя Кирилла Ивановича Введенского, появившегося на свет 31 января 1970 года в Вильнюсе, Кирилла Кирилловича Бельчикова, родившегося 24 апреля 1969 года в Волгограде, и Кирилла Александровича Сельцовича, увидевшего свет 14 мая 1971 года в Калуге? Именно с этими мужчинами — Бельчиковым, Сельцовичем и Введенским — заключили брак умершие Вера, Нелли и Марина.

Что это могло значить? Наталья судорожно припомнила, что сама предложила Кириллу написать завещание в его пользу. Да он, ее супруг, и так был ее единственным наследником. Или она ошибается, и на самом деле эта мысль была исподволь подброшена ей Кириллом? Она уже не могла ни в чем быть уверенной.

В чемоданчике были и другие любопытные бумаги. Например, список драгоценностей Марины, технические паспорта двух автомобилей, принадлежавших Нелли, документы на квартиру и дом Веры. Все это унаследовал Кирилл...

Да кто же он такой в самом деле? Наталья боялась

себе признаться, но все походило на то, что Кирилл, ее заботливый супруг, заключал браки с богатыми, жутко некрасивыми дамами, зачастую старше себя, а потом эти самые дамы вдруг умирали... Умирали вскоре после женитьбы. Но кто мог заподозрить безутешного мужа, получавшего крупное наследство?

Она обнаружила и досье на себя. Распечатанная на принтере подробная биография, которую кто-то изучал с красным маркером в руке. Особо выделено, что она единственный ребенок, отец и мать умерли. Несколько ее фото, она заснята тайно — около дома, на дачном участке, выходящая из автобуса. Он следил за ней! Их встреча в метро была тщательно срежиссированным спектаклем, а не стечением обстоятельств!

Наталья взглянула на часы. Стрелки приближались к половине второго, она судорожно распихала документы обратно по местам. Все ли она положила так, как это лежало? Кирилл, она уже знала, был страшным педантом и всегда ласково укорял ее, если она нечаянно перекладывала бумаги на его столе или перепутывала порядок рубашек и носков в шкафу.

Перед тем как закрыть чемоданчик, она взяла по таблетке из каждого пузырька. Почему Кирилл так хотел, чтобы она приняла патентованное средство из Англии? И почему он так расстроился, даже разозлился, когда она не выпила таблетки? Она соврала ему, а он откуда-то узнал, что таблетки она спустила в унитаз.

Не потому ли, что она осталась в живых? Наталья гнала от себя страшную мысль, ей не хотелось верить, что Кирилл на самом деле «черный вдовец», красавчик-аферист, который женится на богатых наследницах, заставляет их подписать завещание в свою пользу, а затем отправляет на тот свет.

Она поняла, что и ей, если ее подозрения верны, уготована та же участь. За последнее время произошло и так слишком много трагических событий. К кому она может обратиться за помощью? В милицию? О да, конечно же, она так и сделает...

Хозяйка Изумрудного города

Наталья закрутила, как могла, крошечные винтики. Время бежало, Кирилл мог появиться в любую секунду.

Она сидела на кухне и делала вид, что пьет чай, когда вернулся муж. Веселый, насвистывающий арию Герцога из «Риголетто».

— Дорогая Наташенька, извини меня за вчерашнее, я сорвался. — Он нежно поцеловал ее в ушко.

Наталья, дрожавшая и пытавшаяся скрыть это от мужа, вымученно улыбнулась. Ей было страшно. Очень страшно.

— Посмотри, что я купил, — он поставил на кухонный стол «Киевский» торт.

Раньше Наталья с радостью набросилась бы на лакомство, но сейчас ей кусок в горло не полезет. А вдруг торт нашпигован мышьяком?

— Кирилл, спасибо, но у меня нет аппетита, — сказала она.

Муж нахмурился, положил ей ладонь на лоб:

— Температуры у тебя вроде бы нет, но ты вся дрожишь. В чем дело, Наташа, что-то случилось? Расскажи мне, прошу тебя! Ведь мы пообещали друг другу, что между нами не будет тайн!

Наталья брякнула первое, что пришло в голову:

— Я... Я беременна, Кирилл.

Новость лишила его дара речи. Кирилл замолчал, явно что-то просчитывая. Затем рассмеялся и поцеловал жену:

— Дорогая, как же я рад за нас. Я очень рад. Ты в этом уверена?

— Да, — продолжила лгать Наталья. — Я сделала два блиц-теста, я беременна. Я записалась на прием к врачу.

— Ну что же, — протянул Кирилл. — Мы скоро станем счастливыми родителями... Это очень хорошо, дорогая, очень хорошо. У тебя не болит голова? А то я снова могу дать тебе чудные таблетки из Англии.

— Спасибо, — едва ли не выкрикнула Наталья. — Милый, но мне уже лучше... Все уже прошло!

Кирилл снова нахмурился:

— Ну как знаешь. Я достану бутылку шампанского, мы с тобой отпразднуем это великолепное событие. Тебе ведь еще можно немного спиртного?

— Нельзя, — утробным голосом произнесла Наталья. — Я очень устала, милый, мне так хочется спать. Я решила... решила немного похудеть, это полезно для малыша. Я не буду ужинать, извини. Торт поставь в холодильник, а я отправлюсь спать!

Она улеглась в кровать, повернулась на бок и, накрывшись с головой одеялом, думала, что же ей делать. Только в милицию. Это не выдумки истерички, у нее есть доказательства — Кирилл сам хранит компромат в чемоданчике. Она когда-то читала, что брачные аферисты часто оставляют себе на память о жертвах фотографии или памятные безделушки. Кирилл, похоже, не был исключением.

Муж нырнул под одеяло, она притворилась, что спит. Наталья не сомкнула глаз в течение всей ночи. Вдруг Кирилл придушит ее? Нет, он трус, действует исподтишка, не подвергая себя риску. Его специализация — несчастные случаи и самоубийства. Он уже готовил почву и для ее кончины, хотя с момента заключения брака прошло пять месяцев.

Утром, с резкой головной болью, быстро выпивая чашку растворимого кофе из пакетика, который она приготовила сама себе, Наталья страшилась появления Кирилла. Муж, заспанный, зевая, подошел к ней и первым делом спросил, даже не поздоровавшись:

— Ты копалась в моих личных вещах, Наталья?

Она побледнела и, едва удержав чашку в руке, ответила слабым голосом:

— Что ты, Кирюша, с чего ты взял?

— Мне так показалось, — жестко произнес он. — А разве это не так?

— Извини, — залепетала она. — Я вчера разбирала в твоем кабинете, возможно, что-то переложила с места на место. Извини, милый, я не хотела...

Несколько успокоившись, Кирилл налил себе кофе и сказал:

— Ну ладно, ты же знаешь, я ужасно не люблю, когда кто-то, даже моя любимая супруга, роется в моих вещах. У нас нет секретов друг от друга, но все равно я не люблю... Привычка, понимаешь, Наташенька?

Она, жуя засохший пряник, обнаруженный ею на дне хлебницы, кивнула головой. Кирилл, окончательно успокоившись, завел разговор о ребенке. Наталья раньше бы уловила только его восторженный тон и благожелательное настроение. Теперь же ей в глаза бросилось его беспокойство. Он не хотел, чтобы жена родила. Убийце не нужен ребенок, это путает карты.

И ускоряет развязку, как молнией пронзило Наталью. Аппетит пропал вовсе, в животе возникли рези. Она бросилась в ванную, где ее вырвало.

— Тебе обязательно нужно показаться врачу, — заботливо сказал из-за двери Кирилл. — Вообще-то я думал, что токсикоз более позднее явление, ты же сказала, что у тебя самая ранняя стадия беременности... Если ты не возражаешь, милая, то я пойду на встречу с работодателем. Мне предложили отличное место в банке..

Дождавшись, пока хлопнет дверь, Наталья опасливо выглянула из ванной. Кирилла не было. Она прошла в его кабинет. Чемоданчика на прежнем месте не было. Она судорожно перерыла всю комнату, но чемоданчик с обличительными доказательствами бесследно исчез. Неужели он заметил, что она копалась в его вещах? Если это так, то ей точно крышка. Она же свидетельница, причем такая опасная...

Наталья поняла, что в милиции ее поднимут на смех. Глупая толстая истеричка, вот что они подумают про нее. Бесится с жиру, подозревает мужа-красавца в злодеяниях... Наверное, ему с ней несладко приходится... они посмеются над ней и ничего не предпримут. Или даже сообщат Кириллу о ее визите, и тогда ей не отвертеться. Пока что Кирилл вроде бы ничего не подозревает. Или он хороший актер — поняв, что разоблачен, продолжает вести себя как ни в чем не бывало? Он так спокоен, потому что знает — ждать осталось недолго. Совсем недолго осталось ждать нового несчастного случая или самоубийства! Несчастного случая, в результате которого она и погибнет...

Она прошла на кухню, вынула киевский торт из холодильника. Кирилл съел треть. Или только сделал вид, что съел? На всякий случай она завернула торт в газету и выбросила в мусоропровод, после чего пять минут терла под горячей водой руки с мылом.

Затем Наталья, наскоро одевшись, побежала в университетскую лабораторию, где работала одна из ее немногочисленных подруг. Она сказала той, что у нее не терпящая отлагательств просьба.

— Сделай анализ этих таблеток, мне нужно знать, что это за вещество, — попросила она, протягивая даме-химичке таблетки, найденные в чемоданчике Кирилла. Те самые, которые он настойчиво предлагал ей.

— Как твоя семейная жизнь? — поинтересовалась подруга, и Наталье пришлось говорить о том, как она счастлива в браке.

Прошли томительные часы, наконец, подруга сообщила ей результат:

— Сильнодействующий яд, соединения таллия, в простонародье именуемый крысидом. И зачем ты подсунула мне эту мерзость? Откуда он у тебя?

Ничего не ответив и оставив подругу в полном недоумении, Наталья опрометью побежала домой. Она почему-то была уверена, что Кирилла нет, поэтому, войдя в коридор и увидев его с пиццей в руке, она остолбенела. Муж улыбнулся, помог ей снять легкое пальто.

— Где ты была, уже вечер, я беспокоюсь о тебе, малышка, — сказал он. — Я решил приготовить пиццу, ты так ее любишь...

— Я была у врача, — соврала она Кириллу. — Он сказал, что все в полном порядке.

— Как я рад, — голос Кирилла звучал крайне фальшиво. — Я уже знаю, как мы назовем нашу малышку. Я верю, что у нас будет крошка-доченька! Мы назовем ее Наташей!

Хозяйка Изумрудного города

Сославшись на то, что поела в «Макдоналдсе», Наталья отказалась от столь соблазнительной пиццы с тунцом. Кто знает, чем ее нашпиговал любящий супруг — крысидом или цианидом?

— Ты не должна питаться в этих отвратительных забегаловках, это вредно для желудка, как для твоего, так и для нашего будущего ребеночка, — он прижал ладонь к пухлому животу Натальи.

Еще два дня назад она бы умилялась, слушая его речи, но теперь...

— И мне обидно, что ты пренебрегаешь моей стряпней, ты же говорила, что она тебе так нравится, — сказал Кирилл с легкой обидой в голосе.

Что правда, то правда, готовил он великолепно. Тем, наверное, и брал всех своих, как на подбор, пухлых жен.

— У меня для тебя предложение, Ташенька, — Кирилл обнял ее за талию. — На этих выходных мы запремся у тебя... у нас на даче, устроим новый медовый месяц. Я хочу отблагодарить мою малышку за счастливую новость. Я скоро стану папой!

Глядя в лучисто-искренние глаза Кирилла, Наталья закусила губу. Она поняла: время пришло. Он назначил окончательную дату ее смерти на эти выходные. То есть через три дня...

Страх, приправленный отчаянием, охватил Наталью. Что она может сделать? Как ей избежать смерти? Уехать? Но как? Кирилл, который, как она была уверена, задумал новое преступление, никуда ее от себя не отпустит. Рядом нет заботливых папы или мамы, которые спасли бы дочку. Ни единого родственника или надежного друга. Без доказательств — кто поверит ее сумбурному и невероятному рассказу? Ведь она всех уверяла, что так счастлива с Кириллом... И вот теперь она обвиняет заботливого мужа в том, что он задумал ее убить. Кирилл выкрутится, возможно, привлечет врачей, те решат, что она на фоне смерти отца и матери сдвинулась по фазе. Но что-то необходимо предпринять, Наталья не собиралась умирать!

Она, завернувшись в одеяло, пролежала в постели всю ночь, так и не сумев сомкнуть глаз. Кирилл, который был гораздо более нежен, чем обычно, не настаивал на близости. Еще бы, думала Наталья, с него, наверное, хватило тех месяцев, которые они вместе. Прислушавшись к ровному дыханию супруга, она выскользнула из спальни, взяла записную книжку, заперлась в туалете и принялась изучать имена и фамилии.

Кому же она может довериться? У нее нет друзей, возможно, друзья отца? Они ей не поверят, профессора и академики посочувствуют Кириллу, который связал свою судьбу с истеричкой.

Она переворачивала страницу за страницей, одновременно вслушиваясь в полуночную тишину. Кирилл спит, как сурок. Его не мучает совесть? Как она понимала — ни капельки. Он виновен в смерти по меньшей мере трех женщин и собирается пойти на четвертое убийство.

Внезапно ее внимание привлекла фамилия одного из однокурсников. Константин Жильцов. Наталья помнила его — невысокого, сутулого паренька в очках. Он даже пытался ухаживать за Натальей. На свой лад — беседовал с ней о причинах Большого взрыва и возникновении галактик, не понимая, что ей хочется совсем иного. Над ним никто и никогда не издевался по одной простой причине — дядя Константина был крупным криминальным авторитетом. Все знали об этом, Жильцова часто привозили к зданию института на тонированном «Мерседесе», сопровождаемом кавалькадой джипов. Константин никогда не кичился этим, дядя Слава, как он называл своего могущественного родственника, был братом его матери.

Прихватив телефон, Наталья проконтролировала спящего супруга, закрыла дверь в спальню и, усевшись на крышку унитаза, набрала номер Константина. Часы показывали без десяти три, не самое удачное время для звонков. Но Константин, как она помнила, был типичной «совой», работал над новой теорией мироздания именно по ночам.

Хозяйка Изумрудного города

Антон ЛЕОНТЬЕВ

Наталья молила всех святых, чтобы номер не изменился. Она никогда не звонила Константину, а последний раз виделась с ним три с половиной года назад, на защите диплома.

Трубку взяли на пятом гудке. Мужской голос произнес:

— Алло.

Кажется, это был голос Жильцова, хотя Наталья не была уверена. Прикрыв телефон ладонью и опасливо оглядываясь на запертую дверь, Наталья шепотом произнесла:

— Костя, это ты?

— Я, — безмятежно ответил тот, не выражая совершенно никакого недовольства по поводу чересчур позднего (или раннего?) звонка.

— Это Наталья Короткова, мы с тобой вместе учились, — продолжила она. — Извини, что звоню в неурочный час, но мне срочно нужна твоя помощь. Это дело жизни... И смерти!

— Наташа! — оживился Константин. — Как твои дела, я слышал, ты вышла замуж? Поздравляю! Ты меня не потревожила, я как раз работаю над интереснейшей программой, которая поможет выяснить мощность реликтового излучения...

Она прервала Жильцова, который мог часами говорить о любимой астрофизике, фразой:

— Костя, мне срочно, просто безотлагательно нужно увидеться с твоим дядей. Я имею в виду дядю Славу.

Ничуть не удивившись такому резкому переходу и неожиданной просьбе, Костя сказал:

— Подожди, я сейчас продиктую тебе номер его сотового. А что случилось?

— У меня к нему дело, — произнесла она. — Извини, сейчас не могу сказать, какое именно. Ну, ты диктуешь мне телефон дяди или нет?

— Только не звони ему сейчас, — напомнил ей Жильцов. — Дядя страшно не любит, когда его трево-

193

7 – 8761 Леонтьев

жат по ночам. Понимаешь, у него такая специфичная работа...

Она попросила Костю предупредить дядю о ее звонке, и тот обещал, что дядя Слава постарается ей помочь.

Наталья попрощалась с милым Костей и уставилась на новую запись в телефонной книжке. Вячеслав Робертович Малякин. В криминальной среде у него была кличка «Малый». Она видела дядю Кости всего один раз, мельком — действительно невысокий, плотный, внушающий непонятный страх. Теперь он был банкиром. Владел собственным финансово-кредитным учреждением, через которое отмывал криминальные деньги. Преступность начала цивилизовываться.

Она вышла из туалета и столкнулась с Кириллом, который выходил из спальни, почесывая бок. Наталья вжалась в стенку. Муж, щурясь на свет, сказал:

— Дорогая, почему ты не спишь?

Затем его взгляд упал на трубку телефона, которую Наталья держала в руке.

— Кто-то позвонил, я и проснулась, — соврала она. — Пьяный голос потребовал Риту Михайловну. Явно ошиблись номером.

— Давай я положу трубку, — Кирилл взял телефон. — А ты иди спать, милая моя. Тебе нужно соблюдать режим. Заботься о себе и о малыше! Я сейчас, только в туалет схожу...

Наталья залезла под одеяло и прислушалась. Раздался писк телефона. Кирилл проверял последний набранный номер. Сердце у Натальи забилось с утроенной силой, ее прошиб ледяной пот. Ничего, он не знает, кому принадлежит этот номер. Если он спросит, то она скажет... Скажет, что это номер гинеколога, которому она звонила. Именно так.

Кирилл ни о чем ее не спросил. Утром, сидя за кофе, он весело болтал, Наталья, не желая, чтобы он что-то заподозрил, поддерживала разговор. Она не могла дождаться, когда же, наконец, муж уйдет на встречу с новым работодателем. Кирилл только и делал, что встречался с кем-то. Он ведь не работает, живет за ее счет, вытягивает под надуманными предлогами деньги. И планирует через два дня убить ее.

— Не забудь, Ташенька, в субботу мы едем на дачу, — сказал он, целуя ее на пороге. — Обещаю тебе, ты запомнишь этот уик-энд до конца жизни.

Она горько усмехнулась. До конца ее жизни, по его расчетам, оставалось чуть более сорока восьми часов...

Заперев входную дверь на цепочку — вдруг супруг решит вернуться, — она набрала номер Вячеслава Робертовича Малякина. Хриплый голос требовательно произнес:

— Да!

Представившись, Наталья попросила о встрече. К ее удивлению, Малякин, которого она представляла как грубого, неотесанного и злобного убийцу, отнесся к ее просьбе с большим вниманием.

— Вы где живете? Сейчас за вами заедет машина, серебристый «Мерседес». Встретимся в моем ресторане.

Он не стал спрашивать, в чем суть ее проблемы, однако сказал, что друзья Кости — его друзья. Наталья надела темно-синее платье, взбила уныло висящие жирные волосы. Выглядит она не ахти, но что поделаешь... Синие круги под глазами, дрожащий двойной подбородок... Она и не собирается скрывать, что ей очень страшно.

Полчаса спустя она катила в «Мерседесе» по Москве. Водитель, предупредительный, вежливый молодой человек в шикарном костюме и с короткой стрижкой, открыл перед ней дверцу автомобиля и предложил воспользоваться баром. Наталья налила себе для храбрости немного бренди.

Малякин ждал ее у столика в самом центре зала. Судя по тому, как подобострастно обращались к нему официанты и метрдотель, они старались во что бы то ни стало угодить хозяину. Он встал, когда Наталья подошла к нему, бросил на нее оценивающий взгляд. Его лицо, словно высеченное из темного гранита, не выражало никаких эмоций.

Он не походил на расхожий образ мафиози и «нового русского». Солидный английский костюм в полоску, неброский галстук, дорогущие часы. Он предложил Наталье что-нибудь заказать, она выбрала легкий салат и минеральную воду.

— Мой племянник позвонил мне утром и сказал, что вы желаете встретиться со мной, — сказал Вячеслав Робертович. — Обычно я не встречаюсь по договоренностям, но Костя — совсем другое дело. Он мне очень дорог... Я вас помню, Наталья. Вы дочь академика Короткова. Костя когда-то пытался за вами ухаживать, но делал это крайне неуклюже. Он рассказывал мне о вас. Думаю, вы бы ему подошли. Итак, в чем же дело? У меня есть двадцать минут.

Наталья, запинаясь, изложила ему свою историю. Она много раз повторяла, что ничем не может подтвердить свои слова и просит Вячеслава Робертовича ей поверить. И помочь.

— Я и не думаю сомневаться в том, что вы мне излагаете, — сказал Малякин. — В этой жизни я имею дело с теми, кто преступил грань закона. Когда, вы говорите, ваш супруг собирается ехать с вами на дачу? Послезавтра? У нас есть время. Вам позвонят сегодня вечером. Не беспокойтесь, я вам помогу. Хотите, чтобы вас отвезли обратно домой?

Наталья отказалась — вдруг это увидит Кирилл. Малякин попрощался с ней и исчез. Наталья, доев вегетарианский салат, добралась на метро к себе в квартиру. Кирилл был уже дома и снова кухарил. Чудный, аппетитный аромат курицы на бутылке заполнял весь коридор. Мужу она сказала, что была у гинеколога.

— Что-то ты слишком часто ходишь в женскую консультацию, — произнес Кирилл. — Не беспокойся, малышка, все у нас будет тип-топ! Смотри, я сделал твое любимое блюдо!

Изголодавшаяся Наталья накинулась на курицу.

Хозяйка Изумрудного города

Она подумала — он не будет ее травить, раз наметил убийство на даче.

Раздался звонок, трубку взял Кирилл. Наталья, караулившая звонок от Малякина, не успела, муж ее опередил. Похоже, он решил отрезать ее от связи и держать все под неусыпным контролем. Затем протянул трубку Наталье:

— Это тебя, какая-то подруга по имени Катя.

— Ах, ну да, Катюша, — защебетала Наталья. У нее никогда не было подруги с таким именем.

Женский голос произнес:

— Я по поручению Вячеслава Робертовича. Я могу говорить свободно? Вы правы в своих подозрениях. Он не велел вам беспокоиться, завтра в десять утра будьте около «Макдоналдса» на Тверской. Он вам поможет.

— Да, Катюша, и тебе желаю того же, но, к сожалению, не могу. Может, на следующей неделе? Я буду рада тебя увидеть. Всего хорошего, — она нажала на кнопку отбоя.

Кирилл ел курицу, внимательно прислушиваясь к разговору.

— Это Катя, моя старинная подруга, — сказала Наталья. — Она была в длительной командировке в... в Канаде, она журналистка. Я не видела ее два года, она приехала и предложила встретиться на выходные. Но мы же едем на дачу, Кирюша. Я сказала, что смогу на следующей неделе.

— На следующей неделе — в самый раз, — сказал Кирилл. — Но ты никогда не упоминала про эту Катю. Где, ты говоришь, она работала, в Австралии?

Он ловит ее на несоответствиях, мелькнула у Натальи мысль. Как же хорошо, что в доме у них всего один телефонный аппарат, иначе бы Кирилл наверняка прослушивал все ее разговоры.

— В Канаде, дорогой, в Торонто. — Наталья обняла мужа, хотя ей очень не хотелось это делать. — Твоя курочка просто великолепна.

— Подожди, на даче я сделаю такой прекрасный шашлык! — воскликнул Кирилл, и Наталья содрогнулась. Уж слишком кровожадно звучала эта невинная фраза...

Назавтра, как ее и предупредила незнакомка по телефону, Наталья ожидала Малякина в «Макдоналдсе». Он приехал с кожаной папкой, вынул оттуда несколько листов и протянул их Наталье.

— Досье на вашего мужа. Он — брачный аферист со стажем. Предпочитает не оставлять облапошенных жертв в живых.

Наталья мельком просмотрела информацию на Кирилла.

— Если вы хотите остаться в живых и навсегда избавиться от этого проходимца, то доверьтесь мне, — сказал Вячеслав Робертович. — Итак, в субботу утром...

В субботу утром Наталья и Кирилл отбыли на дачу. Стояла теплая погода, завершался сентябрь, бабье лето дарило последние лучи солнца. Наталья четко усвоила уроки Малякина. Она сделает все, как нужно!

Кирилл был предупредителен донельзя. Наталья заметила, что в багажник «Волги» он положил новенькую лопату.

Они приехали на дачу. Их участок был надежно защищен от соседей и прохожих высоким забором, увитым вечнозеленым виноградом. Дом располагался в глубине, толстые стены и хорошая изоляция не позволят крикам проникнуть наружу.

— Дорогая, какая же великолепная погода! — Кирилл был в отличном расположении духа. Он поставил диск Синатры.

Приближался вечер. Кирилл несколько нервничал, бесцельно переключая телевизор с канала на канал и глядя на часы. Наталья, наоборот, отличалась олимпийским спокойствием. В восемь вечера...

Когда часы пробили четверть восьмого, Кирилл сказал:

— Дорогая, у меня для тебя сюрприз. Я спрятал его в подвале. Спустимся вниз?

— Кирюша, подожди немного, — ответила Наталья. Кирилл, выждав десять минут, снова настойчиво предложил ей спуститься в подвал. Она оттягивала этот момент, как могла.

— Разреши мне обрадовать тебя, милая, я так старался. — Кирилл больше не хотел ждать. Он подхватил Наталью на руки и понес ее по лестнице в подвал.

Было без четверти восемь.

— Какой у тебя для меня сюрприз? — Они оказались в просторном подвале. Кирилл опустил Наталью на цементный пол.

— Подожди секунду, я сейчас вернусь, — муж исчез в смежном помещении.

Наталья огляделась. В поле зрения было несколько молотков и ржавый серп. Если что, она будет защищаться!

Кирилл вернулся, и Наталья с ужасом заметила, что на руках у него грубые перчатки для работы в саду. На его лице играла торжествующая улыбка. А в руке он держал охотничий нож.

Внезапно послышались чьи-то шаги, скрипнула лестница. Кирилл вздрогнул и обернулся. В подвал спускались двое мужчин в темных костюмах — подручные Вячеслава Робертовича. Наталья с облегчением вздохнула.

— В чем дело, что вам нужно в моем доме! — воскликнул Кирилл.

— Разве это ваша собственность? — ответил один из мужчин и вытащил из висевшей под мышкой кобуры пистолет. — Этот дом принадлежит Наталье Владимировне Коротковой. Она пригласила нас. Мы ее друзья...

Кирилл обернулся к Наталье:

— Дорогая, в чем дело, кто эти гориллы?

— Наталья Владимировна, — сказал второй мужчина, также достав пистолет. — Вам лучше покинуть подвал. Босс ждет вас в гостиной.

Кирилл, сжав нож, оскалился:

— Почему у вас оружие, это что, разбойное нападение? Наталья, вызывай милицию!

Наталья взглянула на мужа. Она же его любила и, возможно, до сих пор любит.

— Пока, Кирилл. — Она бегом взлетела наверх и закрыла тяжелую дверь.

В гостиной ее ждал Вячеслав Робертович.

— Вы мужественная женщина, — с одобрением произнес он. — Я приготовил вам китайский чай. Хотите попробовать?

Наталья не стала спрашивать, что произошло с Кириллом, когда десять минут спустя из подвала появились молодчики Малякина. Один из них, подойдя к шефу, сказал что-то на ухо.

— Сделайте все, как надо. А нам, Наталья, пора.

Он отвез ее в московскую квартиру и, прощаясь, сказал:

— Вы удивительная женщина и достойны гораздо большего, чем такой мерзавец, как ваш супруг. Как ваш покойный супруг.

А ночью ее разбудил телефонный звонок. Ей из милиции с прискорбием сообщили, что ее мужа нашли мертвым на даче.

— Несчастный случай, нелепый несчастный случай. Мои самые искренние соболезнования.

Расследования смерти Кирилла почти не было, все сошлись на том, что он стал жертвой трагического стечения обстоятельств. Наталья была безутешной, ее жалели: еще бы, потерять горячо любимого супруга, да еще через полгода после свадьбы. Судьба...

Малякин прислал ей корзину бордовых роз — семьдесят пять штук. Потом позвонил и сказал:

— Наталья, я приглашаю вас на ужин. Когда вас устроит?

— Вячеслав Робертович, — ответила Наталья. — Мне как вдове не пристало неделю спустя после гибели мужа отправляться на свидание с мужчиной, но для вас я сделаю исключение. Как насчет завтра?

— Отлично, — ответил Малякин. — Завтра в пять мы вылетаем в Питер. Там и поужинаем.

Его слова оказались правдой — на небольшом спортивном самолете они всего за два часа домчались до северной столицы, где отужинали в уютном загородном ресторанчике, куда допускали только по членским билетам.

Боясь признаться себе, Наталья постепенно начала ощущать, что Вячеслав Робертович Малякин тот самый человек, которого она в состоянии полюбить. Он, обычно жесткий и немногословный, общаясь с ней, разительно менялся. Малякин часто шутил, приглашал Наталью в рестораны и ночные клубы. Она стеснялась — как она там покажется? Что про нее подумают? Если кто-то хочет представить ее как любовницу мафиози, то у них это не получится. Она вовсе не подходит для этой роли.

Но Малякин, как она убеждалась все больше, действительно любил ее. Каждый день она получала от него подарок, который был знаком его трепетного к ней отношения. Цветы: розы, орхидеи, хризантемы в огромном количестве. Драгоценности и милые антикварные безделушки. Он звал ее в магазины, но Наталья отказывалась — это с ее-то фигурой? Нет, ни за что!

— Почему ты думаешь, что выглядишь ужасно? — спрашивал ее Вячеслав. — Это вовсе не так. Я навидался бездумных кукол, которые обладают идеальной фигурой и минимумом мозгов. Мне нужна именно ты, Наташа!

Говорит ли он правду? Она не знала, но ей так хотелось верить. Его слова совпадали с теми, что шептал ей на ушко Кирилл... Ее муж... Наталье не было жаль Кирилла. Он получил по заслугам. Они никогда не говорили с Малякиным о Кирилле, Вячеслав практически не упоминал о роде своей деятельности. Наталья прекрасно понимала, что он собой представляет, и не строила иллюзий.

Вячеслав — из тех, кого называют криминалом, соединившимся с финансами. Теперь он был крупный банкир, предприниматель, владелец ряда прибыльных предприятий, но это не меняло того, что он провел в тюрьме около десяти лет и был на короткой ноге со многими авторитетами.

Малякин принадлежал к новому поколению. Он пытался отмежеваться от своего прошлого, которое преследовало его по пятам. Он выглядел как заправский бизнесмен, однако повадки и привычки остались прежними. Он жестоко расправлялся с теми, кто возникал у него на пути.

Наталье он нравился. Очень нравился. Вячеслав не торопил ее с принятием решения. Он предоставил ей время. Она принимала с благосклонностью его подарки — и ничего не обещала. Малякин терпеливо ждал.

Рассматривая себя в зеркале, Наталья задавалась вопросом — что же он нашел в ней? В журналах таких, как он, акул капитала обычно представляли рядом с прелестной дамой, бывшей фотомоделью или актрисой. Она же — полная, страшная, нефотогеничная. И что он нашел в ней?

— Запомни, ум, — признался ей Вячеслав. — Это отличает тебя от красоток, с которыми я привык иметь дело. Мне не нужна любовница, мне не требуется подружка на ночь, Наташа. Мне нужна жена...

Он произнес эти слова, когда они, после прогулки на лошадях, сидели с бокалами глинтвейна в уютном охотничьем домике в Карелии, на тщательно охраняемом участке, принадлежавшем Малякину. Наталья, разгоряченная спиртным, не могла сразу сообразить — это что, своеобразное признание в любви и попытка предложить ей брачный союз?

Она никак не отреагировала на его слова. Малякин не возвращался к этому разговору до Нового года. Наталья знала, что у него была жена, которая умерла много лет назад. Детей у него не было. Постоянные стычки с конкурентами, тюрьмы, криминальное прошлое — Вячеславу было не до этого. Но времена изменились. Выбор имиджа вынуждал его обзавестись подходящим костюмом, правильно говорить по-русски и выходить в свет с супругой.

Новый год он предложил встретить на жарких Мальдивских островах. Наталья, привыкшая к тому, что Вячеслав каждый раз преподносит ей какой-либо сюрприз, согласилась. Она не ошиблась — он снял небольшой отель только для них двоих. Она не знала, во сколько это ему обошлось, и предпочитала не спрашивать. Белоснежное мраморное здание, расположенное около тихо плещущегося океана, стало для нее волшебным замком.

Они замечательно провели время, нежась в бассейне и купаясь в теплых волнах океана. Наталья, никогда не посещавшая тропических островов, была в восторге от подводного плавания. Вячеслав на три дня забыл о делах и посвятил все время Наталье. Обслуживающий персонал, вышколенный и незаметный, создавал им все условия, чтобы они могли чувствовать себя как во дворце.

После встречи Нового года — а они встретили его дважды, по московскому времени и местному — Вячеслав достал небольшую коробочку и протянул ее Наталье. Она ожидала, что приглашение в тропический рай завершится чем-то грандиозным. Так и произошло.

Внутри футляра находилось золотое кольцо с черным бриллиантом. Вячеслав сделал ей предложение. На этот раз он выражался без околичностей и сказал Наталье, что желает видеть ее своей женой.

Она едва не расплакалась, и ему даже пришлось утешать ее. Она чувствовала, что испытывает к Вячеславу смешанные чувства. Она благодарна ему за то, что он подарил ей чудные месяцы, за то, что изменил ее жизнь, за то, что спас ее от смерти... Но достаточно ли этого, чтобы полюбить? У нее уже был муж, который клялся в вечной любви, а на самом деле оказался мошенником и хладнокровным убийцей.

Убийцей был и Вячеслав. Наталья читала газеты и смотрела телевизор. Его подозревали в том, что он любыми методами расширяет свою финансовую империю. Для этого он привлекает бывших уголовников. Она знала, как расправились с Кириллом...

Но ведь она сама этого хотела. Получается, что и она виновна в смерти мужа.

— Я согласна, — произнесла она утром первого дня нового года. — Я стану твоей женой.

— Ты не пожалеешь, — произнес Малякин и поцеловал ее. Затем, подхватив на руки, он отнес ее на двуспальное ложе.

Он оказался восхитительным любовником. Однако когда Наталья, открыв глаза, уставилась в потолок, то онемела от ужаса. В потолок были вмонтированы зеркала. Она увидела себя, толстую, неповоротливую, с множеством складок на животе, двойным подбородком, распущенными всклокоченными волосами. И Вячеслав полюбил ее?

— Мы назначим свадьбу на февраль, — уже строил он планы, когда Наталья выдвинула ему категорическое условие.

— Если ты хочешь, Слава, чтобы я стала твоей женой, то ты должен помочь мне. Я хочу... хочу сделать пластическую операцию, изменить внешность, стать лучше!

Он обнял ее, прижал к себе и заметил:

— Ты очаровательна именно такая, как ты есть, Наташа. Я же люблю тебя, ты мне веришь?

— Верю, — ответила Наталья. — Но я не представляю, каких размеров потребуется для меня подвенечное платье, Слава. Для меня это очень важно...

Ей пришлось вести с ним долгие разговоры, чтобы Малякин в итоге согласился. Наталья посетила лучших специалистов, они, обследовав ее, разработали специальную программу. Для начала она решила радикально сбросить вес.

Как же тяжело было отказаться от любимых сладостей и жирной пищи. Наталья, стиснув зубы, села на диету. Занялась спортом, принялась заниматься медитацией и йогой. Она внушала себе, что сможет... Сможет победить саму себя.

Она сумела избавиться от двадцати килограммов, но этого было мало. Поэтому она предоставила себя хирургам. Вячеслав согласился с единственным условием — они лишь уберут лишнее, помогут освободиться ее природной красоте и не будут делать ничего искусственного. Так как именно он платил деньги, то врачи выполняли его требования.

Ей потребовался ровно год, чтобы превратиться из толстушки в стройную даму. Наталья не узнавала себя — она могла появиться в открытом купальнике, не стыдясь собственного тела. Кожа стала бархатистой и мягкой, исчез двойной подбородок, волосы делались пушистыми и вьющимися. Из дурнушки она превратилась если не в красавицу, то в прелестную молодую женщину. Ум, конечно, умом, но ей так хотелось, чтобы мужчины задерживали на ней восхищенные взгляды.

Вячеслав, который долго не видел ее, оказался поражен результатами.

— Какая же ты красивая, — выдохнул он. — Я люблю тебя все больше и больше, Наташа!

Наталья, которая вместе с новой внешностью обрела уверенность в себе, активно занялась приготовлениями к свадьбе. Она не боялась, что на нее будут показывать пальцем и смеяться вполголоса.

Они заключили брак в феврале, как того и хотел Вячеслав, только на год позже. Наталья, облаченная в розовое шелковое платье, подогнанное точно по ее новой фигуре, поражала всех грацией и шармом. Никто из приглашенных не знал ее ранее, все признавали — молодая супруга Вячеслава Робертовича Малякина просто красавица. На свадебном торжестве, которое проходило в отеле «Балчуг-Кемпинский», присутствовали сливки из сливок — известные политики, бизнесмены, звезды шоу-бизнеса. А также некоторые из старых друзей Вячеслава, криминальные личности. Наталья смирилась с этим, в конце концов, у каждого есть свое собственное прошлое, и она вовсе не исключение.

Муж завалил ее подарками, преподнес белый кабриолет, изумрудный гарнитур и дом. Особняк, расположенный в элитном поселке, был предоставлен исключительно ей. Наталья могла обставить его так, как только пожелает.

Наталья, ревностно следившая за собственным весом, вскоре поняла, что побороть гены очень сложно. Через месяц, встав на весы, она заметила, что всего за два дня поправилась на полтора килограмма. Неужели у нее снова появится живот и отвислые щеки?

Малякин как раз был в заграничной командировке, поэтому, не ставя его в известность, Наталья обратилась к одному из врачей, который делал ей операцию. Тот развел руками.

— Наталья Владимировна, увы, против природы я не могу идти. Тут уже сложно помочь...

Наталья, наслаждавшаяся новым телом, испугалась. Ее фото появились в журналах, о ней заговорили, она уже составила гардероб у лучших дизайнеров. И что теперь — снова затворничество, унылые безразмерные одеяния, рафинированные насмешки и издевательства?

— Вы должны мне помочь, — сказала она. — Вы же знаете, как это для меня важно. У меня есть деньги, вам это тоже хорошо известно...

Врач, сказав, что бессилен, посоветовал ей обратиться к одному из своих приятелей. Тот предложил Наталье особые таблетки.

— Они вам помогут, но учтите, ими нельзя злоупотреблять.

Наталья поразилась эффекту — у нее исчез аппетит, вес снизился. Она была готова платить любые деньги, чтобы оставаться красивой. Вячеслав не был в курсе этого, и Наталья не хотела, чтобы он узнал. Она решила, что голод и таблетки — наилучшее решение проблемы. Она во что бы то ни стало переборет дурную генетику.

Пока Наталья занималась проблемами, связанными с весом, Вячеслав продолжал выстраивать финансовую империю. Он умело лавировал в мутных водах новой жизни, применяя хватку барракуды. Малякин, привыкший действовать при помощи силы, убеждался, что это приносит великолепные результаты. Его банк входил в десятку крупнейших, он являлся другом некоторых весьма высокопоставленных чиновников, ему вез-

Антон ЛЕОНТЬЕВ

де был зеленый свет, начиная от скупки алюминиевых предприятий и заканчивая рыбным бизнесом. Там, где конкуренты не хотели сдавать позиции и не соглашались продавать свою долю по приемлемой цене, он прибегал к излюбленным приемам. Вячеслав организовал у себя в банке некоторое миниатюрное подобие силовой структуры, которую возглавлял отставной полковник ФСБ. Под его началом находились как коллеги, так и бывшие противники, представители криминального мира.

Когда Вячеславу Робертовичу требовалась их помощь, он давал задание — и конкурент бесследно исчезал, у него похищали ребенка, или строптивого бизнесмена попросту убивали.

Наталья знала, чем промышляет Вячеслав. Она, несмотря на то что он не поощрял ее интереса к его делам, тайно знакомилась с бумагами, которые лежали на его столе. Значит, ее муж все тот же бандит, просто перешедший из одного статуса в другой. Она не строила иллюзий. Но это позволяло ей жить в роскоши и удовлетворять многочисленные прихоти. Она и раньше не бедствовала, но деньги Вячеслава предоставляли ей буквально все — любые наряды, украшения, развлечения. И, конечно же, давали возможность заботиться о собственной внешности.

Как-то экстренное заседание, посвященное разрешению кризисной ситуации, сложившейся в банке, проходило прямо в особняке Малякиных. Наталья прислушивалась к раздраженным голосам, которые доносились из конференц-зала. Она знала, в чем заключалась проблема. Когда муж прозаседал уже восемь часов, она внесла очередную порцию крепкого кофе. Муж, не имевший экономического образования, выглядел растерянным и усталым. Наталья попросила его выйти на пару минут.

— Наташа, ты же видишь, мы заняты, — сказал он.

— Слава, у меня есть к тебе предложение, — произнесла она. — Я случайно услышала, о чем идет речь, и

207

думаю, что вам следует попробовать следующий ход, — она изложила свое видение проблемы.

Муж выслушал ее, кивнул головой и ответил:

— Хорошо, а теперь иди спать, уже половина второго ночи. И в следующий раз не слушай наши конфиденциальные разговоры!

Наталья, обиженная тем, что Вячеслав никак не отреагировал на ее желание помочь, ушла в спальню. Она проснулась оттого, что муж нежно целовал ее. Наталья приоткрыла глаза. По свежевыбритому Вячеславу, облаченному в дорогой стильный костюм, источавшему уверенность и благополучие, нельзя было сказать, что он вчера находился на гране паники и отчаяния.

— Наташа, спасибо тебе, — произнес он. — Твое предложение сработало. Извини, я выдал его за собственное озарение. Мои советники чуть не подпрыгнули до потолка. Скажи мне, милая, как у тебя это получилось? Ты разве изучала в университете экономику?

— Элементарное знание высшей математики, Слава, — ответила, сладко потягиваясь, Наталья. — Я рада, что смогла тебе помочь.

Муж, попрощавшись, отправился в банк. Наталья знала — в тех вопросах, где требовалась моментальная реакция и быстрое действие, ее супругу не было равных. Но, увы, он был практиком-организатором, не склонным к интеллектуальной работе. Ему повезло, что вокруг него были опытные и профессиональные советники. Далеко не все проблемы можно было решить при помощи силы.

Вячеслав это понимал, и в следующий раз, когда у него возникло затруднение с принятием решения по важному финансовому вопросу, он обратился к Наталье. Та не замедлила подсказать ему наиболее правильное, хотя и казавшееся непопулярным, решение. Ее предложение сработало. Она не сомневалась в себе. Ее мозг, похожий на компьютер, просчитывал все ситуации, которые могли сложиться на рынке.

— Я лишний раз убеждаюсь, что сделал правильный

выбор, Наташа, — сказал Вячеслав, преподнося ей рубиновый браслет. — Это тебе за твою помощь...

Она превратилась в его незаменимого советника в вопросах бизнеса. Постепенно Наталья стала принимать решения, которые определяли стратегию и тактику банка, владельцем которого являлся Вячеслав. Затем она распространила право своего голоса и на другие предприятия. Малякин убеждался, что его жена, потомок гениальных физиков, чрезвычайно успешна как в экономике, так и в политике. Она пристально следила за событиями в стране и всегда подсказывала мужу верную линию поведения в зависимости от сложившейся ситуации. Вячеслав, который вначале стеснялся следовать ее советам, начал доверять им безоговорочно.

Наталья находила определенное удовольствие в том, чтобы принимать ответственные решения. Ей щекотало нервы, когда она ворочала миллионами долларов, тысячами судеб рабочих, просчитывала выгоду и распутывала хитросплетения политической паутины. Ее практически не занимали сугубо дамские интересы вроде нарядов, солярия и чаепития со сплетнями. Ее фигура без изъяна и бизнес — вот что влекло Наталью. Вячеслав стал доверять жене все больше и больше. Она начала появляться в банке, а затем на заседании совета предприятий. Элегантная, красивая, она всегда вникала в суть происходящего и писала мужу лаконичные записки. Малякин, быстро пробежав их глазами, заявлял, что принял решение, — и с апломбом выдавал то, что написала ему жена.

Наталья, для которой тайны физики и математики представляли собой всего лишь легкие умственные упражнения, чувствовала себя как рыба в воде, советуя мужу, как выгоднее разместить активы и уйти от налогов. Вячеслав, охотно прибегавший к противозаконным приемам, тем не менее не хотел, чтобы его жена оказалась в этом замешана.

— Обещай мне, Наташа, что ты никогда, слышишь меня, никогда не переступишь закон, — сказал он ей как-то.

Она ему клятвенно пообещала, что так и будет. Малякин боялся прослыть подкаблучником, который подчиняется супруге, поэтому Наталья старалась держаться в тени. Лишь узкий круг посвященных знал, что Вячеслав Робертович Малякин советуется с женой и всегда выполняет то, что она ему предлагает.

Наталья ощущала, что ей нравится управлять огромной финансовой империей. Она не говорила об этом мужу, зачем ему знать об этом?

Настал момент, когда Малякин понял — он не может жить без умных советов супруги. Если менеджеры говорили одно, а Наталья выступала с контрпредложением, то он становился на ее сторону. По этой причине ее очень невзлюбили некоторые из приближенных Вячеслава. В особенности один, Георгий Андреевич Поклонский, — человек старой закалки, он считал, что женщинам не место в кабинете. Их удел — тряпки, пустые разговоры и постель. Наталья платила ему тем же — она намекала мужу, что Георгию Андреевичу пора на пенсию. Однако Малякин, который начинал с ним практически с нуля много лет назад, не хотел соглашаться с женой.

— Наташа, пойми, он же мой товарищ, я не могу вышвырнуть его на улицу, — говорил он Наталье.

— Конечно же, — саркастически отвечала супруга. — Поэтому за счет банка Поклонский позволяет себе строить новый особняк на Рублевке и приобретает дочери шикарную квартиру в столице.

— Какие мелочи, — отвечал Малякин. — Я обязан ему очень многим. Ты говоришь, что он тормозит развитие банка. А он мне намекает, что ты чересчур авантюрна и готова втянуть меня в рискованные сделки. Попробуйте найти общий язык, и ты и он мне очень нужны.

Наталья с горечью осознала — старые друзья, в особенности товарищи по криминальному миру, чрезвычайно дороги для Вячеслава. Она более не заводила разговор об отставке Поклонского, затаив обиду. Как она понимала, Георгий Андреевич тоже ждал удобного момента, чтобы поссорить ее с мужем. Он когда-то мечтал соединить узами брака свою младшую дочь и Вячеслава, но из этой затеи ничего не вышло. Наталья, будучи умной женщиной, теперь улыбалась, завидев Поклонского. Малякин думал, что между его ближайшим другом и Натальей наладились отношения, и не подозревал, что на самом деле это далеко не так.

Брак с Малякиным оказался на редкость удачным и прочным. Он не изменял ей, Наталья была в этом уверена. Она старалась вылепить из Вячеслава светского человека, который достоин того, чтобы занять важный государственный пост. Почему нет, думала она. Ее супруг обладает импозантной внешностью, над его имиджем работает стая высокопрофессиональных имиджмейкеров. Жалко, что за ним тянется шлейф тюремного прошлого, но этого не нужно скрывать, наоборот, не забывать упоминать в многочисленных интервью, что ему пришлось пройти сквозь огонь, воду и медные трубы. Это выковывает характер, создает личность. Наталья мечтала, чтобы ее муж занялся политикой. Тогда она сможет исподволь влиять на него. Она знала потолок — президента России из Вячеслава не выйдет, но он вполне может стать, например, депутатом. Или губернатором...

Последняя мысль глубоко засела в ее голове. Она несколько раз намекала мужу, роняла фразы о том, что из него получился бы великолепный глава региона. В итоге Малякин сам выдал ей идею — выставить свою кандидатуру. Он и не подозревал, что именно честолюбивая жена подтолкнула его к этому шагу.

— Дорогой, я так за тебя рада, — прошептала она. — Ты у меня такой умный... Конечно же, из тебя получится великолепный губернатор.

«А из меня — губернаторша», — добавила она про себя.

Наталья все просчитала. В одном из сибирских регионов через восемь месяцев намечались перевыборы губернатора. Губернатор-коммунист, правивший восемь лет, пользовался поддержкой едва ли десяти процентов населения. Множество столичных стервятников заглядывалось на лакомый кусочек. Нефть, алмазы, никелевый комбинат, гигантские запасы древесины...

— Слава, я думаю, у тебя есть все шансы получить это кресло, — сказала Наталья.

— Я тоже так думаю, — ответил Малякин. Он давно чувствовал желание поиграть в суверенного правителя.

Наталья протянула ему увесистую папку, в которой содержалось по крайней мере полтораста страниц.

— Вот кое-что, я поразмыслила на досуге о твоей предвыборной стратегии.

Вячеслав взглянул на жену с тайным страхом и восхищением. Он не переставал удивляться ей.

— Конечно же, мы обратимся к лучшим пиар-компаниям, и не только российским, — продолжала вещать Наталья, давно распланировавшая каждый шаг мужа. — Восемь месяцев — огромный срок. Поверь мне, мы их всех обойдем.

— Я это знаю, — ответил Малякин. — Я знаю, если за дело возьмешься ты, Наташа, то мы победим.

Она тоже это знала...

— Нет, нет и еще раз нет, — Поклонский был категорически против затеи своего шефа. — Вячеслав, поверь, это не то, что тебе нужно. Это совершенно ненужная затея. Это очень опасно...

Наталья, знавшая, что Георгий Андреевич противоречит ей практически всегда, настраивала мужа против него. Предвыборная гонка — самая подходящая для этого возможность. Поклонский пытался отговорить Малякина, но Наталья, игравшая на самолюбии мужа, не дала ему ни единого шанса. Она с радостью наблюдала, как Поклонский, злясь, перестал даже здороваться с ней.

— Нам необходимо договориться с некоторыми важными людьми на самом верху, — убеждал Поклонский Малякина. — Без их согласия нам нечего соваться в Сибирь. У них уже есть свой кандидат, а они не любят, когда им вставляют палки в колеса.

— Зачем это еще? — встряла в разговор Наталья.

Она видела, как передернулся Георгий Андреевич. Ему по-прежнему было поперек горла, когда жена его босса и друга присутствовала при секретных разговорах в кабинете мужа.

— Мы победим и без их согласия, — продолжала Наталья. Она знала, что сильно рискует, но ей претило принимать идею, высказанную Поклонским. — У тебя достаточно денег и влияния, чтобы победить. Не стоит переоценивать влияние кремлевской верхушки, — убеждала она Малякина. — Они не хотят видеть у власти коммуниста, это же ясно, а в остальном им все равно, кто станет губернатором. Они сумеют договориться с любым, в том числе и с тобой. Но уже после того, как ты займешь это место.

Вячеслав, как к наркотику, привыкший к советам жены, согласился и на этот раз. Поэтому он даже отменил игру в теннис с чиновником из президентской администрации. Поклонский пытался воздействовать на Малякина, но безуспешно.

Предвыборная кампания стартовала весьма удачно. Малякин лидировал, опережая и действующего красного губернатора, и ставленника Москвы, отставного генерала ФСБ, и представителя демократических сил, женщину-профессора. Других восемнадцать кандидатов — начиная с пенсионера и заканчивая местным поэтом-лириком — она даже не брала в расчет. Им — Вячеславу! — требовалось победить сразу в первом туре.

Банк Малякина являлся практически неисчерпаемым источником финансовых средств. Деньги не являлись проблемой. Красочные плакаты, продуманные, взвешенные рекламные ролики, бесплатные концерты поп-звезд, подарки ветеранам, благотворительные акции — все это организовывали представители трех имиджмейкерских фирм, которые, объединив усилия, составляли ядро предвыборного штаба Вячеслава Малякина.

Противники Вячеслава Робертовича напирали на то, что он представитель криминалитета, много лет провел в местах заключения. Малякин, спокойно улыбаясь, выдержанно и здраво отвечал на щекотливые вопросы. Да, он не скрывает, что сидел. Но в нашей стране такая судебная система, что сидела едва ли не четверть всего населения. И он плавно переходил к вопросу о реорганизации правоохранительных органов и коррупции в милиции, которая расцвела именно в период правления нынешнего главы области.

Да, он относился к представителям новой финансово-промышленной элиты, но и что из этого? Кто может утверждать, что его деньги заработаны нечестным путем? Все его капиталы поставлены на службу государству, а вот не может ли господин, точнее, товарищ губернатор прокомментировать слухи о том, что из бюджета региона в прошлом году бесследно исчезло около сорока миллионов...

Они пытались нейтрализовать и представителя московской верхушки, генерала ФСБ, выставляя его малообразованным солдафоном и полной бездарью в экономических вопросах. Жителям области раздавались бесплатные красочные брошюрки с цитатами из речей генерала — его словесные ляпы и оговорки. Народ потешался, читая, как генерал говорил: «Это, безусловно, финансовый отчет, потому что в нем так много цифр» или «Нам не нужна диктатура, а только свободное демократическое развитие, но если кто и станет настоящим диктатором, то только я!» По местному телевидению крутили ролик, когда генерал пытается выговорить фразу «репрезентативные полномочия в одномандатном округе», и три раза подряд у него получается нечто сумбурно-неприличное.

— Слава, — сказала Наталья мужу, когда до выборов оставалось чуть больше четырех недель, — мы победим, я это чувствую.

Она уже начала набрасывать примерный список правительства области. Места для Георгия Андреевича Поклонского там предусмотрено не было. Наталья представляла, что можно сделать с огромным, равным по территории трем Франциям, сибирским регионом. Она приложит все усилия, чтобы Вячеслав оставался у

Хозяйка Изумрудного города

власти два срока, а потом... Потом возможно многое. Например, создание собственной партии...

Наталья была настолько уверена в победе мужа, что его арест стал для нее подлинным шоком. Ордер на его заключение под стражу подписал генеральный прокурор страны поздно ночью, по слухам, находясь в сауне, после звонка из Кремля.

К ним в гостиницу, где их штаб занимал два этажа, заявилась целая делегация из милиции и отряда особого назначения, чьи бойцы были в черных масках. Вячеслава вытащили из постели и, фактически ничего не объясняя, повезли в областную тюрьму, в заранее приготовленную камеру. Глава областной милиции, который был бы вторым, кто потерял бы место, приди Малякин к власти, чрезвычайно обрадовался скорому аресту Вячеслава.

Наталья, внимательно читая ордер на арест и ордер на обыск, поражалась выдвинутым против ее супруга обвинениям. Финансовые махинации, обман вкладчиков, незаконное использование государственных фондов, организация военизированной преступной группировки... Все это правда, но кому было до этого дело до тех пор, пока Малякин не сунулся в большую политику и не смешал тщательно раскладываемый пасьянс.

В штабе провели скрупулезный обыск, больше походивший на планомерное уничтожение логова противника. Конфисковали все компьютеры и бумаги, арестовали еще двух человек. Наталья тотчас потребовала предоставить ей право звонка адвокату — у Вячеслава их было пять, но ей грубо отказали.

Арест кандидата в губернаторы снимали представители областного, подконтрольного губернатору канала. Новости пошли в эфир с комментариями о том, что Вячеслав Малякин наконец-то понес заслуженное наказание за все совершенные преступления.

Не успели маститые законники приземлиться в областном аэропорту, как уже состоялось экстренное заседание предвыборной комиссии, которая в свете произошедших событий приняла сенсационное решение — лишить Вячеслава Робертовича Малякина регистрации и снять с предвыборной гонки. Областной суд подтвердил полномочность этого решения, изучив дело за полтора часа.

Наталья пыталась выправить ситуацию, адвокаты ее мужа требовали отменить противозаконное, по их мнению, решение и обратились с жалобой в Верховный суд. Наталья не собиралась сдаваться. Она организовала шумиху в газетах и на телевидении, призывала сторонников мужа выходить с протестами на улицу... Она не могла поверить, что ее мужа так легко сняли с дистанции. Может, им в самом деле следовало тогда кооперировать силы с представителями администрации президента?

Лидером при новом раскладе сил становился генерал ФСБ, который на несколько процентов опережал губернатора-коммуниста. Наталья пыталась заявить об этом в прямом эфире местного ток-шоу, но неожиданно трансляцию прервали, сославшись на технические причины. Она прекрасно понимала, в чем дело. Кто-то очень не хочет, чтобы Вячеслав Малякин, несомненный фаворит, победил. Но она не позволит так легко устранить мужа — и себя. Они будут опротестовывать результаты голосования, затеют судебный процесс...

Она посетила Вячеслава в тюрьме. Он, разозленный и боевито настроенный, во всем был согласен с Натальей. Он уже задействовал связи в Москве, и ему обещали, что арест долго не продлится. Все дело было в том, что он посмел перейти дорогу тому, кто был ставленником власти.

Наталья не унывала. Они победят во что бы то ни стало. Выборы вообще не должны состояться. Она призвала сторонников Малякина попросту их бойкотировать и не явиться на выборные участки. Это вызовет коллапс власти, кампания пройдет по-новому, и к этому времени Вячеслав окажется на свободе и сможет-таки стать губернатором. Она позаботилась о том, чтобы его окружал ореол мученика и незаконно пре-

Хозяйка Изумрудного города

следуемого. Таких в стране любят. Таких выбирают. Такие становятся губернаторами.

Весть о том, что Вячеслав Малякин в возрасте пятидесяти двух лет скончался в тюремной камере, застала Наталью в Москве, где она добивалась аудиенции у могущественного вице-премьера. Она вслушалась в сообщение диктора, которая скороговоркой донесла эту трагическую весть. Слова, как стрелы, пронзали ее душу.

Она покинула приемную и отправилась в московскую квартиру, где уже раскалялся от звонков телефон. Вячеслав умер. Якобы от сердечного приступа. Его нашли рано утром в тюремной камере мертвым. Она этому не верила. Победа была так близка, и чтобы помешать им, кто-то пошел на крайние меры. Они убили Вячеслава. Наталья знала это со стопроцентной уверенностью. Они убили его.

И она тоже. Так же, как когда-то отца, который вылетел на ее день рождения в Сочи и скончался от инсульта. Так же, как и Кирилла...

Вячеслав Малякин теперь никогда не сможет победить. Выборы они проиграли. Снова в душе Натальи воцарилась тьма. Она была вынуждена держать себя в руках, заняться организацией пышных похорон. Власть немедленно сняла все обвинения. Мертвый Малякин был уже безвреден.

Итоги аутопсии были уклончивыми, Наталья не сомневалась, что ее мужа ликвидировали, использовав какой-то таинственный быстродействующий яд, применяемый в спецслужбах, выявить который невозможно. Он столько раз устранял конкурентов, что в итоге сам стал жертвой заказного убийства. Наталье не оставалось ничего иного, как смириться с положением вещей. Деньги, даже миллионы Вячеслава, не помогут вернуть его к жизни. Она играла его судьбой и потерпела поражение.

В ее жизни наступил новый кризис. Наталья, которая должна была казаться на людях уверенной в себе и спокойной, тяжело переживала смерть Вячеслава.

Иногда, правда, она задавалась вопросом — что действительно стало для нее ударом, смерть мужа или крушение честолюбивых планов?

Наталья заперлась в карельском поместье, где Малякин когда-то сделал ей предложение, и убивала свою боль при помощи сладостей. Она никого не хотела видеть. Она знала, что так делать нельзя, смерть Вячеслава внесла разлад в работу его банка и множества предприятий, но ей так не хотелось показываться на людях.

Она читала легкие романы, бездумно смотрела в мельтешащий экран телевизора, сидела на берегу глубокого и удивительно прозрачного озера. Рядом не было ни души, только где-то располагались телохранители, которые не уберегли Вячеслава от смерти.

Множество раз ей пытались дозвониться из столицы, но она намеренно не брала трубку. Для нее все закончено. Вячеслава нет в живых. Что же ей делать дальше?

Она сильно пополнела. Потребовалось почти три месяца, чтобы она сумела оправиться от пережитого потрясения. Она постепенно стала интересоваться новостями и позволила, наконец, себе узнать, что же случилось с империей Вячеслава.

Именно ее он назвал в качестве единственной наследницы всего, чем обладал. Но три месяца бездействия и депрессии нанесли огромный урон бизнесу. Оставшись без хозяина, менеджеры не знали, как им поступать. Конкуренты воспользовались великолепной возможностью и стали растаскивать предприятия. Наталья уже не могла воспрепятствовать этому процессу.

Она посетила могилу мужа. Слез уже не было. Теперь наступала чрезвычайно ответственная пора. Она не имеет права допустить, чтобы труды Вячеслава Малякина пошли прахом. Она распустила себя, превратилась снова в пышную простушку. Нет, этому не бывать.

Наталья, не обращая внимания на то, что ее внешность, изменившаяся в худшую сторону, вызывала кривотолки и насмешки, приехала на заседание совета директоров банка во всеоружии. Она провела бессонную

Хозяйка Изумрудного города

неделю, чтобы изучить и сопоставить все цифры. Банк находился на грани банкротства, некоторые воротилы бизнеса выказывали желание приобрести его.

— Я предлагаю согласиться с более чем щедрым предложением, — заявил Георгий Андреевич Поклонский, огласив послание от крупной финансовой компании, которая хотела перекупить у вдовы Вячеслава Малякина ее долю в банке. — В любом случае нам уже не спасти то, что покойный Вячеслав Робертович создавал со мной. Я понимаю, это очень тяжело, но другого выхода нет. Кто за?

Наталья увидела, как и другие члены совета директоров стали поднимать руки. Они старались не смотреть ей в глаза. Еще бы, прекрасно понимают, что предают Малякина. Они гонятся за быстрыми деньгами.

— Я против, — сказала Наталья, но ее голос уже не имел значения. Банк перестал быть ее собственностью. Как и почти все предприятия. Империю разорвали на куски в считаные месяцы.

Она по-прежнему оставалась весьма обеспеченной дамой, у нее была масса недвижимости как в России, так и за рубежом, коллекция картин, драгоценности, автомобили, вклады в банках. Она может позволить себе вести тихий образ жизни, тратя деньги, доставшиеся от мужа.

Наталья этого не хотела. Ей требовалась игра, борьба, азарт. Она во время предвыборной кампании уже успела ощутить сладостный вкус власти. И в самый неожиданный момент у нее забрали эту власть, до которой, казалось, остается всего пара шагов.

Ничего изменить было нельзя. Империя прекратила свое существование, она потеряла практически все активы. Ну что же, хорошо смеется тот, кто смеется последним. Наталья рано или поздно восстановит все то, что было потеряно по ее вине. Она начала с себя.

Она снова установила для себя строжайшую диету, обратилась к хирургам, стала принимать таблетки, сгоняющие вес. Все должны видеть, что она, подобно птице Феникс, возродилась из пепла. То же самое будет и с банком Вячеслава.

Первым делом она попыталась узнать, кто же стоял за смертью ее супруга. Как она и предполагала, нити уводили наверх, в этом дьявольском клубке оказались замешаны и спецслужбы. Официальное расследование давно было прекращено, а дело сдано в архив. Вячеслав Робертович Малякин скончался от инфаркта...

Наталья заводила знакомства среди нужных людей. Но как же ей восстановить империю мужа? Средств, которыми она располагала, для этой цели не хватит.

Пока она мучилась этим вопросом, ей позвонил начальник службы безопасности банка. Он и сотни других сотрудников моментально потеряли работу, едва предприятия, подконтрольные ранее Малякину, перешли в чужую собственность.

Бывший полковник ФСБ попросил о встрече. Наталья, помнившая, как его ценил Вячеслав, не отказала. Она попросила его приехать в особняк на Рублевском шоссе.

Полковник Дементьев не заставил себя ждать. Подтянутый, совершенно не выглядевший пожилым, хотя ему было за пятьдесят, со звериным блеском в глазах, он появился у Натальи спустя два часа...

— Наталья Владимировна, мы все скорбим о смерти Вячеслава Робертовича, — сказал он, когда они тет-а-тет оказались в кабинете Малякина. Там на стене висел его огромный портрет.

— Я знаю, — кратко ответила Наталья. В черном узком платье, которое, как перчатка, облегало ее снова идеальную фигуру, она выглядела сногсшибательно. — Но вы же приехали вовсе не для того, чтобы выразить мне соболезнования, хотя я это, безусловно, ценю. В чем дело?

Дементьев тонко улыбнулся и, закурив, ответил:

— Вы умная женщина, сразу раскусили меня. Мне нужно с вами серьезно поговорить. После смерти Вячеслава Робертовича у меня остался архив, который он

собирал в течение многих лет. Вам известно о его существовании?

— Что за архив? — спросила Наталья. Вячеслав, который доверял ей, как она думала, все секреты, на самом деле что-то утаил.

Полковник внимательно посмотрел на Наталью.

— Значит, вы не в курсе. Впрочем, ничего удивительного. Похоже, о существовании этого архива знали всего два человека — покойный Вячеслав Робертович и я. Этот архив является, с моей точки зрения, самым ценным, чем он обладал. Я действительно чрезвычайно благодарен вашему мужу за то, что он помог мне в тяжелое время. Он относился ко мне как к другу. Я не забываю тех, кому обязан многим.

Помолчав, он добавил:

— Этот архив представляет собой собрание компрометирующих сведений на многих высокопоставленных личностей в нашем государстве. Вячеслав Робертович не жалел денег для получения информации.

— И этот архив, как вы говорите, находится у вас? — с подозрением спросила Наталья. — Мой муж так доверял вам, что оставил бесценные, по вашим словам, сведения в вашем распоряжении?

— Только доступ к ним, Наталья Владимировна, — ответил Дементьев. — Мне известна половина кода к банковскому сейфу, в котором находится архив. Второй половиной обладал ваш супруг. Я знаю, что Вячеслав Робертович был убит, в профессиональных кругах это не тайна. И мне не нравятся люди, которые пришли на его место, захватили его предприятия, вышвырнули меня на улицу. Я мог бы получить баснословную сумму, если бы продал свою часть кода кому-то из этих молодых и юрких подонков, но я не желаю. Я хочу, чтобы, как мелодраматично это ни звучит, восторжествовала справедливость. И еще... Вы умная женщина, которая вполне может встать у руля империи Малякина. Если вы позволите, я помогу вам начать ее восстановление. Обретение архива будет первым шагом к этому.

Наталья задумалась. Дементьев внушал ей симпатию, но могла ли она быть уверена, что он говорит правду, а не использует ее в своих пока что непонятных ей целях.

— Хорошо, — ответила она. — Давайте начнем с архива. Вам известно, в каком банке Москвы он находится?

Полковник усмехнулся и раскрыл небольшой «дипломат», который принес с собой, достал несколько отпечатанных на компьютере листов текста с печатями и подписями и протянул их Наталье.

— Это вовсе не в Москве, как вы думаете. Вячеслав Робертович не доверял российским банкам, не зря же он сам крутился в этой сфере. Архив находится в Великобритании, в Эдинбурге. Если вы желаете получить его, вам требуется найти вторую половину кода.

Наталья поставила перед собой цель: во что бы то ни стало найти код, который поможет ей получить архив. Вполне возможно, что Дементьев преувеличивает его ценность. Ну что может там содержаться, компромат на чиновников? Такое было, и не раз...

Наталья перерыла весь дом, перелопатила тонны бумаг, но так ничего и не нашла. Код мог быть спрятан в любом месте, это должен быть набор восьми цифр. Где же он?

Когда минуло полгода со дня смерти Малякина, она получила послание от его адвокатов. Согласно завещанию покойного, Наталье передавался запечатанный конверт. Наталья с трепетом раскрыла его и обнаружила недлинное письмо. Вячеслав писал, что любит ее и приготовил это послание на случай непредвиденных обстоятельств. «Именно такие обстоятельства и случились, милый Слава», — подумала Наталья.

Он давал ей некоторые указания относительно имущества и повторял просьбу не лезть в криминальные дела. В самом последнем абзаце Малякин написал: «Обратись к Дементьеву, начальнику службы безопасности банка, ему можно доверять. Запомни цифры — 29870315. Это — ключ к ценной информации».

Хозяйка Изумрудного города

Антон ЛЕОНТЬЕВ

Это и был вожделенный код. Наталья немедленно связалась с полковником Дементьевым, и они, не откладывая дела в долгий ящик, вылетели в Лондон, а оттуда — в Эдинбург.

Вячеслав намеренно выбрал не самый крупный банк, чтобы не привлекать особого внимания. Банк располагался в старинном здании. Их встретил приветливый служащий. Узнав о цели визита, он покопался в компьютере и попросил их предъявить первые и последние цифры частей кода, которыми они обладали. Они сообщили ему требуемое, и он, сверившись с компьютером, сказал:

— Все совершенно точно. Благодаря этому вам открыт доступ к сейфу. Прошу прощения за такие меры, но это требование господина Малякина, который сам разработал процедуру доступа. Прошу вас, следуйте за мной.

Дементьев с Натальей отправились в подвальные помещения, где и были скрыты сейфы. Перед ними распахнули массивную круглую дверь и проводили в обшитую броней комнату. Оставив их одних, служащий ретировался.

Они набрали нужную комбинацию цифр, сейф распахнулся. Наталья ожидала увидеть массу бумаг — именно так она представляла себе архив, но вместо этого в металлической пасти сейфа обнаружила портативную сумку с ноутбуком.

Вечером того же дня в отеле она просмотрела информацию, записанную на жесткий диск компьютера. Да, Вячеслав не жалел денег, чтобы получить эксклюзивную информацию. Список тайных счетов за границей нескольких ведущих политиков, признание известного депутата в убийстве жены, масса более мелких грешков — растраты, сексуальные извращения, наркотики. Наталья поразилась, увидев знакомые фамилии. Оказывается, лидер партии, ратующей за социальное равноправие, обладает почти миллиардным состоянием, вот и все банковские реквизиты. Вице-премьер, как неопровержимо доказывают документы, в детстве подозревался в изнасиловании малолетней. А заместитель председателя Центробанка крупно наживался на финансовых кризисах и изменении курса доллара, которые и организовывал с ведома тогдашнего премьер-министра.

Чего только не было в ноутбуке Малякина! Наталья представляла себе, что власть имущие и богатые далеко не ангелы, но что практически каждый скрывает страшную и зачастую кровавую тайну, она и помыслить не могла. Эти тайны были пронумерованы, подтверждены документально и представляли собой бомбу замедленного действия.

— Имея подобные материалы на руках, мы можем приняться за восстановление былого могущества, — призналась она Дементьеву. — Вы доказали преданность моему мужу, поэтому вы становитесь шефом моей личной спецслужбы. Я ставлю перед вами задачу — мне необходимо создать немногочисленную, мобильную и крайне эффективную службу, которая...

Тут Наталья задумалась. Она же обещала Вячеславу не связываться с криминалом, а фактически положила начало организованной преступной группировке. Но в ее спецслужбе не будет бритоголовых отморозков, ей нужны интеллектуалы с мозгами, разрабатывающие планы, и высокопрофессиональные исполнители этих планов.

— ...которая сможет выполнить любое поручение, — закончила она.

Дементьев кивнул. Она же знала, что, работая на ее мужа, он не раз и не два преступал закон.

Вернувшись в Москву, Наталья запустила пробный шар — намекнула крупному банкиру, что в курсе его финансовых злоупотреблений. И не просто намекнула, а прислала ему копии отчетов, которые красноречиво свидетельствовали о том, что он обманул государственную казну на многие миллионы. Она требовала одного — денег за молчание.

Банкир отказался, она переслала документы в прокуратуру и его конкурентам. Блистательная карьера

Хозяйка Изумрудного города

финансиста закончилась крахом — его арестовали. Избежать скандала было невозможно, Наталья оповестила центральные газеты и телеканалы.

Следующие жертвы оказались сговорчивее. От заместителя министра финансов, замешанного в ритуалах черной магии, сопровождаемых убийствами несовершеннолетних, она получила безвозмездный государственный кредит.

Наталья не перегибала палку и действовала анонимно. Прикрытие ей обеспечивал Дементьев, который следил за тем, чтобы ее не вычислили и она не стала жертвой заказного убийства.

У Натальи появились достаточные средства для того, чтобы вновь заняться крупным бизнесом. Она разработала идеальный план по созданию собственной финансовой империи. Она действовала крайне жестко и без сантиментов. Разоряла конкурентов, захватывала предприятия, использовала любую возможность, чтобы получить прибыль. Она обещала золотые горы, когда это было нужно, и забывала о своих обещаниях, едва желаемое становилось ее собственностью.

Ей потребовалось чуть больше двух лет, чтобы заложить фундамент собственной империи. Она знала, что теперь требуется кропотливая, ежедневная, тщательная работа. Она была к ней готова. Архив она использовала в крайнем случае, когда было необходимо сокрушить влиятельного противника или добиться игры по собственным правилам.

Она уделяла повышенное внимание службе безопасности, которая разрослась в мобильную команду лучших аналитиков и лучших убийц. Наталья использовала все средства, даже если для этого приходилось отправить кого-либо на тот свет. Ну что же, такова жизнь...

Она занялась вплотную расследованием смерти Вячеслава и установила, что его предали. Предателем оказался его лучший друг и ближайший советник Георгий Андреевич Поклонский. После убийства Малякина он ушел в тень, получив огромные отступные. Он заграбастал часть ее денег, Наталья знала это наверняка.

Когда Дементьев положил на рабочий стол Натальи документы, которые доказывали причастность Поклонского к смерти Малякина, хотя бы и косвенную, Наталья ощутила, что сердце, которое, как она считала, давно превратилось в камень, неожиданно заныло.

— Это он, — скупо произнес Дементьев. — Сейчас он находится в Париже, купил себе особняк в богатом предместье... Вы хотите, чтобы...

Оборванная фраза всегда означала одно — немедленную ликвидацию объекта.

Наталья произнесла, сузив глаза и не глядя на Дементьева:

— Спасибо, но это мое приватное дело. Я сама навещу Георгия Андреевича. Думаю, он меня еще помнит!

Наталья тщательно подготовилась к своему визиту в Париж. Дементьев обеспечил ее информацией относительно Поклонского. Милейший Георгий Андреевич, оказывается, вел праздный образ жизни, коллекционируя раритетные автомобили и эксклюзивные вина. Работая на Малякина, он получал много, даже очень много, но все равно не мог бы обеспечить себе подобное существование миллионера.

Значит, как с внезапной злостью поняла Наталья, он тратит куш, который достался ему за предательство Вячеслава. Надо же, утверждал, что является лучшим его другом, а на самом деле оказался банальным предателем. Наталья убеждалась, и не раз, что деньги, в особенности когда их очень много, разительно меняют человека. Она знала, что изменилась и сама.

Она вылетела в Париж две недели спустя. Встреча с Поклонским должна произойти случайно. Они же так не любили друг друга. У нее всегда было предубеждение против него, и не зря. Он оказался человеком, который подставил ее мужа и украл его империю.

Наталья остановилась в самом роскошном отеле французской столицы — «Риц». Она не жалела на себя денег. Она успела привыкнуть к тому, что к ней относятся с трепетом и почтением. Отель она выбрала вовсе не случайно, там был намечен аукцион старинных вин, и Поклонский, как она знала, собирался там появиться.

Они встретились через день, в конференц-зале отеля. Наталья, облаченная в легкий темно-зеленый костюм, украшенная изумрудным гарнитуром, который Вячеслав преподнес ей ко дню свадьбы, заняла место в первом ряду. Коллекция вин столетней давности ее не занимала. Она немного волновалась. Ведь она собиралась отомстить Поклонскому.

Она собиралась его убить.

Он появился в сопровождении длинноногой девицы, которая по возрасту годилась ему во внучки. Девица глуповато хихикала, блистала непомерными драгоценностями и держалась за локоток Георгия Андреевича. Сам Поклонский, облаченный в белый костюм, черный галстук, украшенный бриллиантом, мягкую шляпу с полями, являл собой образчик парижанина-богача. Он отпустил богемную бородку и таскал с собой трубку. В России он выглядел совершенно по-другому. Надо же, как его изменили деньги, подумала Наталья.

Георгий Андреевич занял место в пятом ряду, девица, болтая по-русски, опустилась рядом с ним. Они обсуждали, куда же им поехать на следующей неделе — на Мадейру или во Флоренцию. Наталья сжала руки, затянутые в перчатки. Поклонскому не суждено покинуть Париж. Так сказать: увидеть Париж — и умереть.

Натянув на лицо любезно-удивленную улыбку, Наталья поднялась и как бы невзначай прошлась по залу. Аукцион должен был начаться через пару минут. Поклонский, бросив на нее оценивающий взгляд, явно ее не узнал. Она же так изменилась. Он помнил ее как плотную, приземистую особу, жену Малякина. Теперь она превратилась в уверенную в себе изящную красавицу, одевающуюся у лучших портных.

Аукцион начался. Наталья терпеливо дождалась, когда же появится лот, который интересует Поклонского. Практически к самому концу на продажу была выставлена бутылка «Бордо» урожая 1906 года, начальная стоимость которой составляла сто тысяч франков. Поклонский предложил сто двадцать. В гонку включилось еще несколько человек. Наталья тоже подняла карточку с номером. Через три минуты осталось только два соперника — она и Поклонский. Немного развернув голову, она видела, как Георгий Андреевич злится, а его юная спутница, хлопая накладными ресницами, пытается его успокоить. Они не знали, что в зале есть еще кто-то, говорящий по-русски. Поклонский несколько раз произнес непечатные фразы — явно по адресу шикарной дамы, во что бы то ни стало желающей купить бутылку, за которой он охотится.

Тем временем цена увеличилась до пятисот восьмидесяти тысяч. Поклонский поднял последний раз карточку, дав понять аукционисту, что предлагает шестьсот тысяч. Тот провозгласил:

— Шестьсот тысяч, дамы и господа, намерен ли кто-то предложить больше? Шестьсот тысяч раз, шестьсот тысяч два...

Деревянный молоточек уже почти опустился на поверхность стола, когда взметнулась тонкая рука, украшенная изумрудным браслетом баснословной стоимости. Наталья предложила восемьсот тысяч. Аукционист, привыкший к эскападам богачей, не подал и виду, что удивлен. Бутылка бордо урожая 1906 года была продана Наталье за восемьсот тысяч франков.

Спустя полчаса аукцион завершился. Наталья оплатила покупку. Замшелая, покрытая паутиной и пылью бутылка с невзрачной этикеткой была ей вовсе не нужна. Она не разбиралась в винах. Ее поздравили с удачной покупкой, она велела доставить бутылку к себе в номер.

Поклонский, как она и ожидала, спешно подошел к ней. На неплохом французском он обратился к Наталье:

— Мадам, прошу прощения, что тревожу вас... Возможно, вы меня помните, я — один из ваших соперников по аукциону. Я бы желал поговорить с вами относительно этой бутылки. Не хотите ли вы продать ее?

Наталья сняла темные очки, которые скрывали ее лицо. Георгий Андреевич присмотрелся, затем его физиономия приобрела светло-лиловый оттенок. Он узнал ее.

— Наталья... — прошептал он, моментально исправившись: — Наталья Владимировна, какая неожиданная встреча.

— Георгий Андреевич, не могу поверить, и это — вы? — произнесла она с деланым удивлением. — Что вы делаете в Париже, как же вы изменились... Я вас так давно не видела, практически с похорон Вячеслава.

Она заметила, что тема гибели Малякина нервирует Поклонского. Он ответил ей комплиментом:

— Вы тоже удивительно изменились, Наталья Владимировна. Я вас сразу и не узнал. Значит, это вы перекупили у меня бутылку, за которой я охочусь уже полтора года. Позвольте представить вам мою спутницу, Маша Коннотай, начинающая звезда подиума.

Наталья бросила ленивый взгляд на юную манекенщицу. Безусловно, красива и сексуальна, но она бы ни за что не променяла свой ум на такую красоту. Когда-то она считала иначе, но времена изменились.

— Вы специально приехали, чтобы купить эту бутылку? — спросил ее Поклонский.

Наталья ответила, что находится в Париже по финансовым делам.

— Вы же знаете, что после гибели Вячеслава я оказалась в очень сложной ситуации, рядом со мной не было никого, кто бы смог мне помочь, — сказала она. — И вас тоже, Георгий Андреевич...

Поклонский поежился. Красивая, уверенная и безжалостная дама, в которую трансформировалась Наталья Малякина, пугала его. Он не верил в случайности.

— Я приобрела бутылку для своего друга, — продолжила Наталья. — Он остался в Москве, у него скоро день рождения, и я решила сделать ему сюрприз.

— Ах, у вас есть новый друг, — с облегчением вздохнул Георгий Андреевич.

— Да, — просто ответила Наталья. — Иначе бы я не смогла позволить себе тот образ жизни, к которому привыкла. Увы, конкуренты растащили империю Вячеслава. Вы же сами советовали мне продать банк, вы же сами голосовали за это...

Маша, спутница Поклонского, заскучала. Она понимала, о чем идет речь. Георгий Андреевич собирался было откланяться, как вдруг Наталья сказала:

— А вы, Георгий Андреевич, проживаете в Париже?

Он напрягся, вместо него ответила Маша:

— Гоша живет под Парижем, у него такой чудесный домик, выстроенный при этом, как ты говорил, Луизе-Филиппе?

Поклонский оборвал манекенщицу:

— Луи-Филиппе, сколько раз я тебе говорил. Да, я здесь живу. Решил, что Россия — не лучшее место для таких людей, как я.

— Да, далеко не лучшее для таких, как вы, — подтвердила Наталья, сделав ударение на последней фразе. — Я так рада, что повстречала вас, Георгий Андреевич. Я остановилась в «Рице». К сожалению, не могу пригласить вас к себе, но с большой охотой навестила бы вас. Надеюсь, ваша спутница не будет возражать?

Выяснилось, что юная Маша не живет с Поклонским. Наталья все прекрасно знала — он обитал один, тратя деньги на вина, молоденьких любовниц и собак.

Поклонский, видя, что отделаться от Натальи нельзя, пригласил ее к себе в особняк. Она обещала, что приедет следующим вечером.

— И кстати, насчет вина, — произнесла она. — В знак нашей дружбы, Георгий Андреевич, примите эту бутылку от меня в подарок. Вы же не возражаете? Я привезу ее с собой!

Поклонский совсем не возражал. Наталья, попрощавшись с ним, рассталась. К следующему вечеру она тщательным образом подготовилась. Она должна выглядеть сногсшибательно. Это станет последним вечером в жизни Георгия Андреевича. Она отомстит за смерть Вячеслава.

Особняк, выстроенный при короле Луи-Филиппе, поражал роскошью обстановки. Радушный хозяин, облаченный в темный костюм, встретил ее около небольшого фонтанчика во дворе, где остановился ее лимузин.

— Вы коллекционируете автомобили, — мимоходом заметила Наталья, бросив взгляд на гараж, где располагалось не менее дюжины машин. — Я вижу, что у вас достаточно средств, Георгий Андреевич. Откуда, позвольте спросить?

— Ваш супруг был более чем щедрым ко мне, — ответил тот, не желая продолжать тему. — Прошу вас, Наталья Владимировна.

Они прошли в малую гостиную, где был накрыт столик для двоих. Поклонский, когда хотел, умел быть галантным. Наталья позволила поухаживать за собой. Она знала, что в алом платье выглядит поразительно красиво. Поклонский, который прежде не замечал в ней женщину, рассыпался в комплиментах. Он предложил ей кофе со сладостями, Наталья, сидевшая на диете, отказалась.

— Лучше попробуем «Бордо», за которым вы охотились, — сказала она. — Вот ваша бутылка, я привезла ее, как и обещала.

— Что вы, — заявил Георгий Андреевич. — Такое раритетное вино, в особенности урожая 1906 года, а тот год был катастрофическим для виноградников Южной Франции, нельзя пить, это преступление. Я покупаю вина, чтобы любоваться на них...

— Разве вы не помните, Георгий Андреевич, — прервала его Наталья, доставая замшелую бутылку. — На следующей неделе у Вячеслава день рождения. Разве вы не хотите отпраздновать это событие?

Поклонский сдался. По крошечным капелькам пота, которые выступили на его лбу, Наталья поняла, что он волнуется. Ее визит не доставлял ему удовольствия. Свидание с прошлым, особенно если это прошлое — грех и преступление, всегда мучительно.

— Вы же знаете, что Вячеслава убили, — продолжила Наталья.

Поклонский откинулся в мягком кресле, эти слова напугали его.

— Я мало слежу за событиями в современной России, — ответил он.

— Ну да, вы превратились в подлинного парижанина, — сказала Наталья. — Так вот, мой муж был отравлен. Я подозреваю, что его устранили, так как он выиграл бы губернаторские выборы и помешал крупной игре московских политиков. Но это не все... Его предали...

Бокал дрогнул в руке Поклонского. Наталья наблюдала за тем, как Георгий Андреевич снова пытается изобразить на лице подобающую случаю мину — скорбную и внимательную. У него это получалось крайне плохо. Он боялся, боялся до смерти...

— Кто его предал? — хриплым голосом произнес Поклонский. — О чем вы говорите?

Наталья чарующе улыбнулась и протянула ему бокал с коллекционным вином.

— Давайте выпьем за нашу встречу, нашу неожиданную встречу, Георгий Андреевич, — сказала она. — Вы же, как я поняла, были единственным верным другом Вячеслава. Вы уговаривали его не ввязываться в борьбу за губернаторское кресло, вы советовали мне продать его банк... Как жаль, что я потом потеряла вас из виду. Мне вас очень не хватало...

— Я... мне... Я решил, что мне лучше уехать, — промямлил в страхе Поклонский.

— Понимаю, — вздохнула Наталья. — Ну что же, выпьем за нас, Георгий Андреевич. А именно за то, чтобы в будущем, в самом ближайшем будущем, каждый получил по заслугам!

Поклонский выпил бокал вина, даже не чувствуя вкуса. Наталья его завораживала.

— Так вот, я же сказала, что моего супруга предали.

Хозяйка Изумрудного города

Кто-то работал на его противников, снабжая их конфиденциальной информацией. Вы случайно не знаете, кто именно?

Поклонский, побледнев, ответил:

— Нет, почему... Почему я должен знать?

— Ну, вы же так много знаете, Георгий Андреевич, — тихим тоном продолжала Наталья. — Вы чрезвычайно умный человек... Позвольте выпить с вами еще раз.

Только отпив еще глоток, Поклонский заметил, что Наталья пьет минеральную воду.

— Мне нельзя пить вино из-за проблем с весом, — объяснила она Георгию Андреевичу. — Могу ли я спросить, какой вкус у «Бордо» урожая 1906 года?

— Вино просто великолепное, это преступление, настоящее преступление — пить его, — ответил Поклонский.

— Вам не впервые приходится совершать преступление, не так ли? — спросила она.

Поклонский закашлялся:

— Что вы имеете в виду? О чем это вы, Наталья Владимировна?

— О том, что мой покойный супруг не гнушался применять незаконные способы для достижения своих целей, — объяснила она ему. — И вы ведь тоже были вовлечены в это, Георгий Андреевич?

Тот ответил:

— К сожалению, да. Время было такое, начальное становление капитала, дикий капитализм...

— Люди всегда упрекают во всем времена, хотя на самом деле виновата их алчная натура, — сказала Наталья.

— Извините, — пробормотал Поклонский. Он схватился за сердце, лицо приобрело пепельный оттенок, он тяжело задышал. — Мне, кажется, плохо...

— И знаете, почему? — спросила его Наталья. — Потому что вы приняли яд, похожий на тот, от которого скончался мой муж. Впрыснуть его в бутылку при помощи шприца было несложно. Я же говорила, что он был отравлен. Быстродействующий яд, разработанный в лабораториях КГБ. Такой яд, который не обнаружит ни одна экспертиза. Все подумают, что вы скончались он сердечного приступа...

Поклонский в ужасе уставился на откупоренную бутылку «Бордо» урожая 1906 года.

— Вы... ты меня отравила, мерзавка! Ты отравила меня...

— Совершенно верно, — ответила Наталья. — Каждый получает по заслугам, Георгий Андреевич. И вы — не исключение. Вы предали моего мужа и обрекли его тем самым на смерть.

Поклонский уже не слышал ее. Схватившись за сердце, он обмяк в кресле. Агонии практически не было. Взглянув в его приоткрытые глаза, Наталья убедилась, что Поклонский скончался. Дементьев, доставший ей суперъяд, не подвел.

Наталья не испытала радости или хотя бы облегчения. Она убила Поклонского, потому что тот заслуживал смерти. Она взяла на себя миссию судьи.

Отпечатков она не оставила, на руках у нее были кожаные перчатки. Два приветливых лабрадора, увидев хозяина в кресле, подбежали к нему и стали лизать его безжизненное лицо. Собаки заскулили...

Наталья забрала бутылку, в которую накануне вечеров при помощи особого шприца через пробку впрыснула яд, и заменила ее другой. Причина смерти Георгия Андреевича Поклонского — сердечный приступ. Как и у Вячеслава.

Она вылила содержимое бутылки в раковину на кухне и тщательно спустила воду. Следов практически не осталось. Так как никто не заподозрит убийства, расследование будет поверхностным. Богатый пожилой русский умер в одиночестве, наслаждаясь коллекционным вином. Что же, такое бывает...

Особняк Поклонского располагался на достаточном отдалении от дороги и соседних домов, о ее визите никто не знал. Наталья осторожно покинула особняк Поклонского и вернулась в «Риц». Через два дня в газетах она нашла небольшую заметку о том, что Георгий Поклонский был обнаружен мертвым приходящей прислугой. Причина смерти — инфаркт.

Наталья вернулась в Москву. Дементьев не разговаривал с ней о произошедшем. Наталья наконец-то ощутила, что освободилась от груза прошлого. Она стала убийцей, но это почему-то не отягощало ее совесть.

Со всей энергией она устремилась в бизнес и политику. Памятуя о судьбе мужа, она решила действовать осторожно. Она не собиралась стать жертвой заказного убийства. У нее были грандиозные планы.

Она знала, что сейчас дорога в большую политику ей закрыта. Она подождет немного, и если не сможет сама занять высокий пост, то будет финансировать других.

Обладая гениальной хваткой, просчитывая сразу множество вариантов, Наталья занялась тем, что стала при помощи подконтрольных ей людей продвигаться на политическую арену. Она финансировала несколько партий, держала в крепкой узде парочку известных политиков, компромат на которых содержался в досье Вячеслава. Она требовала только одного — подчинения ее воле.

О ней заговорили. Наталью Малякину называли Стальной леди и Анакондой, и оба прозвища ласкали ее слух. Она не собиралась скрывать, что для нее цель оправдывает средства. Три губернатора практически принадлежали ей, она помогла им победить, а потом потребовала за это плату — предоставить ей особые права на особо ценные предприятия в их регионах. Она завела знакомства в Генеральной прокуратуре, Министерстве внутренних дел, а заместитель министра юстиции регулярно поставлял ей информацию о мерах по борьбе с организованной экономической преступностью.

Ее завораживали суммы, которые находились в ее распоряжении. Ей подчинялись тысячи людей. От нее зачастую зависела судьба огромных предприятий.

Несмотря на постоянную шумиху вокруг своего имени, Наталья держалась в тени. О ее личной жизни было известно крайне мало, она старалась не попадать в прицелы фотоаппаратов и кинокамер. К чему ей паблисити, интервью, всеобщее восхищение? Она не нуждалась в том, чтобы ей говорили комплименты. Она и так знала, что великолепна.

Время от времени возобновлялись проблемы с весом и внешностью. Наталья понимала, что в какой-то степени зациклилась на этом. Выглядеть лучше, чем другие. Действовать лучше, чем другие. Быть лучше, чем другие. Вот к чему она стремилась — и добивалась.

Она заметила, что становится безжалостной. В то же время, совершенно этого не афишируя, она занималась благотворительной деятельностью, поддерживала детские дома, интернаты, погибающие провинциальные театры и молодые дарования. Про нее можно было сказать, что Наталья Малякина скрывает в себе как милую, добрую даму-меценатку, так и беспринципную, холодно-расчетливую стерву.

Наталья, не обращаясь к психоаналитику, подозревала, что и ее усиленное внимание к собственной внешности, и определенная жестокость в поведении объясняются тем, что в ее жизни не было человека, которого она любила. Всех, кто был ей дорог, унесла смерть.

Отец... Мать... Кирилл... Вячеслав. Она была совершенно одна.

Никто бы не поверил, глядя на красивую, богато одетую женщину, которая могла позволить себе любую прихоть, которую называли одной из самых могущественных в России, что она глубоко несчастна.

Порой Наталья страшилась возвращаться в огромный, такой пустой и темный особняк. Что ее там ждало? Бесконечная работа, бессонные ночи, редкие минуты отдыха... Она завела себе нескольких приятелей, однако они не были ей близки духовно. Молодые люди с хорошей фигурой и большими амбициями.

Наталья задумывалась о ребенке. Она прошла обследование, и врачи заверили ее, что она здорова, хотя ей и не следует злоупотреблять таблетками, сжигающими вес. Она могла стать матерью.

Наталья думала над тем, на ком же из мужчин остановить свой выбор, кто достоин стать отцом ее будущего малыша, когда в очередной раз посещала один из детских домов. Один из малышей, мальчик, подошел к ней и произнес:

— Ты моя мама?

Она ему ничего не ответила, Наталья уже приучила себя скрывать истинные чувства. Погладив его по голове, она постаралась как можно быстрее покинуть интернат. В черном лимузине с тонированными стеклами, отделенная от водителя звуконепроницаемой перегородкой, она плакала.

Она, Наталья Малякина, такая безжалостная и горделивая, плачет...

Отчего? Все ее мечты сбылись. Она достигла небывалого могущества, была богата и красива, мужчины лежали у ее ног. А она была несчастна.

Наталья так и не заснула той ночью, она закрывала глаза, и сразу в ее памяти возникало личико малыша, который назвал ее мамой.

Следующим утром, вместо того чтобы вылететь на Ямал, где на ее деньги строился новый газопровод, она снова отправилась в детский дом. Воспитатели оказались удивлены ее повторным визитом. Наталья заперлась с директрисой в кабинете.

— Я хочу усыновить одного из ваших детей, — сказала она. — Причем как можно быстрее...

— Кого именно? — моментально отреагировала директриса.

Наталья прошла с ней в детскую комнату. Благодаря ее спонсорской помощи дети жили в приемлемых условиях, у них были разноцветные веселые игрушки, современная одежда и калорийное питание.

Она нашла малыша, который назвал ее мамой, он возился на ковре с машинкой. Словно ожидая ее визита, он поднял голову и, улыбнувшись, прошепелявил:

— Мамочка вернулась.

— Его. — Наталья взяла мальчика на руки, и он прильнул к ней. — Я хочу, чтобы вы в течение часа подготовили мне все необходимые бумаги.

— Это так быстро не делается, — заметила директриса. — Понимаете, усыновление такой долгий процесс...

Обычно — когда кто-нибудь из чиновников, к которому Наталья или ее подчиненные обращались за получением очередного разрешения, говорил подобную фразу, это означало — необходимо форсировать события при помощи денежной подачки. Наталья, оказавшись снова в кабинете директрисы, расстегнула сумочку. Она давно перестала пользоваться наличностью, предпочитая кредитные карточки и чеки. Покопавшись, она обнаружила несколько банкнот.

— Здесь всего восемьсот долларов, я понимаю, этого не хватит. Вы получите столько, сколько потребуете, но мальчик мне нужен сегодня.

Директриса, пожилая дама с перманентом, вспыхнула и отшвырнула от себя деньги:

— Не думайте, Наталья Владимировна, что ваше богатство и наша зависимость от вас дают вам право вести себя подобным образом. В этом мире покупается не все!

Наталья, давно убедившаяся, что купить можно любого и каждого, была озадачена реакцией директрисы. Та объяснила ей, что процедура усыновления достаточно трудоемкая и займет по крайней мере полгода.

Наталья тут же связалась со своими адвокатами и поручила им заняться этим делом немедленно.

— Его зовут Слава, Вячеслав Коновалов, — прокомментировала выбор директриса. — Ему четыре года и десять месяцев. Родители кочуют в неизвестном направлении, скорее всего, бомжи или алкоголики.

Его зовут так же, как и ее мужа. Наталья не могла поверить в такое совпадение. Это знак судьбы. Она усыновит его во что бы то ни стало.

— У меня есть сестренка, — сказал ей Слава.

Наталья узнала у директрисы, что у него на самом

деле есть сестра пятнадцати лет от роду по имени Ирина, которая содержалась в детском доме для подростков.

Она посетила этот детский дом. Ирина была угловатым подростком с затравленными глазами и агрессивными замашками. Она встретила Наталью нелюбезно, даже когда узнала, что та намеревается усыновить ее брата.

— Ирина прошла через многое, — сказали ей воспитатели. — Какое-то время она занималась проституцией, нюхала клей, ночевала в электричках и на вокзалах. Она считает, что весь мир полон предателей и мерзавцев.

— И она не ошибается, — ответила Наталья.

Девочка ей понравилась, несмотря на хамский стиль поведения. Она уже приняла решение — она добьется права стать матерью как для Славы, так и для Иры.

Мысль о том, что у нее вскоре появится очаровательный карапуз, занимала Наталью все больше и больше. Возможно, именно тогда она и станет счастливой? Ее адвокаты заверили, что они приложат все усилия и задействуют все связи, чтобы она получила пакет документов как можно быстрее. Наталья не жалела для этого денег...

Их усилия увенчались успехом. Наталья получила право на усыновление Славы и Ирины.

Мальчик сразу назвал ее мамой, она купила ему белого пони и освободила себе вечернее время, чтобы кататься с сыном по парку на подмосковной даче.

С Ириной было сложнее. Рано разочаровавшаяся в людях, прошедшая через грязь, она в штыки воспринимала Наталью. Она запиралась в своей комнате, врубала на полную мощность тяжелый рок и играла на компьютере в кровавые стрелялки. Наталья пыталась найти подход к Ирине, чувствуя, что девочка может стать ей настоящей дочерью.

— Да какая ты мне мать, ты... ты шлюха, — как-то в сердцах воскликнула Ирина.

Наталья не оставляла попыток сблизиться. Ей помог случай: Ирина, учившаяся к тому времени в престижной частной школе, выделялась среди сверстников стилем поведения, намеренными эскападами в одежде и поразительными пробелами в образовании. Самые высокооплачиваемые репетиторы не могли помочь ей, Ирина не хотела учиться, предпочитая тратить деньги приемной матери на шмотки и компьютерные игры.

У девочки возникли проблемы: юноши-одноклассники, прознав о ее прошлом вокзальной проститутки, домогались ее, никто не воспринимал ее всерьез, все хотели одного — быстрого и легкого секса. Ирина же, имевшая несчастье влюбиться в самого красивого парня в классе, была безутешна — он заявил, что она может на что-то рассчитывать, если только переспит с ним.

Наталья, знавшая о проблемах дочери, зашла как-то к той в комнату. Ирина в наушниках сидела за столом и рисовала на компьютере сердца, пронзенные стрелами. Увидев Наталью, она попыталась уйти.

— Ира, расскажи мне, в чем дело, — попросила Наталья.

Девочка ответила:

— А тебе-то чего, делай деньги, возись со Славкой, ты мне не нужна.

— На твоем месте я бы врезала ему, — продолжила Наталья.

Ирина изумленно посмотрела на нее.

— Я имею в виду твоего ухажера, который предлагает тебе любовь за секс.

— Откуда ты знаешь? — окрысилась девочка, заинтересованная словами Натальи. Через минуту она сама спросила: — Ты бы точно ему врезала?

— Да, причем при всех.

На следующий день, оторвав Наталью от важного совещания в банке, ей на мобильный позвонила разгневанная директриса частной школы, которую посещала Ирина, и поведала жуткую историю: Ирина при

Антон ЛЕОНТЬЕВ

всех ударила своего одноклассника, рассекла ему бровь и приложила непечатными выражениями.

— Наталья Владимировна, мы и так пошли на огромные уступки, когда приняли вашу приемную дочь в наше заведение. Ее прошлое дает о себе знать. Мы вынуждены просить вас...

— Это я вынуждена просить вас заткнуться. Моя дочь сделала так, как я научила ее. И сделала она правильно. Всего хорошего!

Ирина рассказала Наталье, как она при всех, получив новое предложение от объекта своих симпатий заняться сексом за обещания дружбы, ответила ему отказом и ударила. Подросток этого явно не ожидал.

— Теперь он стал бакланом, — пояснила Ирина. — Над ним все смеются, я же отвергла его да еще накатила в репу!

— Ира, ты молодец, что так сделала. — Наталья впервые обняла девочку, до этого Ирина противилась всем проявлениям нежности. — Ты больше в эту школу не пойдешь. Кстати, что такое «баклан»?

С тех пор Ирина изменила отношение к приемной матери, Наталья стала для нее лучшей подругой, с которой она могла обсуждать все секреты.

Получив долгожданных сына и дочь, Наталья одновременно с этим продолжала заниматься бизнесом. Ее деятельность подразделялась на две пересекающиеся сферы — законную и незаконную. Она, как и Вячеслав, пришла к тому, что стала постепенно уделять все большее внимание законному бизнесу. Тем не менее она щедро финансировала спецотдел, который возглавлял полковник Дементьев.

Наталья долго колебалась и все же решила заняться самым прибыльным видом криминала — наркотиками и оружием. Она всего лишь продавец, она не несет ответственности за судьбы тех, кто станет жертвой.

Она искала новые рынки сбыта. И когда один из ее аналитиков сказал, что в южноамериканском государстве с романтическим названием Коста-Бьянка идет скрытая гражданская война и там требуется оружие, Наталья приняла решение.

— Мы займемся продажей оружия, — сказала она. — Кроме того, как я понимаю, повстанцы, которые хотят свергнуть действующий режим и прийти к власти, занимаются тем, что выращивают наркотические растения? Возможно, для нас это также будет представлять интерес.

— Мы должны прозондировать почву, — был ответ ее советников.

Наталья решила сама слетать в Коста-Бьянку.

— Человека, с которым вы будете вести переговоры, зовут Алекс Коваччо. Ему требуется оружие, и он заведует наркобизнесом в этой милой тропической стране.

Наталье было все равно, с кем ей придется встречаться. Она вылетела на самолете одной из своих компаний в Эльпараисо, столицу Коста-Бьянки.

Она и не знала, что вылетела навстречу своей судьбе...

Полковник Рамон Эстебальдо ди Санто-Стефано очаровал Изабеллу. Она видела, что и он пленен ее красотой и популярностью. Она давно заметила, что женщина, имидж которой раскручен в прессе и на телевидении, является более притягательной, чем другие.

Вместе с Рамоном она встретила Новый год на его вилле. Полковник происходил из семьи итальянских эмигрантов, которые в конце девятнадцатого века перебрались из Палермо в Коста-Бьянку в поисках лучшей доли. Его прадед был чернорабочим на руднике семьи Баррейро, дед сколотил состояние на изумрудном буме и занялся производством текстиля, отец приумножил состояние. Рамон был богат — но ровно настолько, чтобы принадлежать к высшему слою среднего класса.

Изабелла познакомилась с его братом, архиепископом Флорианом ди Санто-Стефано. Флориан был на семь лет младше Рамона и старался доказать, что тоже может преуспеть в жизни. Высокий, красивый, с одухотворенным лицом, он словно сошел с полотен Эль

Антон ЛЕОНТЬЕВ

Греко или Рафаэля. На самом деле, и Изабелла вскоре в этом убедилась, Флориан был лицемером и ханжой, мечтающим только об одном — стать кардиналом и, если уж совсем повезет, занять папский престол. Ничем в принципе особо не одаренный, он подался на церковную стезю. В Коста-Бьянке католическая церковь пользовалась большим влиянием и почетом. Кроме того, она являлась самым крупным землевладельцем и сосредоточила в своих руках колоссальные богатства.

Изабелла видела, что Рамон ди Санто-Стефано явно недоволен тем, что он до сих пор является полковником. Ему доверили весьма ответственный пост заместителя начальника Генерального штаба по той причине, что он активно поддерживал нового президента страны, Диего Сантьяго. Это была плата за его лояльность к власти.

Рамон был перспективным и пользующимся уважением и любовью в армии военным. Изабелла, которой он нравился, решила, что это подходящая для нее партия. Ей надоело быть одной. Настала пора зайти в тихую гавань. Почему бы не Рамон? Он был влюблен в нее, клялся, что его чувства самые что ни на есть подлинные.

И все же, когда Изабелла завела с ним издалека разговор о том, чтобы им соединиться узами брака, он отреагировал неадекватно.

— Дорогая Белла, — сказал он, целуя ей руки. — Об этом не может быть и речи. Я не могу ставить под угрозу свою карьеру. Надеюсь, ты меня понимаешь...

Она в бешенстве швырнула в него мраморное пресс-папье. Еще бы, она прекрасно понимала. Таких, как она, берут в любовницы, занимаются с ними сексом, но не женятся на них. Женами становятся серые мышки, которые блюдут девственность и читают Библию. Изабелла впервые столкнулась с тем, что прошлое стало для нее препятствием.

Она немедленно покинула виллу Рамона и переехала обратно в эльпараисскую квартиру. Он за ней вернется, ее богатый опыт подсказывал Изабелле, что именно так и будет.

Однако через несколько дней ее навестил не Рамон, а его брат, архиепископ Эльпараисский. Для своих тридцати семи лет он сделал великолепную церковную карьеру.

Облаченный в алые одежды, с золотым крестом, он важно прошествовал в ее гостиную, обставленную более чем фривольно. Он с неодобрением взглянул на копии картин Дали и мраморные статуи.

— Изабелла, — произнес он. — Мой брат просил меня поговорить с тобой...

— Почему же он сам не приехал ко мне? — ответила Изабелла.

В последние дни неприятности, как по мановению волшебной палочки, обрушивались на нее одна за другой. Сначала ссора с Рамоном, потом конфликт с продюсером канала «Ли-1». Изабелла давно подозревала, что президент Сантьяго и в особенности Теодор Ковачо не простили ей строптивого поведения и хотят закрыть ее ток-шоу. Именно поэтому она искала себе мужа. Мужа, который станет трамплином для ее блестящих начинаний. Рамон очень подходил для этого...

— Моего брата срочно направили в провинцию Санта-Тереза, — ответил архиепископ, усаживаясь в кресло. — Тебе же известно, Изабелла, что беспорядки, которые начались в тюрьме Леблон, постепенно переросли в вооруженный конфликт.

— Мне ли не знать, — ответила Изабелла. — Президент Сантьяго может говорить, что ему вздумается, но там началась самая настоящая гражданская война. Значит, Сантьяго, который свалил с моей помощью Суареса, обвиняя старого генерала в том, что он использует бесчеловечные методы борьбы и бомбит авиацией мирное население, сам направляет в Санта-Терезу регулярные войска. Я всегда знала, что Диего Сантьяго карьерист и подлец.

— Тебе не стоит так откровенно выражаться, — поежился Флориан.

Хозяйка Изумрудного города

Архиепископ ди Санто-Стефано сделал карьеру благодаря тому, что умело лавировал, подлаживался и называл подлость благими именами. Он осуждал брата, которого считал слишком нетерпеливым и неблагоразумным, за то, что Рамон открыто выражал несогласие с некоторыми аспектами политики президента Коста-Бьянки. Флориан знал: чтобы пробиться на самый верх, необходимо всегда соглашаться. Ну, или почти всегда.

Поэтому Изабелла с ее откровенно бунтарскими речами пугала его. И в то же время влекла. Флориан сам предложил Рамону съездить к ней и разъяснить сложившуюся ситуацию.

— Святой отец, вы опасаетесь, что в моей квартире установлены подслушивающие устройства? — съязвила Изабелла. — Очень может быть. Президент Сантьяго боится меня, поэтому и хочет убрать меня с телевидения.

Архиепископ, сделав вид, что не заметил ее сарказма, продолжил:

— Изабелла, ты очень дорога моему брату. Возможно, ты именно та женщина, которая могла бы сделать его счастливым. Но он не может стать твоим мужем, ты же понимаешь...

— Нет, не понимаю, — резко ответила Изабелла. — Я достаточно хороша, чтобы спать со мной, но недостаточно хороша, чтобы стать его супругой. И почему?

Флориан, облизав тонкие губы, потер сухие ладони и заметил:

— Изабелла, твое прошлое... Ты можешь обманывать кого угодно, но не Рамона. И не меня. Ты переспала с половиной Эльпараисо!

— Вот в чем, оказывается, дело! — Изабелла смерила архиепископа презрительным взглядом. — Рамон тоже не ангел, о его похождениях даже писали в светских новостях. Одна любовница за другой. Как он смеет предъявлять мне претензии! Я — Изабелла Баррейро, я была министром средств массовой информации, я знаменитая телеведущая...

— А он — перспективный военный, — сказал Флориан. — Президент Сантьяго обещал ему, что если Рамон удачно справится со своей миссией в бунтующей провинции, то получит генеральскую звезду. Его вскоре могут назначить министром обороны... И такая супруга, как ты, ему не нужна. Я уже присмотрел ему в супруги Лилиану дель Вартегос, она моя прихожанка...

Итак, Рамон решил променять ее на звание генерала. Изабелла знала Лилиану — дочь состоятельных родителей, владельцев химического концерна. Несколько полновата, чуть рябовата, рыжевата, но это все мелочи. В том, что она до двадцати семи лет сохранила девственность, не сомневался никто в Эльпараисо.

— Он просил меня передать тебе прощальный подарок, — архиепископ протянул ей крошечную коробочку. Изабелла взяла ее, подошла к окну (ее столичная квартира располагалась на девятнадцатом этаже), распахнула раму и, не удосужившись заглянуть, что же именно преподнес ей в качестве прощального дара Рамон, швырнула коробочку вниз.

— Что ты наделала, там же было кольцо с жемчужиной! — встрепенулся Флориан.

Изабелла закрыла окно и произнесла ледяным тоном:

— Передай своему брату, что я не нуждаюсь в его подношениях. Я вполне обеспечена, чтобы самой приобрести подобные безделушки. И, кроме того, я ненавижу жемчуг! Это — камень девственниц, пусть дарит его своей возлюбленной Лилиан.

Ее поразила странная реакция архиепископа Эльпараисского.

Флориан смотрел на Изабеллу так, словно видел ее впервые. Она, только что испытывавшая гнев и обиду, была удивлена — таким задумчивым и таинственным она его еще не видела. Архиепископ поднялся из кресла и подошел к Изабелле.

— Я понимаю, как оскорбил тебя мой брат, — тихим, вкрадчивым голосом произнес он. — Поверь мне, Изабелла, он тебя недостоин. Ты же знаешь, что в нашей семье именно я являюсь наиболее талантливым.

Хозяйка Изумрудного города

Рамон — солдафон и фанфан, он умеет пускать пыль в глаза, но совершенно не знает, что нужно такой женщине, как ты, Изабелла.

— А ты, Флориан? — Изабелле вдруг стало ясно, чего добивается архиепископ. Боже, да как же она раньше-то этого не заметила! Он влюблен в нее! Вот это да, архиепископ Эльпараисский, один из столпов церкви в Коста-Бьянке, увивается за ней, падшей женщиной.

— Я — знаю, — ответил Флориан, и в золотом кресте блеснуло лучисто-яркое весеннее солнце. Его тонкие бледные пальцы коснулись ее кожи и поползли по волосам. Изабелла никогда не представляла себе архиепископа как мужчину. И вообще, разве у него могут быть чувства?

Она поверила ему. Флориан действительно сможет сделать ее счастливой, если захочет. Но вопрос в том, хочет ли она этого. Изабелле был заранее известен ответ — нет.

Нет, она не желает становиться любовницей Флориана. Он ей несимпатичен как человек. Скользкий, властолюбивый, жестокий, готовый в любую минуту предать. Таким образом он и достиг в столь молодом возрасте заоблачных высот. И он готов рискнуть ради нее всем. Это льстило Изабелле, но она не собиралась из-за этого бросаться ему на шею.

Флориан попробовал прижать ее к себе, она стала сопротивляться.

— Изабелла, Белла, — прошептал он. — Ты мне очень нужна, ты та самая женщина, ради которой я готов покинуть лоно церкви. Прошу тебя, будь со мной. О, Белла! Вместе мы достигнем многого! Я тебе обещаю!

Вот почему Флориан решил оказать брату услугу и выступить в качестве гонца, доставляющего трагическую весть о расставании. Он сам положил глаз на Изабеллу и собирался затащить ее в постель.

— Нет, — произнесла она и отстранилась.

Архиепископ, распаленный желанием, грубо схватил ее за руку. Изабелла оттолкнула его. Флориан, ударившись о кресло, словно пришел в себя. Из неистового безумца, готового ради женщины разрушить блистательную карьеру, он вновь превратился в скучного педанта. Затуманенные страстью глаза приняли обычное выражение голодного тигра.

— Ты меня отвергла, — произнес он бесцветным голосом. — Изабелла, знаешь, сколько женщин готовы продать душу дьяволу за то, чтобы я осчастливил их?

Флориан был красивым мужчиной, но это не делало его в глазах Изабеллы ни на йоту привлекательным. Она могла поверить ему — богатые прихожанки, пожалуй, были готовы изменить мужьям именно с облаченным в алое священником и мечтали о грехе, изнывая в кабинке на проповеди от потаенного сладострастия.

— Флориан, извини, но ты не мой тип. — Изабелла закурила и выпустила дым в лицо архиепископу. Тот отступал, держась за золотой крест, словно пытался отогнать нечистую силу.

— Учти, я не прощу тебе унижения, — произнес он могильным голосом. — Изабелла, Изабелла... Я же люблю тебя, — вырвалось у него нечто человеческое. — В последний раз умоляю тебя, снизойди до меня!

— К чему эта патетика, Флориан? — удивленно подняв бровь, заметила Изабелла. — Я уважаю тебя как человека, но не желаю с тобой спать. Если не хочешь сохранять хорошие отношения, то давай будем относиться друг к другу как незнакомцы. Зачем нам ненависть и вражда?

Архиепископ скривился в странноватой усмешке. У Изабеллы, несмотря на тридцать градусов жары, по коже пробежал мороз. Возможно, она поступила крайне неосмотрительно, превратив Флориана Эльпараисского во врага? Но не должна же она соглашаться на предложение каждого мужчины, который захочет переспать с ней?

— Прощай, дорогая Изабелла, — произнес он. — Я чувствую, что мы с тобой еще пересечемся. И запомни — ты отвергла меня! Я любил тебя, а ты растоптала мою любовь!

Он вышел, громко хлопнув дверью. Изабелла налила себе немного апельсинового сока со льдом, продолжая думать о признании Флориана. Его необыкновенная реакция пугала ее. Обычный мужчина, конечно бы, оскорбился, что женщина отвергла его, но говорить такие слова, клясться отомстить... Скорее всего, у него в юности была несчастная любовь, и вот он нашел новый предмет обожания — Изабеллу. Когда же и она отвергла его, он, явно переоценивающий свои возможности, воспринял это как смертельное оскорбление. Но что он может ей сделать? Отлучить от церкви, предать анафеме, заклеймить как вавилонскую блудницу? Пожалуй, нет. Флориан не захочет, чтобы вся эта история с сумбурным признанием в любви выплыла наружу. Это помешает в первую очередь ему.

Но пришла пора забыть о братьях ди Сан-Стефано. Изабелла не желала иметь что-либо общее ни с одним, ни с другим.

На следующий день, когда она приехала в студийные помещения, дабы готовиться к новому эфиру «Прямого разговора», ее ждало крайне неприятное известие.

Продюсер канала вызвал ее к себе в офис и сказал:

— Изабелла, президент Сантьяго поставил перед нами ультиматум: или он закрывает весь наш канал, или мы вычеркиваем из сетки вещания твое ток-шоу.

Она ждала подобного развития событий. Ее популярность после назначения на пост министра средств массовой информации и неожиданной отставки била все рекорды, она была, как свидетельствовали опросы общественного мнения, самым популярным человеком в Коста-Бьянке. Это стало крайне опасно. Опасно иметь такую популярную соперницу. Кроме того, Теодор Коваччо не мог простить ей давнишнюю обиду. Все сплелось в единый клубок.

— И какое решение ты принял? — спросила она продюсера, своего бывшего любовника. Тот медлил с ответом. Изабелла его подбодрила: — Я же вижу, что боссы уже решили, кто покинет канал. Так что не тяни, а говори. Будь хотя бы один раз в жизни мужчиной.

Продюсер, вздохнув, протянул ей текст постановления, согласно которому ток-шоу «Прямой разговор» прекращало существование в связи с нерентабельностью и отсутствием зрительского интереса.

— Вы не только хотите лишить меня работы, вы еще хотите и унизить меня, — прошептала Изабелла, чувствуя, что у нее кружится голова. — Моя программа одна из самых популярных, канал делал на ней большие деньги, и теперь неожиданно выяснилось, что она не пользуется спросом у телезрителей. А двенадцать тысяч писем, которые я получила за прошедший месяц? А номинация на «Серебряную пчелу», элитарную журналистскую награду в Коста-Бьянке? Это что, фикция, иллюзия, сон?

Ее голос едва не сорвался на крик. Продюсер налил ей в бокал минеральной воды и заверил, что все нормализуется.

— Тебе не стоило идти против Сантьяго и давать в эфир интервью с Алексом Коваччо. Ты же знаешь, что его отец, Теодор, и без того ненавидит тебя. Ты только подлила масла в огонь, Белла. Мы все в шоке, но Сантьяго не шутит. Если мы не закроем ток-шоу, то завтра закроют наш канал. Мы и так висим на волоске после прихода к власти нового президента. Мы уже подумали о тебе.

Он протянул ей еще несколько листов.

— Ты сейчас уйдешь в творческий отпуск, а затем поедешь работать на провинциальном канале, организуешь вечернее ток-шоу для домохозяек...

— Чья это идея? — спросила Изабелла. — Наверняка Теодора. Он хочет унизить меня. После того успеха, который я пережила, после разоблачительных репортажей и съемок в тюрьме, которую бомбит военная авиация, ты предлагаешь мне ехать в провинцию и беседовать о рецептах приготовления пирога из папайи и изменах мужа со служанкой? Извини, но я не пойду на это.

Хозяйка Изумрудного города

— Ну, тогда нам больше нечего тебе предложить, Изабелла.

Продюсер, словно готовый к ее отказу, выудил еще один лист и вручил его Изабелле. Она пробежала его глазами. Решение об увольнении. Она взглянула на дату — вчерашняя.

— Надо же, вы все предусмотрели, знали, что я ни за что не соглашусь на ваши условия, и уже уволили меня. А я когда-то думала, что могу найти с тобой счастье.

Изабелла подошла вплотную к продюсеру. Тот, ожидая, что она поцелует его на прощание, улыбнулся. Вместо этого Изабелла вылила на него минеральную воду из бокала.

— Сумасшедшая, что ты делаешь! — закричал он.

Изабелла похлопала его по щеке и сказала:

— Запомни, мой дорогой, Изабелла Баррейро просто так не сдается. Вам придется помучиться, чтобы выкинуть меня на улицу. Меня боготворят в фавеллах. Я призову к неподчинению, к забастовкам...

— Не делай этого, Белла, — устало произнес продюсер. — Учти, Сантьяго и Коваччо-старший настроены весьма серьезно. Они пойдут на любые меры, чтобы нейтрализовать тебя. И мне не хочется посылать тебе венок из орхидей на похороны.

Изабелла жестоко ошиблась, считая, что является важной и незаменимой персоной. Ток-шоу закрыли, но ни одна из газет, ни один из телеканалов не выразили по этому поводу протест. Президент Сантьяго держал под своим неусыпным контролем все средства массовой информации. Тот, кто выступал против него, немедленно увольнялся или бесследно исчезал.

Никаких протестов на улицах не было, в провинции несколько сот крестьян, которые привыкли видеть Изабеллу два раза в неделю по старенькому телевизору, вышли к ратуше в своей деревушке с плакатами, на которых было написано: «Верните нам нашу Беллу». Их разогнала полиция, многих арестовали и осудили по политическим статьям за антиконституционную деятельность.

Изабеллу поддерживала цивилизованная заграница. Протесты пришли из соседних южноамериканских государств, из Америки, Германии, США и даже Японии.

Но президент Сантьяго, который фактически превратился в диктатора, заявил, что внутренняя политика частного канала находится не в его компетенции и закрытие нерентабельной программы не более чем верное решение хозяйствующего субъекта.

С ужасом, огорчением и обидой Изабелла была вынуждена запереться в эльпараисской квартире. Она пыталась подать в суд на незаконное увольнение, но судья отклонил ее жалобу, сославшись на отсутствие в Уголовном кодексе республики нужной статьи. Она писала президенту Сантьяго, но гробовое молчание было красноречивее любого пространного водянистого ответа.

Когда-то президент нуждался в ее помощи, она рисковала ради него жизнью, а теперь он забыл о ее существовании. Изабелла попыталась попасть к нему на прием. Раньше это решалось просто, достаточно было одного телефонного звонка — и машина с государственными номерами забирала ее.

Теперь все было иначе. Она в течение пяти дней набирала номер президентской канцелярии, но линия была постоянно занята. Сообразив, что ее номер занесен в черный список, Изабелла позвонила из телефона-автомата. Со второго раза ей ответил приятный мужской баритон секретаря в приемной. Стоило ей назвать свое имя и цель предполагаемой встречи с президентом, как голос разительно изменился, попросил ее подождать. Она прождала сорок пять минут, пока, наконец, трубку на другом конце провода не повесили.

Изабелла не привыкла, чтобы с ней так обращались. Поэтому, одевшись в строгий темный костюм, она отправилась в канцелярию лично. Она не скрывала лицо под солнцезащитными очками, как делала это обычно, чтобы фанаты не смяли ее. И на этот раз она видела, что ее узнают, но вместо восхищенных взгля-

Антон ЛЕОНТЬЕВ

дов и восторженных окриков натыкалась на стену равнодушия и непонимания. Люди, вчера скандировавшие ее имя, быстро отводили глаза, завидев ее. Изабелла заявила, что желает увидеться с президентом по срочному делу. Сантьяго, как и всякий популист-демагог, лично принимал всех желающих раз в месяц.

— Сеньора Баррейро, увы, это невозможно, — сказал ей секретарь. — Вы не записаны на прием. Посмотрите, все эти граждане обращались к нам заранее, — он указал на приемную, забитую жителями Коста-Бьянки.

— Вы намеренно не записывали меня на прием, — упрямо произнесла Изабелла.

Внезапно одна из просительниц, пожилая дама, сказала:

— Мы должны помочь нашей Белле. Мы ведь согласны пропустить ее вне записи на прием к господину президенту?

Никто из находившихся в приемной не возражал. Изабелла ощутила, как на глаза наворачиваются предательские слезы. Ее по-настоящему любили. И эта любовь придавала ей силы.

Неготовый к подобному повороту событий, секретарь сделал быстрый звонок, затем исчез за тяжелой зеркальной дверью. Изабелла, ожидая его, беседовала с простыми коста-бьянкцами, которые выражали ей свое восхищение и спрашивали, когда же будет возобновлено ее ток-шоу.

— Госпожа Баррейро, прошу вас, — вновь возникший секретарь распахнул перед ней главную резную дверь. — Его высокопревосходительство господин президент республики Коста-Бьянка Диего Алонзо Сантьяго ожидает вас.

Изабелла проследовала в апартаменты. Впереди нее шел охранник с рацией. Они прошли по анфиладе богато обставленных комнат президентского дворца, охранник распахнул перед ней еще одну тяжелую металлическую дверь. Ничего не заподозрив, Изабелла прошла внутрь. Дверь со скрежетом захлопнулась.

Она оказалась в небольшой тесной комнатушке.

Никакого высокопревосходительства президента там, разумеется, не было. Ее провели, как девчонку. Чтобы не злить народ и не давать повода для слухов, ей не отказали в праве войти во дворец. Но никто не собирался устраивать ей рандеву с президентом Сантьяго.

Изабелла стала барабанить в дверь и кричать, но все звуки тонули в звукоизоляционном материале, которым была обита камера. Присмотревшись, Изабелла увидела засохшую кровь на полу и стенах. И даже на потолке. В президентском дворце имелась камера пыток, надо же, раньше это послужило бы отличным сюжетом для разоблачительной программы. Сантьяго продолжал зверскую политику своего предшественника Суареса. Лик власти нисколько не изменился, только стал страшнее и отвратительнее.

В потолке, за решеткой, была вмонтирована миниатюрная видеокамера. Надо же, за ней наблюдают. Показав средний палец тюремщикам, Изабелла попыталась найти выход из ситуации.

Она обессилела, уселась на пол и заснула. Ей показалось сквозь неглубокий прерывистый сон, что дверь на какое-то мгновение приоткрывалась. Изабелла встрепенулась. Рядом никого не было.

Она провела в камере сутки, а потом потеряла счет времени. Ее мучила страшная жажда, в камере было ужасно жарко. Она, уже никого не стесняясь, разделась. Изабеллу покидало сознание, она проваливалась в обморок. Ее просто уморят голодом и жаждой, она умрет, ее тело закопают в джунглях или отправят на дно океана.

Когда дверь раскрылась, она уже не знала, правда это или фантазия. Перед ней возвышался ее бывший заместитель по министерству, который теперь занял ее кресло. Он наклонился над Изабеллой, взял двумя пальцами ее подбородок.

— Изабелла, ты же не дура. Для начала мы продержали тебя трое суток. Если ты не заткнешься, то будет много хуже. Ты сдохнешь мучительной смертью, моя дорогая Белла. Президент и господин Коваччо более чем добры к тебе. На их месте я бы давно отдал приказ, чтобы с тобой случилась автомобильная катастрофа. Собирай свои манатки и проваливай. И если попробуешь кому-то рассказать о том, что с тобой произошло, то умрешь, запомни это!

Изабелла поняла — он не шутит. С нее хватило трех суток в камере, чтобы успокоиться. Она впала в депрессию, ее обуял страх. Теодор на самом деле мог убить ее, но он не сделал это, как она предполагала, потому что хотел насладиться ее унижением, крушением ее карьеры и честолюбивых помыслов.

Ей казалось, что по ночам кто-то бродит по ее квартире, несколько раз она, точно зная, что выключила везде свет, обнаруживала горящую лампу то на кухне, то в туалете. Что это — ночные визиты киллеров или начинающаяся шизофрения? Ведь ее прабабка, Надин Баррейро, умерла в сумасшедшем доме. Ей не хотелось повторить ее судьбу.

И все же ей удалось побороть себя. Она же Изабелла Баррейро, она не посмеет запугать себя. Этот раунд она проиграла, но впереди еще несколько. И она победит.

Пришлось смириться со своей участью, которая диктовала ей забвение и неизвестность. Изабелла ощутила своего рода зависимость от всеобщего внимания и восхищения телезрителей. Как на нее смотрели простые жители страны в приемной президента, она видела в их глазах подлинные чувства! И вот — по прихоти президента Сантьяго и ее бывшего любовника Теодора Ковaccho она оказалась лишена этого.

Изабелла прекратила попытки возобновить телекарьеру. Она снова отказалась от смешного и унизительного предложения отправиться в провинцию и делать пятичасовое ток-шоу для домохозяек. Ей не пристало марать свое имя подобными вещами. Она знала, что ее час вскоре пробьет.

У нее были деньги, но она оказалась в изоляции. Друзья отвернулись от нее, даже мужчины, которые раньше едва ли не стрелялись на дуэли из-за права стать ее очередным поклонником, охладели к Изабелле. Она в полной мере почувствовала себя диссиденткой.

В стране тем временем набирали оборот репрессии, преследования недовольных и инакомыслящих. В удивительно короткие сроки были подготовлены и проведены президентские выборы, на которых Диего Сантьяго был единственным кандидатом. Конечно же, он победил, получив почти сто процентов голосов.

И этого человека она привела к власти? Изабелла не могла поверить, что виновна в трагедии Коста-Бьянки. Она переехала за город, сняла красивый и удобный особняк с бассейном. Телефон ей не требовался, никто ей не звонил. Она жила неспешно в собственное удовольствие. Наконец-то появилось время для сна и вольготного чтения. Изабелла, привыкшая вставать в половине шестого пополудни и ложиться самое раннее после двух, удивленно просыпалась, когда первые лучи солнца еще не пробивались сквозь предрассветную тьму. Она лежала совершенно одна в огромной постели, что также было непривычно. Дом наполняла тишина.

Ее оставили в покое, представители спецслужбы больше не навещали ее. Изабелла затаилась. Она знала судьбу всех президентов в Коста-Бьянке — вначале любимые народом, они в рекордно короткие сроки становились мишенью для людской ненависти. И Диего Сантьяго, как она видела, предпринимал все мыслимые шаги на пути к собственному низвержению.

Президент привел к власти алчный клан родственников, которые, как стая голодных псов, набросились на многочисленные коста-бьянкские министерства, ведомства, комиссии. Среди военных царило скрытое неодобрение. После того как министр обороны погиб при таинственных обстоятельствах, играя в поло, никто не осмеливался публично или даже в кулуарах высказывать недовольство президентом Сантьяго.

Теодор Коваччо снова обрел прежнее могущество. Он поставил на пост премьер-министра, министра финансов и министра экономического развития подконтрольных только ему людей. Президент Сантьяго, обязанный Теодору денежной поддержкой, не забывал своего благодетеля.

Изабелла же не забывала его сына. Алекс Коваччо, новая версия Че Гевары для богатых и честолюбивых. Он не погиб при бомбежке тюрьмы в Леблоне, ему удалось бежать. Он возглавлял сопротивление силам военных в провинции Санта-Тереза. Согласно отрывочным слухам, провинцию уже не контролировала федеральная власть. Изабелла скучала по нему. Ей в память врезалась их единственная встреча. Алекс, увидит ли она его снова?

В начале июня в газетах и по телевидению прошли экстренные сообщения о том, что глава мятежников по кличке Алекс (его фамилия не упоминалась — могущественный отец явно не желал оказаться замешанным в подобные дела) находится в Эльпараисо. Он вместе с ближайшими сообщниками пытался убить президента Сантьяго, но попытка покушения провалилась. Алекса разыскивали лучшие силы республики. Президент Сантьяго, появившийся в прямом эфире, обратился к народу страны с обращением.

Изабелла с чувством злобного удовлетворения отметила, что мучнистое лицо президента тряслось от страха, а свиные глазки бегали по тексту невидимого телесуфлера. Сантьяго выглядел жалко и смешно. Он призвал всех оказать сопротивление мятежникам и помочь поймать их главаря, который скрывался где-то в столице или окрестностях. Глава Министерства внутренних дел и шеф эльпараисской полиции заверили своего сюзерена в том, что Алекс — живой или мертвый — будет изловлен в ближайшие часы... Или дни... Ну, в крайнем случае, в течение двух недель.

Столица по причине едва не состоявшегося убийства Сантьяго была объявлена на военном положении. Изабелла в который раз похвалила себя за мудрое решение перебраться в пригород. Но даже на тихих тенистых улочках богатых кварталов возникли танки, джипы с военными и усиленные наряды полиции.

К Изабелле несколько раз наведались с обыском. Она радушно приняла представителей прокуратуры, даже не потребовала у них ордера, предложила кофе и лимонад. Они, поверхностно осмотрев виллу, принесли извинения. Так повторялось четыре раза. Изабелла уверяла их, что не прячет пулемет в комоде и не намеревается зарезать маникюрной пилочкой президента. Ее юмор не оценили и, пригрозив привлечь к ответственности за оскорбительные высказывания в адрес главы государства, окончательно ретировались.

Был вечер восьмого июня, солнце, заслоненное тучами, уже садилось. Изабелла нежилась на надувном матрасе в бассейне. На мраморном полу лежал наполовину прочитанный новый роман Пабло Коэльо.

Ей показалось, что кто-то зашуршал в саду. Она не стала открывать глаза. Неужели страхи, которые, как она надеялась, уже покинули ее, снова возобновились? Шорох повторился. Изабелла лениво погрузилась в воду и вышла из бассейна.

Как она и предполагала, в саду никого не было. А вот стеклянная дверь террасы была закрыта. Хотя она точно помнила, что намеренно оставила ее открытой, чтобы слушать божественную музыку Вивальди, доносившуюся из гостиной. Наверное, дверь захлопнулась от резкого порыва ветра, этим и объясняются подозрительные шорохи. Что же, нервы ни к черту, пора уехать из Коста-Бьянки на Ривьеру.

Раздалась мелодичная трель — к ней пожаловали гости. Изабелла посмотрела на монитор видеофона. Так и есть, снова друзья-полицейские.

Как есть, в соблазнительном бикини, с которого капала вода, она открыла дверь. Полицейские воззрились на нее. Один из них, откашлявшись, сказал:

— Сеньора Баррейро, приношу извинения за беспокойство, но нам необходимо осмотреть ваш особняк.

Изабелла пригласила их пройти, сама стала распахивать дверцы шкафов и предложила заглянуть под кровати.

— В чем, собственно, дело? — спросила она. —

Президента опять пытались убить? Надеюсь, на этот раз покушение не провалилось?

Глава команды, проводившей обыск, ответил:

— К нам поступила достоверная информация о том, что Алекс Коваччо скрывается в этом предместье. Его видели полчаса назад на вокзале в пяти кварталах отсюда.

— К сожалению, не могу похвастаться тем, что Алекс скрывается в моем доме, — вздохнула Изабелла. — Хотя так бы этого хотела...

— Куда ведет эта дверь? — спросил один из сыщиков.

Они находились на кухне. Изабелла, взявшись за ручку, сказала, едва не распахнув дверь:

— В кофейную комнату. Я обожаю кофе, мой друг, в этой комнатушке хранятся мои запасы, фильтры для кофеварочной машины, сладости. Хотите, угощу вас капуччино с рахат-лукумом?

— Нет, — зло ответил сыщик, моментально потеряв интерес к двери.

Изабелла всплеснула руками:

— Ах, вы предпочитаете кофе по-турецки и соленые галеты. Подождите секундочку...

— Сеньора Баррейро, еще раз приносим вам свои извинения, — заторопился глава команды сыщиков. — Нам больше нечего у вас делать.

— А как же кофе? — Изабелла издевалась над полицейскими. Те, не ответив, гуськом потянулись к выходу.

Изабелла закрыла за ними дверь, сменила диск — поставила вместо Вивальди «Спайс герлз» и почувствовала, что ей ужасно захотелось кофе.

Она подошла к двери, ведущей в кофейную комнату, раскрыла ее. И едва сдержалась, чтобы не вскрикнуть. В комнатке, которая была едва ли крупнее по размерам, чем большой платяной шкаф, стоял Алекс Коваччо.

— Привет, — произнес он и, не дожидаясь ответа, заключил ее в объятия и поцеловал.

Изабелла не сопротивлялась. Она помнила то небывалое чувство, которое испытала, когда он поцеловал ее в тюрьме Леблон, когда самолеты президента Суареса сносили с лица земли бетонные постройки.

— Я уже подумал, что мне придется стрелять, если ты по приказанию этого кретина откроешь дверь, — сказал Алекс через минуту. — И больше всего я боялся, что смогу попасть в тебя, Белла. Ну, вот мы снова и встретились. Я же говорил, что ты от меня не уйдешь.

— Вот, оказывается, кто проник в мою гостиную, пока я купалась в бассейне, — сказала Изабелла. — Это не был порыв ветра. Это был ураган. Ты, Алекс...

Коваччо ответил:

— После, к сожалению, неудавшегося покушения на президента Сантьяго за мной гнались все силы республики. Когда я оказался в этом богатом предместье, то знал, кто предоставит мне убежище. Ты так ловко расправилась с полицейскими!

— Они приходят ко мне практически каждую неделю, — сказала Изабелла и тут же добавила: — А как же нам быть с тобой, Алекс? Что ты собираешься предпринять?

— Во-первых, если ты не имеешь ничего против, я бы не отказался от легкого ужина и душа. Я был лишен естественных человеческих радостей восемь дней. А потом мы решим, что делать дальше...

Изабелла приготовила легкую закуску с напитками. Алекс здесь, она не могла в это поверить. Неужели судьба намеренно сталкивает их еще раз?

— Мой отец ненавидит тебя, — сказал ей Алекс. — После того как ты его бросила, он поклялся, что сживет тебя со света. Мне известно, что он, воздействуя на Сантьяго, добился закрытия твоего шоу.

— Да, это так, — с горечь произнесла Изабелла. Она еще не оправилась от того, что ее выбросили на улицу.

— Поэтому-то мы и хотели уничтожить диктатора. Диего Сантьяго пришел к власти под лозунгом новой демократии и уважения свобод, а на самом деле оказался жалким человечишкой, который отдал на растерзание своему клану всю страну. Он боится правды, поэтому и уволил тебя. Он боится смерти, поэтому перемещается по столице в бронированном автомобиле. Ну ничего, мы еще до него доберемся!

Ту ночь Изабелла и Алекс провели вместе. Она постелила ему на софе в гостиной, а сама пошла в спальню. Однако когда он бесшумно, как леопард, проскользнул к ней в кровать, она не стала возражать. Алекс оказался лучшим из мужчин, которые у нее были, а у Изабеллы имелся достаточный опыт. Они любили друг друга до рассвета, а затем, утомленные, заснули.

Когда Изабелла открыла глаза, то сквозь приспущенные жалюзи пробивались яркие лучи солнца. Алекса рядом не было. Она подскочила, испугавшись, что он тайно покинул ее виллу. Куда же он отправился, везде полицейские засады, все дороги, вокзалы, аэропорты контролируются.

Заслышав шум на кухне, она успокоилась. Алекс ее не бросил. Он появился с завтраком — кофе, йогурты, свежие булочки, мед, бананы.

— Ты сумасшедший, — прошептала Изабелла, отвечая на его поцелуй. — Где ты взял булочки?

— В булочной, где же еще? — с неподдельно-детским изумлением уставился на ее Алекс. — У вас здесь такие высокие цены! Как ты еще не разорилась!

— Ты дважды сумасшедший, — произнесла Изабелла, потягиваясь. — Тебя же везде ищут, тебя могли схватить. Представляешь — Алекс Коваччо, предводитель мятежников, арестован в булочной, где покупал сладости для своей любовницы.

— Ради тебя, Белла, — Алекс снова оказался в кровати и склонился над ней, — я готов рисковать всем, даже собственной жизнью. Мимо меня два раза прошли полицейские наряды, но не обратили ни малейшего внимания. А продавщица такая милашка...

— Что ты такое говоришь! — притворно возмутилась Изабелла. — Я же покупаю булочки каждое утро, я ее знаю — ей по крайней мере пятьдесят лет, кривые толстые ноги и тридцать килограммов лишнего веса...

— Дорогая, — Алекс заключил ее в объятия. — Если ты будешь увлекаться булочками по утрам, то тебе грозит та же участь. Поклянись мне, что не станешь такой!

Изабелла рассмеялась. Как же легко и приятно ей было с Алексом. Он — тот самый мужчина, о котором она мечтала долгие годы. Надежный, красивый, ему можно доверять...

Утренние часы они снова использовали для того, чтобы заняться любовью. Изабелла потеряла голову. Она же его любит. И Алекс, несмотря на то что ничего ей не говорит, тоже ее любит. Она видит отблеск этого сумасшедшего чувства в его темных глазах.

Как и любое счастливое мгновение, пребывание Алекса подходило к завершению. Они посмотрели телевизор. Дикторы подконтрольных президенту каналов — а такими были все вещающие в Коста-Бьянке каналы — с гордостью сообщили, что мятежник Алекс практически находится в руках спецслужб. Еще совсем немного — и он будет изловлен и предан справедливому суду.

— Это значит, что они расстреляют меня в камере пыток где-нибудь в подвалах Министерства внутренних дел, — сказал Алекс. — Они рано празднуют победу. Мне необходимо перебраться обратно в Санта-Терезу, Изабелла. И я прошу тебя помочь мне!

Изабелла почувствовала, что от этих слов ей становится не по себе. Алексу нужно уходить. Значит ли это, что она его больше никогда не увидит?

— Если хочешь, ты можешь уйти со мной в джунгли, — предложил он. — В ближайшие месяцы мы планируем полностью подчинить своей власти провинцию, это значит, что не за горами то время, Изабелла, когда я стану новым президентом Коста-Бьянки. И мне нужна ты, очень нужна...

Она не задумывалась и тотчас согласилась. Еще бы, что ждет ее в Эльпараисо — забвение, неизвестность и, возможно, смерть? Ей нравился вынужденный отпуск на вилле, она приучила себя получать от этого определенное удовольствие, но не могла же она еще десять лет загорать около бассейна и читать в саду? Ей скоро двадцать шесть, годы летят, не останавливаясь. То, чего она добилась в этой жизни, уже является прошлым.

— Да, Алекс, я пойду с тобой, — произнесла она.

Он ответил:

— Я так и знал, Белла. В тот самый момент, когда ты вошла в кабинет директора в тюрьме Леблон, я знал, что ты станешь моей. Мы удивительно дополняем друг друга. Вместе мы добьемся всего в этой жизни.

— Но как мы попадем в Санта-Терезу? — спросила Изабелла. Разум постепенно стал брать верх над чувствами. — Туда ходят только поезда, самолеты после начала мятежа больше не летают. Алекс, твои фотороботы вывешены по всей стране. Они же схватят тебя, как только ты появишься на улице.

— Еще бы, — сказал Алекс. — Сантьяго обещал миллион реалов за помощь в том, чтобы поймать меня. Подозреваю, что эти деньги выплатит мой отец. Он спит и видит меня в тюремной камере или, что еще лучше, на виселице.

Изабелла потерла виски. У нее родилась отличная идея. Она бросилась к телефону, но потом сказала:

— Вполне вероятно, что мой номер прослушивают. Мне необходимо сделать один звонок, Алекс. Подожди меня, пожалуйста, на вилле!

Она отправилась в расположенную недалеко аптеку, где имелся телефон-автомат. Она позвонила Карлу Мейзингеру, человеку, который изменил ее жизнь, ее учителю и первой любви. Карл взял трубку на двадцать седьмом гудке. Изабелла, как всегда упорная, терпеливо ждала. Она знала, что Карл ведет ночной образ жизни и днем спит до двух или трех часов.

— Белла, рад тебя слышать, моя крошка, но почему ты звонишь так рано, — произнес он заспанно-недовольным голосом. — Боже мой, всего половина двенадцатого! Я не могу поверить, моя дорогая, что я поднялся ни свет ни заря! Ты украла у меня еще три часа здорового сна!

— Интересно, в чьих объятиях? — игриво поинтересовалась Изабелла. — Карл, мне требуется твоя помощь. Причем немедленно.

— Я к твоим услугам, Белла, — бодро зевая, проговорил Карл. — Но в чем, собственно, дело? Увы, у меня нет влияния на решения, которые принимают телевизионные начальники, я бы с радостью возобновил твое ток-шоу. Знаешь, я смотрел каждый выпуск и записывал его на кассеты. Ты — моя гордость! Ты самая лучшая из моих учениц!

Изабелла знала, что Карл с особым трепетом относился к ней. Когда-то, в самом начале ее карьеры... карьеры проститутки, он любил ее. Она, возможно, тоже. Но тогда она была глупой и наивной девчонкой.

— Достань мне инвалидную коляску, одежду монахини и гримера. Мне нужно это в течение двух часов. Записывай мой адрес, Карл. Я сейчас живу не в столице, а в пригороде. Ты сможешь привезти мне все это?

— Ты что, опять работаешь содержанкой? — без обиняков спросил Карл. — У меня есть также симпатичный костюмчик медсестры и стюардессы, тебе это не требуется? У твоего приятеля извращенные фантазии, дорогая Белла!

— Карл, без разговоров, — оборвала его серьезным тоном Изабелла. — Ты же не хочешь, чтобы меня убили? Или чтобы я потеряла человека, который мне дороже всего на свете?

Мейзингер заверил, что ради прекрасной Беллы он готов пожертвовать утренним сном и отправится к ней тотчас же.

Он не подвел — его желтый гоночный автомобиль замер около ворот ее виллы спустя час и сорок семь минут. Мейзингер, облаченный, как всегда, в изящный костюм эльпараисского денди, выволок инвалидное кресло. Вместе с ним приехал гример — вертлявый, женоподобный, ужасно худой мужчина с подведенными тушью глазами и подозрительно розовыми губами.

— Это Жан, он работает на киностудии, — представил его Карл.

Хозяйка Изумрудного города

Антон ЛЕОНТЬЕВ

Жан рассыпался в комплиментах и попросил у Изабеллы автограф.

— Мне очень важно, чтобы никто и никогда не узнал о том, что здесь произойдет, — сказала Изабелла, проводя гостей на террасу к бассейну.

— Ну что ты, моя дорогая, — всплеснул наманикюренными и унизанными серебряными кольцами руками гример Жан. — Я буду нем, как могила. Карл, мой милый, ты же меня знаешь...

— Очень хорошо знаю, — сказал Мейзингер. — Поэтому и выбрал тебя, Жанно. Изабелла, тебе не стоит беспокоиться, мы не позвоним в полицию. Но кого же ты прячешь у себя?

Когда из дома показался Алекс Коваччо, у Жана отвалилась челюсть, а глаза полезли на лоб. Он экспансивно схватил Мейзингера за локоть и заверещал тонким голосочком:

— Карло, это же Алекс Коваччо! Его разыскивает полиция!

— И не только полиция, — вместо приветствия сказал Алекс. — Также спецслужбы и военные. Вы правы, на меня устроили настоящую охоту.

Мейзингер, моментально оценив ситуацию, произнес:

— Жан, ты ни о чем не проболтаешься. Учти, стоит тебе только пискнуть, и твое худосочное тельце найдут в канаве. Ты же не хочешь так закончить свои дни?

— Что ты, что ты, — залепетал гример. — Я уже обо всем забыл, я даже ничего не видел!

— Вот и хорошо, — Карл погладил его по напомаженным волосам. — Изабелла, как я понимаю, тебе требуется, чтобы Жан изменил внешность Алексу?

— И мне тоже, — сказала Изабелла. — Мне не так уж часто приходилось просить кого-то изуродовать себя, но теперь я прошу — сделайте из меня страшилище!

Гример Жан, окинув ее профессиональным взглядом, вздохнул:

— Это будет крайне сложно, Белла, но я попробую.

А в кого мы будем превращать нашего мужественного Алекса?

— В инвалида, именно поэтому мне и понадобилось кресло на колесиках, — ответила Изабелла. — Героя войны.

Карл вытащил из кармана два паспорта.

— Это для тебя и для Алекса, — произнес он. — Подделка не лучшего качества, но будем надеяться, что вас не будут трясти слишком тщательно. После того как Жан сделает вам новую внешность, я щелкну вас, и мы вклеим ваши фото в документы.

— Отлично, — расцвел Жан. Он распахнул большой чемодан, который привез с собой, и начал колдовать над внешностью Изабеллы и Алекса.

Вечером того же дня на центральном вокзале Эльпараисо появилась вызывающая уважение и сочувствие пара. Пожилая, сгорбленная, толстая монашка в темном одеянии и роговых очках. На вид ей было никак не меньше шестидесяти — морщинистая кожа, бородавка на подбородке, седые волосы. Она катила кресло, в котором сидел господин лет семидесяти пяти. С трясущейся головой, одетый в военный френч, увешанный множеством наград. Усатый, когда-то, возможно, импозантный, сейчас он производил жалкое впечатление. Его впалые щеки покрывала многодневная щетина, глаза закрывали темные очки, голова свесилась на сторону.

Монашка, переваливаясь с боку на бок, подошла к билетной кассе. Ей требовалось два билета до Форта-де-Испаньолы, столицы провинции Санта-Тереза.

— К сожалению, билеты в эту провинцию заказываются заранее, — сказала кассирша.

Монашка глубоко вздохнула и прошепелявила, обнажая крепкие желтые зубы:

— Я сопровождаю генерала Людовика Партейро, героя войны. Он умирает, у него болезнь Альцгеймера. Его последним желанием, когда он мог еще говорить и

Антон ЛЕОНТЬЕВ

узнавал родственников, было умереть на родине, в Санта-Терезе. Я вас очень прошу, ему осталось жить всего несколько недель...

Кассирша с жалостью посмотрела на человеческую развалину, сидевшую в инвалидном кресле, и выбила два билета.

— Но только в первом классе, сестра.

— О, это не проблема, у меня есть деньги. — И она расстегнула кошелек, в котором лежала пухлая пачка банкнот...

Гример Жан постарался на славу, никто не мог заподозрить, что умирающий генерал на самом деле не кто иной, как Алекс Коваччо, предводитель мятежников, которого разыскивает вся Коста-Бьянка.

Когда Изабелла, ставшая на время монахиней-доминиканкой, втолкнула кресло с Алексом в купе, то закусила губу. В купе располагалось несколько полицейских чинов — судя по погонам, никак не меньше полковника.

Завидев монахиню, которая сопровождала инвалида с генеральскими погонами, они почтительно привстали. Изабелла развернула коляску, нужно было срочно сменить купе. Она не могла рисковать и ехать почти восемь часов вместе с теми, кто охотится на Алекса.

— Сестра, мы вам не помешаем, прошу вас, — один из полицейских уступил ей место у окна.

— Благодарю, — процедила Изабелла. Ничего не оставалось делать. Поезд отправился в путь.

Полицейские оказались на редкость любопытными и болтливыми. Изабелле пришлось повторить историю про умирающего генерала, которого она везет на родину в Санта-Терезу.

— О да, сам великий Людовик Партейро, — сказал один из полицейских. — Я читал про него...

Изабелла едва не рассмеялась — имя она выдумала с ходу. Алекс, прилежно изображая впавшего в маразм легендарного героя, тряс головой и пускал слюни.

Когда поезд подходил к Санта-Терезе, в купе вошли

полицейские. Завидев высокопоставленных коллег, они отдали честь и потребовали у Изабеллы и Алекса документы. Один из полковников возмущенно произнес:

— Сержант, как вы смеете! Это же сам Людовик Партейро, вы должны его знать! Генерал в сопровождении сестры едет к себе в поместье умирать. Стыдно не знать генерала Партейро! Я сообщу о вашем безобразном поведении начальству!

Грозный окрик и командный тон возымели действие — Изабеллу и Алекса пропустили, даже не проверив документы. На вокзале Форта-де-Испаньолы полицейские, которых забирал вместительный минивтобус, предложили Изабелле довезти генерала до его особняка.

— Нет, спасибо, — Изабелла указала на роскошный «Роллс-Ройс», припаркованный к зданию вокзала. — Нас уже ждут. Счастливого вам пути, господа полицейские!

— Спасибо, — ответил один из них. — Мы приехали сюда, чтобы подавить восстание. И поймать, наконец-то, этого подлеца Алекса Коваччо.

— Повесить, повесить мерзавца! — пронзительным голосом сумасшедшего закричал вдруг старый генерал. — Повесить, повесить!

— Генерал прав! — Полицейские отдали ему честь. — Алекса Коваччо необходимо вздернуть. И мы приложим все силы, чтобы это произошло в самое ближайшее время.

Расставшись с полицейскими, Изабелла отвезла коляску с Алексом за несколько кварталов от вокзала. Там они бросили кресло, Алекс превратился в пожилого военного, который мог передвигаться самостоятельно.

— Изабелла, ты не раздумала идти со мной? — спросил он, поцеловав ее. Они со стороны смотрелись более чем странно — статный пожилой военный целует толстую монашку.

— Нет, Алекс, я всегда буду с тобой, — произнесла она.

Хозяйка Изумрудного города

Коваччо сказал:

— Мне нужно побывать на квартире одного из товарищей, он переправит нас в джунгли. Он живет неподалеку. Подожди меня, прошу тебя. Я буду отсутствовать не более двух часов. Я заберу тебя, и мы отправимся в мой лагерь.

Изабелла, усевшись на деревянную скамейку около фонтана, с волнением стала ждать возвращения Алекса. Она нашла человека, ради которого была готова пожертвовать жизнью. Алекс, как же она любит его...

Прошло около часа, когда на привокзальной площади возникли первые джипы с военными. Изабелла ничего не понимала. Они оцепили площадь. К ней подошел солдат и командным тоном приказал покинуть площадь. Изабелла отказалась это сделать. Она же ждала Алекса...

— Сестра, — грубо сказал тот. — У вас что, ушей нет? У нас особые полномочия, вокзал на время закрыт, все обязаны очистить площадь. Или вы хотите, чтобы мы вас арестовали?

Ей пришлось подчиниться. Она могла ждать неподалеку, Алекс поймет, что она по-прежнему собирается уйти с ним.

Изабелла прождала всю ночь среди всполохов военных прожекторов, переклички военных и шума моторов. Алекс не появился. Не появился он и утром.

Он не пришел.

Ее пронзил страх, что же случилось с Алексом? Его схватили во время облавы? Или он передумал? Передумал забирать ее... Но как же так, все его слова о любви оказались фикцией...

Изабелла, переодевшись в туалете, сняла номер в дешевой гостинице. Она дождалась, когда через неделю возобновится железнодорожное сообщение между провинцией и столицей, и сумела-таки добраться до Эльпараисо. Ну что же, видимо, ей снова придется ждать того момента, когда Алекс окажется в ее кофейной комнате. Будет ли это когда-нибудь — она не знала.

Она продолжала следить за политическими событиями в Коста-Бьянке, которые развивались с почти космической скоростью. Полковник Рамон ди Сан-Стефано получил долгожданные погоны бригадного генерала. Он доблестно проявил себя в борьбе с мятежниками в провинции.

Официозные газеты и телеканалы стихли, об Алексе никто не вспоминал. Как знала по своему журналистскому опыту Изабелла, это добрый знак. Он жив, его не схватили, иначе бы в средствах массовой информации царила подлинная истерия. И у нее есть надежда, что она увидит его.

Рамон ди Сан-Стефано был назначен президентом Сантьяго на пост министра обороны. Изабелла по этому поводу даже распила в одиночестве бутылку шампанского. Потом появились слухи о его предстоящей женитьбе на Лилиан, той самой безобразной и богатой девице, которую ему подыскал брат-архиепископ.

Изабелла по-прежнему наслаждалась праздным ничегонеделаньем. Но она стала замечать, что подобный образ жизни тяготит ее. Пройдет месяц, затем еще полгода — и что дальше? Она живет как будто под домашним арестом.

И самое ужасное, что рядом нет Алекса...

— Экстренное сообщение, — диктор внимательно пробежал глазами текст, который невидимые руки положили ему на стол.

Изабелла, как обычно, поздно вечером смотрела телевизор. Она предпочитала иностранные каналы, благо у нее имелась «тарелка». Программы Коста-Бьянки, все, как на подбор, показывали сериалы, выпускаемые в огромных количествах местными киностудиями, глупые ток-шоу и новости, в которых президент Диего Сантьяго прославлялся как герой Отчизны и мудрый вождь.

Изабелла не обратила внимания на слова «экстренное сообщение». Скорее всего, раскрыт очередной заговор или предотвращена попытка покушения на Сантьяго.

— Президент только что подписал указ об отставке

Хозяйка Изумрудного города

министра обороны генерала Рамона ди Сан-Стефано, — сказал диктор. — Причина подобного решения главы государства — участие генерала в противоправительственных действиях...

— Ну что же, Рамон, прими мои соболезнования, — Изабелла отсалютовала экрану телевизора. — Пришла и твоя пора. Ты продержался чуть больше четырех месяцев.

Рамон и до назначения на пост министра был популярен среди военных. Изабелла, достаточно хорошо изучив ди Сан-Стефано, не знала, чем конкретно это объясняется. Он не блистал умом и тем более красноречием, не одержал крупных побед... Но зато имел пышную фамилию, импозантную внешность, мелькал в светской хронике и преданно служил власть имущим. И все же Рамон, в отличие от архиепископа, был склонен к авантюрам. Наверняка он тайно мечтал о президентском кресле. И, разумеется, попался в глупую ловушку.

Ей было даже немного жалко экс-любовника. Она хотела позвонить архиепископу, но потом передумала. Собственно, зачем? Они оба оскорбили ее, и все, что теперь происходит с ними, ее не касается.

Одной отставкой дело не ограничилось. В Коста-Бьянке один за другим проходили скандальные судебные процессы, на которых врагов президента Сантьяго, реальных или мнимых, безжалостно приговаривали к огромным срокам заключения или смертной казни. Президент, хитрая бестия, таким образом избавлялся и от чересчур популярных и представляющих для него опасность соперников. Видимо, Рамон ди Сан-Стефано был зачислен в подобную категорию. Молодой военный, уже в генеральском звании, пользующийся авторитетом среди военных, — это вызывало опасения. Диего Сантьяго пришел к власти не для того, чтобы потерять ее в результате путча.

Вначале Рамона заключили под арест на его вилле, через два дня перевели в государственную тюрьму. Обвинения звучали крайне серьезно — подготовка заговора, желание ликвидировать законную власть и, как обычно, траты государственных средств. В последнем был замешан любой политик Коста-Бьянки, и сам президент не был исключением.

Немедленно родители Лилиан расторгли помолвку и отменили свадьбу, которая планировалась на середину декабря. Архиепископ Эльпараисский в небольшом интервью, нервный и мучительно подыскивающий слова, заявил, что не имел ни малейшего представления о планах брата и сожалеет о случившемся.

— Я надеюсь, что его высокопревосходительство господин президент будет милостив к моему брату. Да смилуется господь над его грешной душой, — такой фразой закончил Флориан интервью.

Изабелла поразилась, с какой легкостью он отрекся от опального брата. Рамон пережил то, через что не так давно пришлось пройти ей. Но ему грозит тюрьма или, скорее всего, расстрел.

Поздно вечером 17 октября на ее вилле раздался телефонный звонок. Изабелла, уже успевшая заснуть, не хотела брать трубку, но потом заставила себя — вдруг это Алекс? Каждый раз, когда в саду раздавался шорох, она грезила, что перед ней снова возникнет Коваччо-младший. Кто еще может звонить ей в такое неурочное время? За последнюю неделю ей позвонили всего единожды, и то это оказался ее портной, который отменял примерку нового костюма.

— Изабелла, — услышала она взволнованно-жалобный голос. — Это я, Рамон ди Сан-Стефано...

Она сразу узнала его и поразилась: как же жалобно и неуверенно звучал его голос. Рамон был крайне напуган.

— Изабелла, прошу тебя, не бросай трубку, — зашептал он. — Ты моя последняя надежда. Я звоню из тюрьмы, они думают, что я говорю с адвокатом. Но эта сволочь работает на Сантьяго, как пить дать. Они обвиняют меня черт знает в чем. Ты знаешь, я не святой, но они пытаются сделать из меня Франкенштейна и повесить все преступления. Изабелла, мне грозит расстрел.

Хозяйка Изумрудного города

Через два дня начнется процесс, они хотят провести его в течение суток и вечером привести приговор в исполнение...

Она не могла вставить и слова, Рамон выливал на нее потоки информации, даже не спросив, как у нее дела. Впрочем, что еще она могла ожидать от человека, которому осталось жить всего несколько дней.

— Флориан меня предал, мои друзья отвернулись, никто не хочет помочь мне, — продолжал Рамон. — У меня есть только ты, Изабелла.

— А как же твоя возлюбленная Лилиан? — спросила Изабелла.

Рамон застонал на другом конце провода:

— Белла, я был такой дурак, когда отверг тебя. Извини меня за обидные слова, за ту боль, которую я причинил тебе. Я же не любил эту богатую недотрогу, она была мне нужна как прикрытие, как респектабельный фасад... Ты же совсем другая, Белла... Я все еще тебя люблю!

Изабелла ему не верила. Она могла положить трубку — и оставить Рамона наедине с самим собой в камере смертников. И все же она так не поступит.

— Что ты хочешь от меня, Рамон? — спросила она. — Как я могу помочь тебе?

— Для начала посети меня в тюрьме. Я доверяю только тебе, Изабелла. Ты должна помочь вытащить меня отсюда. Запомни, мне осталось всего несколько дней...

Их разъединили. Истекли десять минут, отведенных Рамону на разговор с адвокатом. Рамон в беде и обратился за помощью именно к ней. Он хочет невозможного — чтобы она освободила его. Но как она сможет это сделать?

Следующим утром она отправилась на свидание в государственную тюрьму. Ей стоило неимоверных усилий добиться права увидеться с Рамоном.

— Сеньора Баррейро, кем вы доводитесь заключенному? — добивались от нее.

Подумав, Изабелла ответила:

— Невестой.

Ее пропустили. Изабеллу провели по мрачным коридорам в комнату для свиданий. Рамон сидел, отделенный от нее прозрачным пуленепробиваемым стеклом. Они могли общаться при помощи допотопного телефона.

Он выглядел уставшим, измученным и обреченным. Кто бы мог узнать в этом трясущемся, бледном человеке с всклокоченными волосами и синяками под глазами бравого генерала Рамона ди Сан-Стефано, бывшего министра обороны, любимца женщин?

— Спасибо, Белла, — проронил он в трубку. — Я тебе очень благодарен за то, что ты не бросила меня. Ты выглядишь великолепно.

Она, облаченная в стильное платье, отороченное соболиным мехом, была королевой, спустившейся в подвалы своего замка.

— Изабелла, помоги мне, — сказал Рамон, судорожно оглядываясь на надзирателей, которые внимательно наблюдали за их беседой. — Прошу тебя... Я написал Сантьяго, пытался объяснить, что ни в чем не виноват...

— Дурак, — кратко ответила Изабелла. — Именно Сантьяго и инициировал твою отставку. Ты для него соперник, Рамон. Мне совсем не интересно знать, затевал ли ты что-то против него или нет. Как я могу тебе помочь?

Ди Сан-Стефано, посмотрев еще раз на тюремщика, прошептал:

— Обратись в Эльпараисо к Рахиль, она живет на Атлантическом бульваре, дом 753. Она знает, как вызволить меня. Прошу тебя, Изабелла!

— Хорошо, — ответила Изабелла. — Я сделаю все, что в моих силах. Рамон, не распускай себя...

Она отыскала нужный дом. Атлантический бульвар был когда-то главным проспектом Эльпараисо, но после генеральной перестройки столицы в середине пятидесятых он превратился в улицу, где проживали богатые холостяки и дамы легкого поведения. На входе

Хозяйка Изумрудного города

в особняк из желтого кирпича была всего одна табличка — «Рахиль». Без фамилии и указания профессии. Изабелла позвонила.

Дверь тихо распахнулась, как будто ее ждали. Она удивленно всмотрелась — никого. Кто же впустил ее? Изабелла прошла по узкому темному коридору и попала в гостиную, обставленную так же безвкусно, как и богато.

Навстречу, из-за колыхающейся шелковой занавески павлиньей раскраски, выплыла дородная женщина в слишком коротком и узком платьице с огромным декольте. В руке с кроваво-длинными ногтями она зажала янтарный мундштук с дымящейся сигаретой.

— Рахиль? — спросила Изабелла.

Та ответила утвердительно.

— Я по поручению Рамона ди Сан-Стефано, — продолжила Изабелла.

При упоминании этого имени Рахиль скривилась:

— Я не хочу ничего знать об этом обманщике. Ты что, тоже его баба?

— Была ей когда-то, — сказала Изабелла. — Он просит о помощи и говорит, что ты сможешь помочь ему. Он сейчас в тюрьме, и через три-четыре дня, если не произойдет чуда, его казнят.

— Ну и поделом мерзавцу, — сказала, выпустив сизый дым из носа, Рахиль. — Дьяволята будут рады новому гостю в аду. Ладно, проходи. Мне знакомо твое лицо, где же я тебя видела?

Рахиль угостила Изабеллу отвратительным кофе. Она когда-то была любовницей Рамона, он обещал на ней жениться, но затем бросил.

— С тех пор, дорогуша, прошло два года, и за эти два года он ни разу не дал о себе знать. И вот, когда понадобилась помощь, он опять обратился ко мне. Я следила за его карьерой и всегда знала, что добром это не кончится. Карты раскрыли мне его судьбу.

Рахиль была профессиональной гадалкой. Она предложила Изабелле предсказать судьбу, но та отказалась.

— И правильно делаешь, незачем заранее знать, что

тебе уготовано. Значит, Рамон хочет, чтобы я ему помогла. Если он прислал тебя ко мне, то уверен, что не разболтаешь ничего лишнего. Я помогу ему, но в последний раз. Тебе наверняка знакомо имя Алекса Коваччо?

Услышав имя любимого, Изабелла окаменела. Что связывает эту крашеную третьеразрядную Кассандру и Алекса?

— Алекс Коваччо — именно тот человек, который нам поможет, — не замечая состояния Изабеллы, продолжала вещать Рахиль. — У него везде есть свои люди. Они освободят Рамона.

Изабелла постаралась не выдать своего счастья. Она снова увидит Алекса!

— Алекс Коваччо... Он сам приедет в Эльпараисо? — спросила она гадалку.

Та отрицательно покачала головой:

— О нет, это слишком опасно, да и, кроме того, он ненавидит таких типов, как Рамон.

Гадалка извинилась, вышла в другую комнату и села на телефон. Ей потребовалось полтора часа, чтобы урегулировать все детали. Изабелла не стала спрашивать ее, что именно планируется. Тем же вечером в особняке на Атлантическом бульваре появились новые лица. Изабелла никогда бы не сказала, что они относятся к противникам президента Сантьяго. Богатый промышленник, известный писатель, несколько представителей криминального мира. Эту разношерстную публику объединяло одно — желание как можно скорее покончить с режимом нынешнего президента Коста-Бьянки.

— Ну что же, единственная возможность освободить генерала ди Сан-Стефано — это похитить его, — сказал один из собравшихся. — Суд начнется через два дня, это точно известно. Думаю, именно после оглашения приговора самый подходящий момент.

Изабелле поручили держать связь с Рамоном. Она снова наведалась в тюрьму, где в осторожных выражениях изложила ему в общих чертах план. Ди Сан-Стефано на глазах возродился к жизни, он почувствовал, что вновь может оказаться на свободе.

— Изабелла, я так тебе благодарен, — произнес он, но она оборвала его:

— Ты отблагодаришь меня после того, как выйдешь из тюрьмы. Рамон, мы сможем тебя похитить, а что дальше?

Сама Изабелла знала, что она предпримет дальше. Если у Рахиль имеется выход на Алекса, то она добьется с ним встречи. Но почему он сам не пришел к ней, не подал сигнал... Она же ждет его.

— Не знаю, — кусая ус, произнес Рамон. — У меня есть один план, Белла, и ты тоже задействована в нем.

— О нет, — произнесла Изабелла. — После того как ты окажешься на свободе, я не хочу иметь с тобой ничего общего. Мы расстанемся окончательно, запомни это.

Глаза Рамона сверкнули, он вкрадчиво проговорил, становясь прежним дамским угодником и светским львом:

— Белла, не сердись на меня. Думаю, ты согласишься на мое предложение. Но ты права — для начала вытяните меня из этой западни.

— Ну что же, мой милый генерал, — сказала Изабелла, — тогда тебе придется следовать некоторым указаниям.

Надзиратель потерял интерес к беседе бывшего министра обороны с невестой. Надо же, какая красивая женщина, он много раз видел ее по телевизору. А бедняге генералу не повезло — его расстреляют.

— Я все понял, — произнес ди Сан-Стефано. — Но мне кажется, это очень опасно. И, кроме того, я не хочу иметь ничего общего с этим бастардом Алексом Ковачо. Мне не удалось его поймать и повесить...

— Повесить могут тебя, Рамон, — оборвала его Изабелла. — Алекс Ковачо идет на смертельный риск, чтобы вызволить тебя. Вы — политические антиподы и в то же время крайне похожи.

— Вот уж чего бы никогда не стал утверждать, — фыркнул Рамон.

Свидание закончилось, Изабелла покинула тюрьму. Прошел еще один день, заполненный подготовкой к вызволению Рамона ди Сан-Стефано из лап так называемого коста-бьянкского правосудия.

Наконец, наступил день суда. Изабелла, заранее добившаяся, чтобы ей предоставили место в зале заседания, предпочла строгий темно-красный костюм и одиночный овальный рубин на золотой цепочке. Суд проходил в экстренном порядке, на него допускалась только «своя» пресса и несколько десятков зрителей, которые должны были наблюдать за торжеством коста-бьянкского правосудия.

В девять часов утра процесс, больше напоминавший спектакль, начался. Рамон предстал перед тремя военными судьями. Прокурор, также военный, к тому же бывший подчиненный Рамона, имевший на него зуб, зачитал список преступлений, в совершении которых обвинялся генерал. Ди Сан-Стефано держался на редкость мужественно. Однако Изабелла, знавшая, что весть о предстоящем побеге окрылила его, понимала, почему он снова выглядит героем дня.

— Я отвергаю все ваши инсинуации, — заявил он, когда один из судей спросил его, согласен ли он с выдвинутыми против него обвинениями. — Ни один из пунктов не соответствует действительности. Президент Диего Сантьяго, этот кровавый диктатор...

— Достаточно! — судья оборвал его. — Подсудимый, вы лишаетесь права голоса на весь процесс. Господин адвокат, есть ли у вас что-то, что вы можете сказать в защиту обвиняемого?

Адвокат, также представитель военного корпуса, практически не защищал Рамона. Он сводил все к одному: президент страны должен проявить милосердие и наказать, но не слишком жестко, бывшего министра...

— Генерал ди Сан-Стефано пытался свергнуть конституционную власть, легитимность которой подтверждена всенародными выборами, — вещал прокурор.

— Президент сам пришел к власти при помощи военного мятежа, — сказал Рамон, но его слова остались без внимания.

— В нашем распоряжении оказались письменные признания участников заговора, все они однозначно свидетельствуют о том, что вы, генерал, безусловно виновны. Кроме того, — судья взглянул на лист бумаги, который содержался в спешно доставленном ему пакете, — кроме того, специальным указом президента, который является верховным главнокомандующим вооруженными силами Коста-Бьянки, вы лишаетесь всех военных регалий и разжалованы в рядовые. Отныне вы не генерал!

Рамон продолжал загадочно улыбаться. Те, кто не знали, что ди Сан-Стефано надеется на быстрое освобождение, считали его крайне мужественным человеком. Изабелла же помнила, как он едва не плакал, умоляя ее помочь ему выбраться из тюрьмы.

Заседание длилось семь часов без перерыва. Судьи, не выслушав ни единого свидетеля, а опираясь только на письменные показания, которые были выбиты под пытками, удалились для вынесения приговора.

— Именем Республики Коста-Бьянка, — начал зачитывать приговор военный судья, после того как тройка вернулась, просовещавшись всего двадцать минут, — господин Рамон Эстебальдо ди Сан-Стефано признается виновным в планировании антиконституционных действий и организации военного заговора с целью свержения и последующего умерщвления законного президента республики его высокопревосходительства господина Диего Алонзо Сантьяго. С учетом тяжести данного преступления и его несомненной общественной опасности обвиняемый приговаривается к смертной казни через расстрел. Приговор военного суда окончательный и обжалованию не подлежит. Привести приговор в исполнение надлежит в течение двадцати четырех часов!

Изабелла, готовая к подобному повороту событий, почувствовала, что у нее возникла пульсирующая головная боль. А что, если их попытка освободить Рамона потерпит крах? Тогда они обрекут его на смерть. Рамон не вызывал у нее симпатии и сожаления, но отправлять его на смерть...

Брат Рамона, архиепископ Эльпараисский, облаченный в алые одежды, насупившись, сидел в первом ряду. Он олицетворял собой всепрощающую мать-церковь. Он сделал вид, что не заметил Изабеллу, хотя она видела, что, поворачиваясь, якобы случайно, он бросает на нее пламенные взоры. Надо же, архиепископ еще не смирился с тем, что она отвергла его притязания. Что он делает на процессе? Неужто Флориан пришел убедиться, что его старший брат, которого он всегда ненавидел, на самом деле будет приговорен к смертной казни?

— Я обещаю, что вы поплатитесь за попрание норм закона, — заявил Рамон.

— Конвой, уведите приговоренного, — сказал судья и добавил: — Заседание суда окончено. Всем немедленно очистить помещение.

Судьи удалились через боковую дверь, Рамон в окружении трех полицейских с автоматами исчез в неизвестном направлении. Немногочисленных зрителей, в том числе Изабеллу, практически вытолкали на улицу. Она смогла увидеть, как Рамона погрузили в тюремный, обшитый броней автомобиль, и тот моментально сорвался с места.

Изабеллу кто-то тронул за локоть. Она обернулась. Это была Рахиль. Гадалка прошептала:

— Нам нельзя терять ни минуты, Изабелла. Быстрее, следуй за мной!

Они скрылись за соседним зданием, где их ждал автомобиль. Он отвез их к частному аэродрому. Крошечный самолет с эмблемами крупного нефтяного концерна был готов к взлету.

— Теперь нам остается только надеяться, что с Рамоном и командой, которая должна освободить его, все в порядке, — сказала Рахиль. — Я пять раз обращалась к картам, однако они не желали давать ясного ответа. Такое бывает крайне редко. Это значит, что тот, от кого зависит наша судьба, еще сам не знает, как будут развиваться события.

Они ждали около четырех часов. Изабелла с каждой минутой чувствовала, что волнение и напряжение нарастают. И вовсе не из-за того, что Рамон мог погибнуть. Она порами кожи ощущала, что увидит Алекса, ее возлюбленного Алекса.

Наступил вечер, когда на аэродром влетело два джипа. Дверцы распахнулись, из них вывалились люди в масках и с оружием. Последним вышел Рамон.

Сияющий. Торжествующий. Спокойный. Его заточение́ было позади, он — свободный человек.

— Быстрее, — прокричала Рахиль. — Все в самолет, мы немедленно улетаем.

— И куда мы полетим? — произнес недовольным тоном ди Сан-Стефано. — Я не хочу присоединяться к мятежникам. — Он дернул плечом, взглянув на людей, которым был обязан жизнью.

— Рамон, ты все такой же, чванливый и неблагодарный, — Рахиль втолкнула его в самолет. — Можешь оставаться, но тогда в течение часа ты точно будешь мертв.

Словно не замечая бывшей любовницы, Рамон обнял Изабеллу. Она, утомленная ожиданием, даже не сопротивлялась. Однако когда он попытался ее поцеловать, то она ударила его по щеке.

— Рамон, не будь таким бесцеремонным, — сказала она.

Ди Сан-Стефано оскорбился:

— Раньше ты не была такой недотрогой, Изабелла, в чем же дело?

Самолет уже давно был в воздухе, когда по радио прошли первые скупые сообщения о том, что осужденный ди Сан-Стефано бежал. Два автомобиля с вооруженными до зубов головорезами преградили дорогу тюремному фургону. Полицейские были перебиты, а бывший генерал, которого везли к месту экзекуции, исчез. За сообщение о его местонахождении правительством была установлена награда в размере пяти миллионов реалов. И ни слова о том, что во всем замешан Алекс Коваччо.

— Я сумел переплюнуть по значимости самого Алекса Коваччо, за меня предлагают целых пять миллионов, а за него всего один. Я войду в историю Коста-Бьянки, — горделиво произнес генерал. — Сантьяго падет в течение ближайших месяцев...

Но его словесные экзерсисы никому не были интересны. Самолет продолжал лететь в глубь страны. Наконец, сделав плавный вираж, он пошел на снижение.

— Приготовьтесь к тому, что сейчас будет трясти, — предупредил всех пилот. — Это заброшенный военный аэродром в джунглях.

Посадка на самом деле была жесткой, Изабелла едва не сломала себе шею, хорошо, что Рамон в последнюю секунду подхватил ее.

— Дорогая, ты не имеешь права погибнуть так глупо, — сказал он.

Ей не удалось увернуться от поцелуя. Ди Сан-Стефано был настроен весьма решительно. Чего он хочет, возобновления отношений? Она никогда не пойдет на это, он ей не нужен, ведь у нее есть Алекс. Алекс, который находится поблизости. Они прибыли в лагерь повстанцев, затерянный в джунглях.

— Алекс хочет поговорить с вами, — один из мятежников тронул генерала за плечо. — И с вами тоже, — добавил он, обращаясь к Изабелле.

Они проследовали за ним в темноте. Джунгли были наполнены различными звуками — криками обезьян, отдаленным ревом леопардов, шелестом листьев, стрекотом насекомых. Изабелла ничего не видела, она полностью доверилась провожатому, который с кошачьей грацией и ловкостью, как будто видя во тьме, вел их по едва заметным тропкам в чащу.

Час путешествий по джунглям показался вечностью. Было около пяти утра, когда они оказались на

Антон ЛЕОНТЬЕВ

месте. Перед ними раскинулись заросшие лианами кирпичные постройки пятидесятилетней давности.

— Это бывшая экспериментальная лаборатория одного из диктаторов, — пояснил тот, кто вел их. — Здесь пытались вырастить штаммы чумы и сибирской язвы. Не беспокойтесь, она давно не функционирует.

Они прошли в обветшалое здание, которое внутри было обставлено как современный офис — стекло, сталь, мрамор. Их провели к лифту, уносившему под землю. Еще несколько минут, и они оказались на подземном ярусе. Штаб мятежников ни в чем не уступал, а, скорее, даже превосходил президентский бункер.

Как и год с лишним назад, Изабелла шагнула в кабинет, где ее ждал Алекс. Спартанская обстановка, тихий гул работающего суперкомпьютера, матовый отблеск большого монитора. Человек, сидевший в кресле спиной к двери, повернулся.

Это был Алекс. Он ничуть не изменился с момента их последней встречи. Он подал руку Рамону. Ди Сан-Стефано, немного поколебавшись, пожал ее. Изабелла ожидала, что Алекс хотя бы поцелует ее, но он, скользнув по ней глазами, даже не поздоровался.

— Господин Коваччо, я приношу вам свою благодарность за мое, так сказать, вызволение, — промямлил Рамон. — Я обязан вам жизнью.

— Прошу вас не забывать об этом, генерал, — сказал Алекс. — Мне совершенно не доставило удовольствия помогать вам. Вы один из тех, кто привел к власти Сантьяго и верно служил ему. Только то, что мои лучшие друзья просили за вас, побудило меня содействовать вашему освобождению. Вы же руководили военной операцией, целью которой было уничтожить мои отряды и убить меня. Я об этом не забываю. Но не забываю и о том, что в данный момент вы мой гость. Некоторые из моих ребят жаждали поставить вас к стенке и тем самым привести в исполнение приговор военного суда. Но... Бояться вам нечего, Алекс Коваччо никогда не изменяет своему слову.

Рамон сжал губы. Он не привык, чтобы с ним разговаривали в таком тоне, но сейчас он полностью зависел от Алекса Коваччо.

— Мы не выносим друг друга, более того, мы соперники, — продолжал Алекс. — Вам не следует задерживаться в моем лагере, генерал. Вы получите достаточно провианта, и самолет доставит вас туда, куда вы пожелаете.

— Вы совершенно правы, — произнес Рамон. — Изабелла, моя дорогая, ты ведь отправишься со мной? Я собираюсь в Боливию, у меня там есть друзья, которые окажут нам помощь.

— Нет, — ответила Изабелла. — Я останусь в лагере. Если ты не против, — она с вызовом посмотрела на Алекса.

Рамон сузил глаза, он не мог понять, что же связывает Изабеллу и Алекса Коваччо. Судя по тону, они находятся в очень близких отношениях.

— Не думаю, что джунгли и головорезы подходящее для тебя общество, Белла, — сказал он.

— Не думаю, что ваше общество подходит Белле, — произнес в противовес ему Алекс. Изабелла с благодарностью посмотрела на Алекса. Он не забыл ее, он ее любит.

— Вы можете пройти в свои апартаменты, генерал, — сказал Алекс. — У нас не пятизвездочный отель, но ради вас мы постарались. Вас проводят!

Ди Сан-Стефано не шелохнулся. Пылая злобой, он обратился к Изабелле:

— У тебя еще есть шанс, Изабелла, пойти со мной. Учти, этот мятежник тебе не пара. Он до добра тебя не доведет. Его участь — виселица.

— Рамон, ты почти слово в слово копируешь своего братца-священника, — сказала Изабелла и положила руку на плечо Алексу. — Я давно сделала свой выбор. Так что иди. И, кстати, твои апартаменты одноместные, я к тебе не приду, хотя ты на это и надеешься.

Рамон, не оборачиваясь, быстрым шагом покинул кабинет Алекса. Едва дверь за ним захлопнулась, Коваччо произнес:

Хозяйка Изумрудного города

— Белла, как же я скучал по тебе, как же я сходил с ума без тебя. Моя малышка...

Он поцеловал ее. Они предались взаимной страсти тут же, на кожаной софе в кабинете Алекса.

— Тогда я не смог пробиться через кордоны, мне пришлось бросить тебя, — сказал Алекс. Она лежала в его объятиях в сладкой полудреме. — Я знал, что ты меня ждешь, но ничего поделать не мог. Я снова ушел в джунгли, Белла.

— Алекс, я же знала, что ты меня не бросишь, — проговорила Изабелла. — И мы не расстанемся, не так ли?

— Нет, — просто ответил он. — Я пошел на спасение Рамона, когда узнал, что ты и Рахиль просите за него. Она — подруга моей матери. Мой отец, Теодор, любовницей которого ты имела несчастье быть, загнал мою мать в могилу. Он — скотина и изверг. Рахиль была единственным человеком, у которого моя мать могла найти пристанище и понимание. Я ей очень благодарен.

— А я ревновала тебя к ней. — Изабелла прижалась к Алексу. Она слышала биение его сердца, ощущала аромат его кожи, ловила его дыхание.

— Я же, увидев тебя с этим напыщенным идиотом, подумал, что ты снова взялась за старое, Белла. Когда ты будешь со мной, то я не стану делить тебя ни с кем.

— Мне больше никто и не нужен. — Изабелла чувствовала, что ее неудержимо клонит в сон. Она хотела сказать Алексу еще тысячу слов, но не успела: бездонно-мрачное покрывало сна накрыло ее с головой.

Она проснулась в радостном настроении. Сбылись все ее мечты. Она наконец-то с Алексом, которого любит до безумия. В ее жизни было многое, и она поняла: когда с тобой тот, кому ты даришь себя, то ничто более не страшно.

— Алекс. — Она не ощущала больше его мускулистой руки на своей груди. Она вскочила.

На софе, где они провели ночь, как и в кабинете, никого не было.

Легкий страх, как рябь от ветра на море, пробежал

по ее душе. Нет, все в порядке. Он наверняка занят важными делами. В конце концов, они не проводят медовый месяц в Нью-Йорке, а находятся в самом сердце джунглей. Он руководит настоящей армией, его присутствие требуется каждую секунду. Но готова ли она сопровождать Алекса везде и всюду? Она с легкостью откажется от светской жизни, от своих немыслимых гардеробов, от благ цивилизации. Алекс — вот кто ей нужен. И только он!

Она подошла к двери и раскрыла ее. Около входа, сидя в креслах, играли в карты два бородача бандитской внешности. Один из них, весело подмигнув Изабелле, сказал:

— Госпожа Коваччо, приветствую тебя. Мы рады, что у Алекса появилась не просто подружка, а спутница жизни.

Другой бородач загоготал, и Изабелла невольно улыбнулась. Ей нравились эти люди. Она чувствовала себя среди этих простых и бесхитростных коста-бьянкцев, которые по чьей-то злой прихоти стали именоваться мятежниками и сепаратистами, гораздо вольготнее, чем на приеме у могущественного банкира или эксцентричной кинозвезды.

— Где Алекс? — спросила она.

Бородачи уставились на нее, и только сейчас Изабелла сообразила, что предстала перед ними практически обнаженной.

— Ого, да у него есть вкус. Белла, ты такая красотка, — вздохнул один из охранников. — Но тебе не стоит ничего бояться, жена нашего вожака для нас святое. Мы рады, что ты приняла решение остаться с нами. А твой муженек... Два часа назад, когда вы, как два голубка, мирно почивали, началась крупная заварушка. Эта сволочь Сантьяго прознал, что ди Сан-Стефано скрывается у нас, и начал внезапную атаку. Из-за этого прощелыги погибнут мои друзья. Алекс вернется, не беспокойся, Белла. Он тебя любит...

Эти слова окончательно рассеяли страхи. Изабелла,

обнаружившая, что уже почти одиннадцать утра, ощутила зверский голод. Она не ела более суток.

Она с аппетитом позавтракала фруктами, жареным куском убитого тапира и совершенно немыслимой в джунглях белужьей икрой с шампанским. Все это принесли ей бородатые подчиненные Алекса, которые обращались с ней с поразительным почтением, хотя и не переставали улыбаться.

Изабелла строила планы. Она останется в джунглях, родит Алексу сына. И дочку. Они будут долгожданными малышами. Ей бы хотелось, чтобы Алекс оказался рядом с ней, но она понимала, что это невозможно. Его страсть и его жизнь — борьба, и она вынуждена подчиниться этому.

День катился к завершению, когда она поняла, что в лагере царит напряженное молчание, похожее на заговор. Бородачи, до этого улыбчивые и приветливые, избегали смотреть на Изабеллу. На ее вопросы, где же Алекс, никто не мог дать внятного ответа.

Ситуацию разъяснил Рамон, который появился в кабинете Алекса. Облаченный в генеральский френч, он вновь выглядел настоящим воякой-победителем.

— Изабелла, все ждешь своего Алекса? Думаю, напрасно.

Изабелла, чуть пошатнувшись, крепко схватилась за край письменного стола.

— Рамон, что ты имеешь в виду? — произнесла она. — Я вижу, что-то произошло, но все скрывают от меня правду. Ты можешь мне рассказать, в чем же дело?

Ди Сан-Стефано подошел к Изабелле и тихо сказал:

— Алекс, и это совершенно точно, убит. Он погиб в перестрелке с силами президента.

Изабелла, готовая услышать все, что угодно, только не это, вскрикнула.

— Ты обманываешь меня, ты ненавидишь Алекса, поэтому и говоришь такие страшные вещи! — прокричала она и бросилась на Рамона с кулаками. — Скажи, что это неправда!

— Изабелла, я сожалею, что вынужден сообщить тебе это трагическое известие, но Алекса Коваччо больше нет в живых. Он мертв, и смирись с этим. — Рамон схватил ее за запястья и прижал к себе.

Ее душили слезы, Изабелла зарыдала на его груди. Потом она потеряла сознание. В себя она приходила урывками, ей казалось, что она слышит разрывы бомб и автоматные очереди. Одна мысль — Алекса нет в живых! — терзала ее.

— Изабелла, очнись, — кто-то теребил ее за плечо.

Изабелла открыла глаза и машинально сорвала со лба мокрую тряпку. В темноте рядом с ней, около кровати, сидела Рахиль. Гадалка шмыгала носом и старалась не разрыдаться.

— Это правда? — слабым голосом проговорила Изабелла.

Рахиль заплакала.

— Значит, это все же правда, — сказала Изабелла.

Слез больше не было, осталась одна пустота и горечь. Судьба играла с ней в кошки-мышки: едва она обрела Алекса, которого любила больше всего в этой жизни, как моментально потеряла его.

— Карты, дрянные карты, они обманули меня, — рыдала Рахиль. — Они говорили, что у Алекса все будет в порядке. Они лгали мне! Изабелла, он убит! Его отряд разгромлен, обратно вернулись только три человека, и все они в один голос утверждают, что видели, как Алекса ранили в голову и он скончался практически на месте. Его тело они не могли взять в лагерь... Изабелла, я не могу поверить!

Ей пришлось утешать Рахиль, которая относилась к Алексу, как к собственному сыну. Именно она после ранней смерти госпожи Коваччо стала ему матерью. По радио, которое ловилось с большими помехами, ликующий голос диктора сообщил, что правительственные силы достигли небывалых успехов.

— Предводитель мятежников по кличке Алекс убит в перестрелке с правительственными войсками, его отряд практически разгромлен. В течение этого дня, как

Хозяйка Изумрудного города

заявил министр внутренних дел, гнездо сепаратистов будет сметено с лица земли...

— Положение в лагере очень серьезное, — сказал, войдя, Рамон ди Сан-Стефано. — Нам больше нельзя оставаться в джунглях, силы президента Сантьяго через пару часов окажутся здесь. У нас есть последняя возможность бежать. Самолет ждет нас, Изабелла.

— Я никуда не полечу, — безжизненным тоном произнесла Изабелла. — Алекса нет в живых, мне нет смысла жить, Рамон.

Рамон прижал ее к себе и погладил по голове:

— Бедная девочка, моя любимая Белла. Как же я тебе сочувствую. Но если ты останешься здесь, то тебя не пощадят. Военные расстреляют всех, кого найдут в лагере, я же командовал подобными отрядами, знаю, какие приказы им отдают. Я не оставлю тебя на растерзание этим вурдалакам.

— Рамон, нет! — закричала она.

Изнутри, из самой души, поднималась волна боли. Изабелла не хотела жить. Алекс умер...

Не слушая ее, Рамон подхватил Изабеллу на руки и понес к самолету. Ей не почудилось — в джунглях на самом деле гремели разрывы бомб и трещали автоматы. Наступила ночь. Еще двадцать четыре часа назад она была так счастлива, а теперь... Ее жизнь закончилась.

— Мы улетим в Боливию, моя дорогая. — Рамон, воплощенная нежность, гладил ее по волосам. — Там мы будем в безопасности, Белла. Ты придешь в себя, излечишься от этой сумасшедшей любви.

— Нет, я никогда не забуду Алекса, — простонала Изабелла.

Она снова погрузилась в обморок. Когда сознание вернулось к ней, то самолет, воспользовавшись крошечным промежутком в атаке военных, взмыл в воздух.

— Все в порядке, все в полном порядке. — Рамон не переставал говорить с ней.

В салоне самолета находилось еще несколько человек, в углу жалобно скулила Рахиль. Рамон взял на себя командование. Мятежники, растерявшись под мощным натиском сил президента, доверились ему безоговорочно. Он снова обрел апломб высокопоставленного военного.

Рано утром они приземлились на военном аэродроме в Боливии. Рамона встречала внушительная делегация. Кавалькада автомобилей, фуражки с кокардами, рукопожатия. Рамон вынес на руках из самолета Изабеллу, закутанную в одеяло. У нее был сорокаградусный жар.

— Немедленно в больницу, — приказал он. — Это моя невеста, синьора Изабелла Баррейро. Я не могу потерять ее!

Как позднее узнала Изабелла, она находилась на грани жизни и смерти в течение двух суток. Врачи уже вынесли вердикт — клиническая смерть, когда сознание вернулось к ней. Это было подлинным чудом. Рамон ворвался к ней в палату, куда был запрещен доступ посетителям. Изабелла, ослабевшая, чувствующая себя столетней старухой, видела, что он радуется, как ребенок. Он вытолкал из палаты врачей и, став на колени, целовал ей руки.

— Белла, моя любимая девочка, я все сделаю для тебя, — шептал он.

Изабелла представляла, что эти слова говорит ей Алекс. Но Алекс был мертв. Его тело осталось непогребенным где-то там... Он умер.

А она жива.

— Я так испугался, когда врачи сказали мне, что ты умерла, — говорил Рамон. — Я ощутил то, что, наверное, ощутила ты, когда узнала, что Алекса нет в живых. Прости, что снова затрагиваю эту тему, я же вижу, как это для тебя тяжело, Белла.

Он буквально выходил ее, снял роскошную виллу с тенистым апельсиновым садом и альпийскими горками. Изабелла выздоравливала долго и мучительно. Она не хотела никого видеть, кроме Рамона и Рахили. Гадалка стала ее лучшей подругой, сестрой и матерью одновременно. Она самоотверженно ухаживала за Изабеллой.

Хозяйка Изумрудного города

Когда ее тело пришло в норму, возникли проблемы с душой. Лучшие боливийские психотерапевты разводили руками — Изабелла впала в депрессию, отказалась принимать пищу и не желала ни с кем разговаривать.

— Это запоздалая реакция на шок, своего рода реакция организма на перегрузки. Она потеряла человека, который очень много значил для нее.

И снова Рамон помог ей вернуться к нормальной жизни. Он кормил ее, как ребенка, из ложечки, читал детские сказки, купал. При этом он ни разу не пытался проявить свое нетерпеливое сексуальное желание.

Даже Рахиль, которая считала, что знает ди Сан-Стефано как облупленного, удивленно качала головой:

— Он поразительно изменился, Изабелла. И я знаю, почему это произошло. Он же любит тебя, безумно любит. Это ты изменила его. Как же я завидую тебе, Белла. Может быть, Рамон тот самый человек, который заменит тебе Алекса?

Изабелла не знала ответа на этот вопрос. Она вообще больше ничего не знала. Боль не исчезла, она оказалась загнанной глубоко в душу. Постепенно Изабелла стала возвращаться к прежней жизни. Рамон устраивал ей праздники, скупал для нее содержимое бутиков и заваливал цветами. О таком мужчине она и мечтала. Рамон был воплощение всех добродетелей с одним единственным «но» — он не был Алексом.

Настал момент, когда Изабелла ощутила нечто вроде любви к Рамону. Она была благодарна ему за то, что он спас ее. Ей нравилось его общество, она ощущала одиночество, когда он по вечерам не мог быть на вилле, так как занимался важными политическими делами.

Коста-Бьянка потребовала от Боливии выдачи государственного преступника Рамона ди Сан-Стефано, Боливия ответила отказом. Обе страны обменялись дипломатическими колкостями и разорвали отношения. Режим президента Сантьяго не пользовался поддержкой населения, он держался за счет силы и страха.

Американские спецслужбы стали постепенно готовить почву для нового военного переворота. Их не устраивало то, что Сантьяго, придя к власти, лишил кормушки американские компании и ущемил интересы американских нефтяных концернов. Практически вся нефть страны сосредоточилась в руках одного человека — Теодора Коваччо.

Олигарх, как ходили слухи, был очень рад тому, что его сын Алекс, предводитель мятежников, наконец-то убит, и закатил по этому поводу в Эльпараисо шикарную вечеринку.

Однако до того, как организовать и осуществить переворот, требовалось найти человека, который мог бы стать новым лидером нации. Множество раз обманутый, разочаровавшийся в политиках любой масти, нищий народ Коста-Бьянки жаждал героя. Подлинного героя, который выведет страну из кризиса и подарит им сытую жизнь.

Был нужен человек, популярный как в среде военных, самой могущественной касты в Коста-Бьянке, так и среди простого населения. Человек, который подходил на роль главы государства как по образованию, происхождению и внутренним качествам, так и внешне. Человек, который мог свободно общаться и с финансовой аристократией, и с жителями гетто.

Именно таким человеком, по единодушному мнению экспертов, и был генерал Рамон Эстебальдо ди Сан-Стефано. О его прошлом — участии в карательных экспедициях, недолгой карьере министра обороны, многочисленных любовных похождениях — предпочитали не вспоминать, упирая на то, что он преследуется режимом Сантьяго за свои смелые политические воззрения.

Но около генерала должна быть любящая жена, которая могла бы превратиться в подлинную мать нации. Единственной женщиной, на которой был готов жениться Рамон, была Изабелла Баррейро. И она также идеально подходила для роли супруги нового президента. Молодая, красивая, в прошлом знаменитая и суперпопулярная журналистка, пострадавшая от власти Сантьяго. Ее окружает романтический ореол, никто толком не знает о ее происхождении, однако звучная фамилия Баррейро на слуху у миллионов жителей Коста-Бьянки. Как и в случае с Рамоном, о ее прошлом элитной проститутки было велено забыть.

В конце концов, в истории уже был прецедент, когда обитательница квартала «красных фонарей» стала венценосной особой — Феодора, супруга византийского императора Юстиниана. Наследник огромной империи, презрев все запреты, взял ее в жены и издал специальный указ, согласно которому прошлое императрицы предавалось забвению — под страхом смертной казни. И Феодора стала великой императрицей, способствовала тому, что и Юстиниан, занимавший трон почти тридцать лет, остался в истории как один из величайших правителей Восточной Римской империи.

Тот факт, что история эта имела место полторы тысячи лет назад, ничуть не умалял ее сути. Изабелла должна стать женой Рамона ди Сан-Стефано. И тогда Рамон ди Сан-Стефано станет президентом Коста-Бьянки.

— Я прошу твоей руки, моя дорогая. — Рамон, замерев около Изабеллы, волновался, как школьник. Она держала в руках коробочку с кольцом. Когда-то, как с наслаждением рассказывал ему брат-архиепископ, она швырнула подобную коробочку в окно небоскреба.

— Какая прелесть! — не сдержавшись, воскликнула Изабелла. Рамон преподнес ей золотое кольцо с прямоугольным васильковым сапфиром немыслимой величины.

Он с нежностью надел кольцо на ее палец. Изабелла не сопротивлялась. Она полюбила Рамона. Не так, как Алекса, это была другая любовь, но ей пришлось смириться, что Алекс мертв. Рахиль из ярой противницы Рамона превратилась в такую же ярую его сторонницу. Она убеждала Изабеллу, что лучше Рамона ей никого не найти.

— Белла, он станет президентом Коста-Бьянки, я раскинула карты, — сказала она.

На что Изабелла, горько улыбнувшись, заметила:

— Но ведь ты зареклась брать карты в руки после... — Она запнулась и, преодолев внутреннюю стену, все же выговорила: — ...после того, как они не сообщили тебе, что Алекс умрет.

Рахиль, выпустив кольцо дыма изо рта, важно произнесла:

— Белла, ты же знаешь, что жизнь — как водопад, нельзя находиться вблизи и не промокнуть. Ты молодец, что сумела преодолеть эту страшную трагедию. Я знала Рамона с одной стороны, но теперь он проявил себя с другой. Он будет великолепным мужем. И отцом твоего ребенка, — добавила она лукаво.

Изабелла смутилась. С начала возобновления отношений с Рамоном она с ним так и не спала. В последнее время она ощущала желание, но не могла побороть себя. Ее последним мужчиной был Алекс Коваччо. А ее новым мужчиной станет Рамон ди Сан-Стефано?

Поэтому, когда он преподнес ей кольцо, она не задумывалась долго над ответом. Поцеловав Рамона, она ответила:

— Я буду счастлива стать твоей женой, Рамон!

И она не обманывала. Рамон, подхватив ее на руки, прошептал:

— У нас будет грандиозная свадьба, Белла. И знаешь, где она пройдет? В соборе Богоматери в Эльпараисо.

— В центральном соборе Коста-Бьянки? — изумленно произнесла Изабелла. — Но как это возможно, ты что, предлагаешь тайно вернуться на родину и обвенчаться? Мы же числимся в государственных преступниках...

— Зачем же тайно, Белла, — Рамон выглядел счастливым. — Мы вернемся туда с триумфом. Я открою тебе тайну, которая, если она станет известна президенту Сантьяго или Теодору Коваччо, может стоить нам обоим жизни. Принято решение, что следующим

Хозяйка Изумрудного города

президентом Коста-Бьянки стану я. И это должно произойти очень и очень скоро.

Изабелла обняла Рамона и наивно спросила:

— Ты что, выставишь свою кандидатуру на президентских выборах, Рамон?

— О нет, — рассмеялся генерал. — Все будет в соответствии с двухсотлетней традицией: Сантьяго свергнут и меня провозгласят новым президентом. Но мне требуешься ты, Изабелла. Простые коста-бьянкцы помнят тебя, они тебя любят и уважают. Ты поможешь мне, дорогая?

У Изабеллы захватило дух от открывающейся перспективы. Рамон предлагает ей не просто руку и сердце, он кладет к ее ногам всю страну. Она, Изабелла Баррейро ди Сан-Стефано, станет госпожой президентшей Коста-Бьянки. А почему бы и нет? Кто сказал, что самые сумасшедшие мечты не сбываются? Они сбываются — стоит только захотеть...

— Рамон, с тобой я согласна на все, — произнесла она.

— Ну, значит, мы договорились — сразу после того, как я стану президентом, мы обвенчаемся с тобой в соборе Богоматери. И я клянусь, Белла, это будет свадьба века. А теперь, моя дорогая девочка, необходимо устранить одно крошечное препятствие — президента Диего Сантьяго. Для этого нужно разработать план симпатичного камерного переворота. Сантьяго давно растратил весь запас популярности, его ненавидит и народ, и его же ближайшее окружение. Он держится у власти только благодаря поддержке Теодора Коваччо. Так вот, Белла, ты поможешь мне сверстать план переворота?

Изабелла не колебалась ни секунды. Она собственными руками уничтожит Сантьяго, который разрушил ее карьеру на телевидении, и Теодора, который способствовал этому.

— О да, Рамон. Так на какое число назначена революция?

Подходящий момент для смены власти в Коста-

Бьянке наступил к концу декабря. Демонстрации и забастовки следовали одна за другой, среди военных множились акции протеста и неповиновения. Диего Сантьяго призывали к добровольной отставке, но, конечно же, президент не собирался покидать свой пост. Он заверял народ, что нужно немного потерпеть, обвинял во всем врагов народа и американские спецслужбы. Ему больше никто не верил.

Исподволь народу внушалось, что единственный человек, который может исправить ситуацию, — это Рамон ди Сан-Стефано. По деревням разбрасывались листовки с его программой, в крупных городах, в том числе и в столице, вербовали на свою сторону представителей крупного бизнеса и интеллигенции.

Президент Сантьяго, проводя дилетантские экономические реформы, сам усугубил ситуацию. На Рождество цены в Коста-Бьянке взлетели в несколько раз, национальная валюта рухнула, множество банков разорились или оказались временно неплатежеспособными. Люди в канун самого важного церковного праздника остались без денег и без надежды. Архиепископ Эльпараисский Флориан, чуя, что его брат вот-вот придет к власти, попытался наладить с ним отношения, призвав с амвона народ к сопротивлению тиранам.

Президента проклинали во всеуслышанье, желали ему скорейшей смерти. Сантьяго же, как и привык, отправлял недовольных в тюрьмы, однако недовольных было предостаточно среди тюремщиков и полицейских. Приказания Сантьяго саботировались, некоторые из умных политиков переводили капиталы за границу и паковали чемоданы, понимая, что грядет мятеж. Режим расползался на глазах. Не хватало лишь крошечного толчка...

Рамон с каждым днем становился все более взвинченным. Еще бы, скоро сбудется его заветная мечта — стать президентом страны. Его не смущало то, что для достижения этой цели он пойдет на преступление. Суд уже вынес ему наказание за участие в антиконституционном заговоре, оставалось одно — подтвердить вердикт.

Американские спецслужбы, стоявшие за готовящимся переворотом, заверили Рамона ди Сан-Стефано, что все должно получиться. Изабелла, узнав, что Рамон пообещал предоставить могущественным концернам из США приоритетное право на разработку и добычу нефти, изумрудов и бокситов, упрекнула Рамона в разбазаривании недр страны.

— Дорогая, так нужно, иначе мы не сможем победить, — ответил тот. — Я же могу пообещать, а потом забыть об обещании. Не беспокойся, я не собираюсь так дешево продавать Коста-Бьянку гринго.

— Изабелла, — сказал он вечером 29 декабря. — Дата намечена. В ночь с тридцать первого на первое Сантьяго падет. Новый год мы встретим в президентском дворце, и Коста-Бьянка получит нового президента.

— Как же я рада, Рамон, — Изабелла не обманывала. Политические интриги помогали ей отвлечься от повседневной жизни. Она еще не забыла Алекса, и участие в заговоре было какой-то отдушиной. — Давно пора покончить с Сантьяго и Теодором Коваччо.

— Мне требуется твоя поддержка, Изабелла, — попросил ее Рамон. — Ты выступишь по телевидению и призовешь народ восстать против тирана. Люди тебя помнят, они выйдут на улицы.

— Я согласна, — ответила Изабелла. — Значит, остался всего один день?

Рамон прижал ее к себе:

— Сантьяго ни о чем не подозревает. Он дает роскошный бал. Мы будем неожиданным дополнением к новогодней вечеринке.

— Пообещай мне, Рамон, что когда ты придешь к власти, то Сантьяго понесет наказание, но исключительно в рамках закона, — сказала Изабелла. — Я же верю тебе, Рамон. Я верю, что из тебя получится один из лучших президентов, которых знала Коста-Бьянка.

Не становись диктатором и мздоимцем, я очень тебя прошу.

— Ну что ты, Белла, — Рамон поцеловал ее. — Обещаю тебе, я и пальцем не трону Сантьяго. Но сама понимаешь, это же военная акция, он вполне может стать жертвой перестрелки или трусливо покончить с собой. Однако если эта жирная сволочь выживет, то он предстанет перед судом и ответит за все свои кровавые преступления, как и его многочисленные родственники, оккупировавшие министерства и ведомства страны. Я клянусь тебе, я не собираюсь идти по проторенной дорожке. У меня есть ты, самое главное мое богатство, для чего мне еще миллионы?

Рахиль, раскинув карты, поцокала языком.

— Судьба снова в недоумении — что же именно предпринять? Все зависит от того, как поступит каждый из вовлеченных лиц. Изабелла, прошу тебя, будь крайне осторожна. Карты показывают, что тебе стоит бояться человека в черном костюме с розой в руке.

— С розой? — переспросила Изабелла. — Торговца цветами? Хорошо, Рахиль, я надену бронежилет.

Рахиль благословила ее и заплакала:

— Если с тобой что-то случится, то у меня больше никого не останется на этом свете. После гибели Алекса я так одинока, Белла.

— Все будет в полном порядке, — уверила ее Изабелла, нимало не сомневаясь в успехе путча. — В Коста-Бьянке за последние пятьдесят лет произошло двенадцать путчей и шестнадцать вооруженных переворотов. Одним меньше, одним больше — не так уж важно.

Вечером тридцатого декабря они тайно покинули Боливию и вылетели в соседнюю Коста-Бьянку. Самолет высадил их, едва преодолев границу, дальше они отправились на джипах. Так они проехали около ста километров и, усевшись в военный вертолет, отправились в Эльпараисо.

Столица готовилась к встрече Нового года. Расцвеченная иллюминацией, несмотря на бедственное положение и энергетический кризис, огромная метрополия производила гнетущее впечатление. Около шикарных бутиков и гастрономических магазинов толпились оборванные, голодные люди, дети шныряли между дорогими автомобилями, собирая милостыню, стены домов украшали портреты улыбающегося президента Сантьяго. Люди в злобе срывали эти плакаты, поджигали их или украшали неприличными надписями. Эльпараисо был на осадном положении, президент, подозревая, что кресло власти шатается под ним, принял усиленные меры безопасности. Военные, которые были до сих пор лояльны к нему, несли службу по защите его бесценной жизни.

Изабелла и Рамон вместе с несколькими самыми близкими советниками, которые должны были занять министерские посты, остановились на небольшой заброшенной вилле в черте города. Рамон, переодевшись в генеральскую форму, немедленно отбыл восвояси.

— Я еду в казармы, дорогая, — попрощался он с Изабеллой. — Меня могут убить на месте, и тогда все пропало. Но, я думаю, люди поймут меня. Жди сообщений!

Изабелла, усевшись в мягкое кресло, попыталась собраться с мыслями. За окном наступало хмурое утро последнего дня в году. Погода не баловала жителей Эльпараисо, пошел мелкий дождь, который сменился ливнем.

Раздался звонок сотового одного из советников. Тот, внимательно выслушав информацию, сказал:

— Все в порядке. Под нашим контролем танковая дивизия. Солдаты и младшие офицеры восторженно приветствуют Рамона. Поход на президентский дворец начинается. А это значит, Изабелла, что вам пора готовиться к ответственной роли матери Отечества. После того как телебашня и студии окажутся в наших руках, вы немедленно выступите в прямом эфире. Вы уже продумали, в каком платье будете выступать? Это может сыграть важную роль!

— Да, — ответила Изабелла. — Принесите мне камуфляжную форму. Это в самый раз.

Ожидание было хуже всего. По радио и телеканалам пошла разноречивая информация. Согласно одним сообщениям, начался военный мятеж, который был подавлен в зародыше. Согласно другим, президент страны уже покинул Коста-Бьянку и направляется на лайнере в Испанию. Изабелла знала, что самое главное — не поддаваться панике. Она верила Рамону. Все было подготовлено, им оставалось только прийти и взять власть в свои руки.

Велась прямая трансляция с улиц столицы, танки, громыхая гусеницами, ползли по мостовой. Люди, понимая, что режиму Сантьяго пришел конец, ликовали и начали громить магазины. Полицейские перешли на сторону восставших, армия не вмешивалась. Распространили заявление премьер-министра, который слагал с себя полномочия, и начальника Генерального штаба, который говорил, что всегда выступал против президента Сантьяго. Министр иностранных дел, находившийся с визитом в Швеции, отказался возвращаться на родину и попросил политического убежища.

Сам президент праздновал наступление Нового года во дворце вместе с кликой приближенных. От него не было никаких известий, как будто он скончался или на самом деле бежал.

Дикторы на телеканалах мялись и не знали, как комментировать события. Они выжидали, кто же победит. Если президент, то следует возобновить официоз. Если его противник, то начинается эра демократии и свободы слова.

— Танки подошли вплотную к телевизионному центру, — в страхе кричал один из комментаторов. — Однако нас, журналистов, никто не принудит сдаться и подчиниться грубой силе бунтовщиков. Как только что стало известно, президент Диего Сантьяго...

Трансляция оборвалась на этой сакраментальной фразе, и никто так и не узнал, что же сказал или предпринял президент Диего Сантьяго. Это было сигналом к тому, что телецентр находится в руках Рамона.

Изабелла, подтянутая, в камуфляжной форме, с во-

Хозяйка Изумрудного города

лосами, собранными на затылке в пучок, и с автоматом наперевес, направилась в сопровождении отряда солдат к телебашне. На улицах царила эйфория, незнакомые люди обнимались, рвали плакаты с портретом президента, устраивали костры и баррикады. Началась вакханалия мародерства.

— Как только Рамон получит все полномочия и станет контролировать ситуацию, нужно немедленно прекратить этот ужас, — произнесла Изабелла, глядя сквозь бронированное стекло на сумасшествие в Эльпараисо.

— Нет, этого делать нельзя, — возразил сопровождавший ее советник, претендент на премьерское кресло. — Народу требуется выпустить пар, пусть громят магазины и жгут дома. Мы всегда можем списать все на Сантьяго. Победителей, как известно, не судят.

Они остановились в нескольких кварталах от телецентра, дальше пришлось идти пешком, так как движение было перекрыто. Изабелла вступила на порог здания, в котором когда-то работала и обрела известность. Стекла были выбиты, стены испещрены автоматными очередями. Она заметила несколько трупов.

— Без жертв революции не бывает, — перехватил ее взгляд советник. — За все понесет ответственность Сантьяго.

Изабелла прошла в аппаратные. Испуганные техники и операторы под дулами автоматов выполняли свою работу. От них требовалось предоставить прямой эфир. Изабелла знала многих из работников. Те, завидев ее, старались сделать вид, что не знают, кто такая Изабелла Баррейро.

— Опустите оружие, — приказала она сопровождавшим военным. — Эти люди не представляют опасности.

— Эфир через минуту, — предупредили ее.

Изабелла собралась, вспомнила прежнее время, когда телевидение являлось для нее наркотиком. Она глубоко вздохнула и начала, глядя в камеру, над которой горел красный огонек:

— Добрый вечер! Я, ваша Белла, снова с вами. Этот

вечер поистине добрый, потому что сегодня начинается новая эпоха. Заканчивается не только старый год, завершается период правления кровавого диктатора Диего Алонзо Сантьяго и его прихлебателей...

Она старалась донести до каждого радостную весть — начинается совсем другая жизнь, лучшая и более сытая. Изабелла говорила понятными фразами. Когда она закончила, то раздались аплодисменты, причем ей хлопали те самые сотрудники телецентра, которые полчаса назад делали вид, что не узнают ее.

— Потрясающая речь, — сказал будущий премьер-министр. — Изабелла, теперь я понимаю, почему Рамон выбрал вас. Вы обладаете природным даром убеждения. Я думаю, став женой президента, вы по-прежнему будете работать на телевидении. Нам нужно держать под контролем людские массы.

Ее обращение возымело эффект. По всей стране, особенно в провинции, люди вышли на улицы, начался коллапс власти. Приверженцы Рамона тотчас арестовали губернаторов и провозгласили нового президента — ди Сан-Стефано. Люди скандировали на улице ее имя, и Изабелла с изумлением отмечала, что ей не представляет труда самой занять президентский дворец. Эту же мысль подтвердил и советник, заметив:

— Вы чрезвычайно опасный соперник своему мужу, Изабелла. Он должен безоговорочно доверять вам, иначе...

— Мы доверяем друг другу, — оборвала его Изабелла. — И Рамон мне не муж. Пока еще не муж.

Она не чувствовала усталости. Было пять часов вечера 31 декабря.

Позвонил Рамон, который во главе танковой дивизии осадил президентский дворец. Он поздравил Изабеллу с необыкновенно успешным выступлением.

— Народ боготворит тебя, Белла. Провинция практически вся в наших руках, осталось прижать крысу в ее норе. Из-за границы поступает сдержанное одобрение. Изабелла, я люблю тебя! Ты мне нужна, приезжай ко дворцу!

Хозяйка Изумрудного города

Она отправилась к Рамону. Несмотря на то что она ехала в бронированном автомобиле без опознавательных знаков, люди каким-то образом узнали, что в машине находится именно она. Ей махали руками, бросали цветы, становились на колени. Изабелле даже стало страшно. Любовь, как оказывается, может вызывать ужас.

Президентский дворец, беломраморное здание в колониальном стиле, был со всех сторон окружен танками. Рамон, ликующий, отдающий на лету приказания, встретил ее в импровизированном штабе, расположившемся в итальянской пиццерии. Хозяин заведения, гордясь, что предки нового главы государства также родом из Италии, кормил всех желающих бесплатной пиццей. Как он заявил, он предпочтет разориться, но не откажет ни в чем солдатам, которые борются против тирана Сантьяго, и добавил, что навсегда запомнит этот день.

— Изабелла, ты мой ангел-хранитель. — Рамон поцеловал Изабеллу в щеку. — Выступи перед солдатами. И мы сможем начать штурм.

Она обратилась к военным с пламенной речью. Она не ожидала потока такой любви. Многие из мужчин плакали и не скрывали этого.

— Изабелла-Изабелла-Белла! — ревела толпа.

Рамон шепнул Изабелле:

— Дорогая, они до такой степени опьянены тобой, что могут завоевать для нас весь континент.

Сменив Изабеллу, Рамон призвал к немедленному штурму. В половине десятого вечера, когда до наступления Нового года оставалось два с половиной часа, началась финальная стадия смены власти в Коста-Бьянке.

Штурм длился около двадцати минут. Сверкали всполохи огня, гремели взрывы. Изабелла, находившаяся едва ли не в эпицентре событий, видела, как умирают люди. Кровь, стоны, боль... Она послала их на смерть. Изабелла старалась об этом не думать.

В начале одиннадцатого все было кончено. Президент Сантьяго был арестован прямо в бальном зале, где он пытался хоть как-то спасти положение и отдавал по телефону распоряжения, которые никто и не думал выполнять. Вместе с ним были захвачены и другие важные лица из его окружения. Теодора Коваччо среди них не было. Как всегда, проинформированный заранее, олигарх предпочел заблаговременно скрыться в Лондоне.

— Я хочу, чтобы ты прошла со мной по нашим новым владениям, — Рамон взял Изабеллу за руку, и они, вслушиваясь в хруст осколков стекла, гильз и штукатурки под ногами, прошли по дворцу. Изабелла когда-то была там и провела три дня в камере пыток.

Рамон указал на огромную лестницу из розового мрамора:

— Ты будешь принимать гостей, стоя на самом верху, как подлинная королева, Белла. Ты и есть моя королева...

Внутреннее убранство и отделка дворца поражали роскошью. Шелковые обои ручной работы, лазурит, малахит, мрамор, золоченые краны, ванные комнаты размером с футбольное поле, старинная мебель, портреты, китайский фарфор.

— Ты все изменишь по своему вкусу, — заверил Беллу Рамон. — Я не хочу, чтобы здесь остался дух Сантьяго и его безвкусной супруги.

Изабелла же видела мертвых солдат, как с одной стороны, так и с другой. Вот она — цена власти. Они с Рамоном получили короны, а кто-то лишился жизни.

— Дорогая, Сантьяго желает со мной побеседовать, я ненадолго отлучусь, — сказал Рамон. — Сейчас почти полночь, я же говорил, что мы встретим Новый год во дворце победителями. Как видишь, я сдержал обещание.

Изабелла бродила по дворцу, испытывая смешанное чувство облегчения, радости и непонятной тревоги. Что готовит ей судьба, правильно ли она сделала, ввязавшись в высокую политику? В любом случае было поздно, слишком поздно, чтобы что-то менять. Жребий был брошен, Рубикон перейден.

Изабелла наслаждалась необыкновенным чувством власти. Она поднялась на последний этаж дворца, где

Хозяйка Изумрудного города

Антон ЛЕОНТЬЕВ

располагались апартаменты теперь уже бывшего президента Диего Сантьяго. Его охраняло несколько военных. Изабелла прошла внутрь, ее пропустили беспрепятственно. Каждый знал, что она — будущая супруга Рамона.

Покои Сантьяго были обставлены с потрясающей роскошью и безвкусицей. Изабелла потрогала руками японские обои. Надо же, народный президент Сантьяго тратил народные же деньги на суперроскошь.

Она услышала разговор, который шел между ее мужем и экс-диктатором. Она находилась в коридоре, ведущем в гостиную личных покоев Сантьяго.

— Я ничего не знаю, поверьте мне, — испуганно-занудно вещал Сантьяго.

— Ты же врешь, я это знаю, и ты тоже это знаешь, — говорил Рамон. — Я обещаю тебе, Сантьяго, что если ты назовешь мне тайные счета, где ты хранишь деньги, то я сделаю так, чтобы ты не получил много лет тюрьмы.

— Вы это обещаете? — спросил Диего.

Голос Рамона ответил:

— Ну, конечно же, Диего, кому ты теперь нужен? Не волнуйся, все будет в порядке.

— Хорошо, генерал, — вздохнул бывший диктатор. — Вы бы ни за что не нашли список банковских счетов в моих бумагах, потому что я все держу в голове. Значит, вы клятвенно обещаете, что я не буду расстрелян?

— Получишь несколько лет, с тебя хватит, а потом я вышлю тебя прочь из Коста-Бьянки, — сказал Рамон. — Ты ведь согласен?

— Хорошо, — повеселел Сантьяго. — Дайте мне ручку и бумагу. Я вам верю. Иначе бы ни за что не согласился открыть мои счета. Но запомните, генерал, я не намерен сидеть в тюрьме больше трех лет. Вы подпишете мне амнистию.

Изабелла поняла, что муж выбивает из Сантьяго тайные счета, на которые тот переводил многие миллионы долларов. Ну что же, Рамон поступает весьма разумно. Богатства принадлежат государству, Сантьяго ни за что бы не сообщил банковские реквизиты, не получи он абсолютные гарантии своей безопасности. А кто еще, кроме самого нового президента, может дать такие гарантии?

Она углубилась в изучение обстановки спальни Сантьяго, когда снова услышала его голос:

— Прошу вас, вот и все счета.

— Что-то маловато, Диего, — Рамон был явно разочарован. — Всего десять счетов, я не могу поверить, что это в самом деле так. Ты меня не обманываешь?

— Как вы можете такое про меня думать! — возмутился диктатор. — Я не такой уж вор, каким вы меня представляли. Я признаю, что проиграл, но я всего лишь потерял власть...

— И жизнь, — тихим и твердым голосом произнес Рамон.

— Что вы делаете, генерал! — заверещал Сантьяго. — Почему вы достаете пистолет? Генерал, вы же обещали!

— Понимаешь, Диего, — проговорил ди Сан-Стефано. — Ты нужен всем мертвым, живой ты уже никому не требуешься. Ты когда-то подписал указ о разжаловании меня в солдаты, кроме того, под твою указку меня приговорили к смертной казни. Ты думаешь, я забыл об этом? Я едва не погиб из-за тебя, Сантьяго!

— Генерал, вы не можете, вы не имеете права, — продолжал стенать экс-президент Коста-Бьянки. — Вы что, убьете меня? Какой же вы лицемер и обманщик...

Прогремел выстрел. Раздался шум падающего тела. Изабелла, слышавшая разговор от первого до последнего слова, онемела.

Рамон застрелил Сантьяго. Конечно, бывший диктатор не вызывал у нее сочувствия, но разве ди Сан-Стефано мог это делать? Она считала, что хорошо знает Рамона, и вот ей открылась его новая грань.

Она замерла в коридоре. Вытирая руки, из кабинета Сантьяго вышел Рамон. Увидев Изабеллу, он чуть изменился в лице.

Хозяйка Изумрудного города

— Дорогая, что ты здесь делаешь? — произнес он ласково-фальшивым тоном. — Ты давно пришла сюда?

Изабелла, сама не зная почему, солгала:

— Только что, Рамон. — Ей не хотелось признаться, что она в курсе: он только что совершил убийство. — Я осматривала апартаменты Сантьяго и его жены.

Рамон внимательно взглянул на Изабеллу, затем улыбнулся и поцеловал ее.

— У меня трагическая весть, хотя, как я думаю, мало кто расстроится, узнав об этом. Трус Сантьяго покончил жизнь самоубийством, Белла. Он сделал это на моих глазах. Вначале хотел застрелить меня, но потом, поняв, что ничего другого ему не остается, пустил себе пулю в висок.

Рамон лгал так изящно и складно, что Изабелла чуть не поверила. Именно — чуть, потому что всего несколько минут назад она была свидетельницей того, как ди Сан-Стефано застрелил Сантьяго.

— Какой ужас, — пробормотала она.

В ее душе эйфория сменилась унынием. Рамон пошел на убийство ради достижения собственных целей. Ему был нужен мертвый диктатор, ему не требовался открытый судебный процесс. Не потому ли, что Диего мог о многом поведать, в частности, о том, что Рамон принимал участие в подавлении народных восстаний и так же обворовывал государственную казну.

— Он предпочел умереть, а не предстать перед честным судом, — вздохнул Рамон и обнял Изабеллу. — Тебе лучше не смотреть на него, Белла, поверь, это зрелище из малоприятных. Но, думаю, никто не будет особенно печалиться по этому поводу, не так ли?

— Ты прав, — медленно проговорила Изабелла. — Сантьяго заслуживал смерти. И он мертв...

Народное ликование в Эльпараисо по случаю самоубийства Диего Сантьяго превзошло все разумные границы. Люди сжигали его чучела, пели песни и напивались вдрызг. Следуя рекомендациям своих советников, Рамон не стал останавливать волну погромов и грабежей. Наоборот, он призвал людей веселиться и вздохнуть наконец-то полной грудью.

Изабелла поняла: в принципе Рамон мало чем отличается от других генералов, которые пришли к власти посредством переворота. Он так же ищет симпатий народа, играет на его чувствах и пользуется дешевыми приемами. Весь вопрос в том — собирается ли она ему помогать?

Газеты, немедленно получившие право печатать все, что пожелают, прославляли нового президента. Рамон ди Сан-Стефано был надеждой страны, о нем говорили как об освободителе от многолетнего ига, хотя на самом деле президент Сантьяго правил чуть больше двух лет. Но эти два года показались вечностью.

Изабелла, любуясь собственными фотографиями на первых полосах газет и журналов, как коста-бьянкских, так и заграничных, поняла — обратного пути нет. Она помогла Рамону прийти к власти, она его Белла. Ей не остается ничего другого, как быть женой президента. И не к этому ли она стремилась? Да, ей было известно, что Рамон застрелил Сантьяго и выдал его смерть за самоубийство, но такое ли это тяжелое преступление? Бывший диктатор, уничтоживший тысячи и награбивший миллионы, заслуживал смерти.

Она приняла решение. Она будет с Рамоном. Она же его любит... Любит, несмотря ни на что. Пусть он убийца, и что с того? Она станет его женой и помощницей.

Рамон начал свое правление со вступления в должность президента. В отличие от предшественников, которые предпочитали помпезность, он настоял на скромной церемонии.

В средствах массовой информации было специально сообщено, что президент отклонил проект инаугурации стоимостью двенадцать миллионов реалов и предпочел быстрый, скромный и дешевый вариант.

В его кабинете во дворце были установлены камеры. Народ мог видеть, как жил экс-диктатор. На фоне золоченых стен, продырявленных очередями из автоматов, выбитых стекол и кровавых разводов Рамон Эстебальдо ди Сан-Стефано и принес клятву верности народу Коста-Бьянки. Он, облаченный в форму генерала, получил президентскую ленту с орденом. Верховный судья страны привел его к присяге, Рамон, положив правую руку на Конституцию, а левую — на Библию, поклялся, что все его деяния будут направлены на благо страны, президентом которой он стал.

Изабелла, одетая в камуфляжную форму, была рядом с ним. Камеры время от времени крупным планом показывали ее лицо с блестевшими слезами счастья. После того как Рамон принес присягу и был официально провозглашен главой республики, он обнял Изабеллу и поцеловал ее. Этот поцелуй вошел в историю, все газеты на следующий день напечатали эту фотографию с надписью: «Вечная любовь президента» или «Белла, мы любим тебя». Мало кто знал, что именно Изабелла срежиссировала всю скромную церемонию и убедила Рамона отказаться от последующего торжественного приема, бала и фейерверка.

— Белла, они требуют, чтобы я женился на тебе, — сказал Рамон, кладя через неделю после переворота свежие газеты на кровать, где спала Изабелла. — Они хотят, чтобы ты стала моей женой. Им нужна президентша.

Он поцеловал Изабеллу и продолжил:

— Я думаю, в течение трех месяцев мы сможем подготовить необходимую церемонию. Только на этот раз все будет, как я хочу. Никакой экономии, никакой скромности. Мне требуется пышное, великолепное, затмевающее разум и чувства венчание. Кстати, ты знаешь, кто объявит нас мужем и женой?

Рамон посмотрел на Изабеллу и провозгласил:

— Мой любезный братец Флориан. Я решил, что мне не стоит разрывать с ним отношения. Он влиятельная фигура в церковных кругах, а церковь нам пригодится.

— Рамон, я не хочу, чтобы нас венчал Флориан, — заявила Изабелла. Она помнила, как архиепископ домогался ее любви и, что больше, ее тела. — Пусть это будет кто-то другой, пригласи какого-нибудь кардинала из Рима.

Рамон не воспринял всерьез желание Изабеллы, счел его капризом:

— Белла, это будет подлинным примирением. Флориан нам нужен, ты это знаешь. Церковь должна быть на нашей стороне. Уже сейчас кое-кто говорит, что я, президент, не имею права жить в грехе с женщиной, которая не является моей супругой. Чтобы пресечь эти глупые разговоры, мне и требуется поддержка Флориана. Он хочет с тобой встретиться, ты не против?

После всего, что сказал Рамон, мнение Изабеллы не играло никакой роли. Она покорно согласилась. Флориан пожаловал на следующий день. Как всегда, горделивый, облаченный в алые шелка, с массивным золотым крестом на груди, он поздравил Изабеллу с тем, что ее будущий муж стал президентом.

— Я всегда знал, что Рамону уготована великолепная судьба, — произнес он.

Изабелла чувствовала фальшь в его тоне. Флориан боялся, что брат, отношения с которым у него были не самые лучшие и которого он бросил, когда Рамон впал в немилость у прежней власти, лишит его титула архиепископа Эльпараисского.

— И ты, Изабелла, часть его судьбы, — продолжал он елейным голосом. — Я так рад за тебя...

— Я тебе не верю, Флориан, — ответила Изабелла. — Но пусть будет так, как этого хочет Рамон. Мы с тобой помиримся, я забуду обо всем, что ты мне когда-то наговорил, но это вовсе не значит, что я стану твоей. Я никогда не буду твоей, Флориан!

Глаза архиепископа, похожие на аметисты, сверкнули, он хотел что-то сказать, но сдержался. Смиренным голосом он произнес:

— Да будет так, Изабелла. Я всегда хотел тебе только добра. Рамон попросил меня обвенчать вас в соборе Богородицы, я уже испросил разрешения у папы. Он ответил согласием. Именно я буду проводить эту церемонию.

Затем, подойдя вплотную к Изабелле, Флориан произнес шепотом:

— Я тебя не забыл, Белла. Ты по-прежнему сводишь меня с ума. Подумай, у тебя остается последний шанс — ты можешь еще расстаться с Рамоном. Он же дурак, Изабелла, зачем он тебе? Тебе, шикарной и умной женщине, нужен такой мужчина, как я...

— Флориан, я никогда не буду твоей, я тебе это уже говорила, — повторила Изабелла. — Тебе лучше смириться с тем, что я в самом ближайшем будущем стану женой твоего брата.

— Ну что же, это твой выбор, Изабелла, — загадочным тоном ответил Флориан. — Но смотри не пожалей о том, что ты приняла такое решение. Пути господни неисповедимы, Белла...

Подготовка к грандиозной свадьбе шла немыслимыми темпами. Огромный собор, выстроенный в псевдоготическом стиле, был подходящим местом для венчаний. Изабелла лично занялась его декорацией. Чем украсить темный гранит — белыми розами, лилиями или орхидеями? Она уставала, так как на сон ей оставалось не более трех часов в сутки. Рамон, занятый формированием правительства, реорганизацией армии и проведением первых реформ, отсутствовал практически весь день. Они виделись всего час или два.

В средствах массовой информации широко освещались его первые шаги. Рамон простил большие долги крестьянам, пообещал улучшить довольствие военным, ликвидировал цензуру. Никто не знал, что наряду с этим он подписал тайные постановления, согласно которым американские концерны становились едва ли не единоличными хозяевами нефтяных вышек, изумрудных шахт, урановых рудников. Олигархи, которые поддержали кандидатуру ди Сан-Стефано, также требовали часть пирога. Банки, железные дороги, химические концерны — все это меняло хозяев. Государственная казна была пуста, внешний долг зашкаливал за семьдесят миллиардов долларов, Всемирный банк грозил объявить Коста-Бьянку страной-банкротом, а Рамон, опять же не афишируя, первым делом потребовал сто миллионов на реконструкцию президентского дворца и десять миллионов на свадебные торжества.

Изабелла ничего об этом не знала — или делала вид, что не желает об этом знать. Народ, как и прежде, нищенствовал, поэтому она потребовала от Рамона ввести мизерное пособие для безработных и малоимущих.

— На это не потребуется много денег, Рамон, — убеждала она его. — Но ты лишний раз обретешь популярность среди простых масс.

— Ты права, Белла, — согласился с ней Рамон. — И вообще, я думаю, что ты должна активно участвовать в политической жизни страны. Для Коста-Бьянки женщина в политике — явление редкое. Ты же станешь феей-волшебницей, которая дарит нуждающимся все то, что им нужно. Я подписал указ об организации особого фонда, которым будешь распоряжаться только ты. И сделал первый взнос — пятнадцать миллионов долларов. Не так уж много, но это только начало.

Изабелла согласилась с подобной ролью. Она пообещала Рамону, что займется общественными функциями после свадьбы. Выступая по телевидению, она заявила, что по случаю их венчания президент ди Сан-Стефано объявит повсеместную амнистию, увеличит минимальную зарплату и позволит народу не работать в течение недели с сохранением зарплаты. Это вызвало бурю восторга.

Свадебное платье она заказывала семь раз. То ей не нравился фасон, слишком старомодный, то ее не устраивал цвет, чересчур бледный. Она никак не могла выбрать то, что ей требуется. В итоге под нажимом Рамона она остановила свой выбор на наряде от известного коста-бьянкского портного. СМИ снова сообщили, что Изабелла отвергла предложения парижских и нью-йоркских кутюрье и, как истинная патриотка, выбрала эльпараисского дизайнера.

Любой ее шаг вызывал одобрение, восхищение, истерику. Стоило ей появиться в приюте для бездомных, доме престарелых или бедняцком квартале, как ее окружали тысячи людей, выкрикивавших с обожанием ее имя.

— Они боготворят тебя, Изабелла, и это нам на руку, — цинично замечал Рамон. — Пока ты их любимица, я тоже смогу остаться у власти. Разве это не так, дорогая?

Изабелла знала, что Рамон прав. Ей нравилось всеобщее обожание. Ей нравилась власть. И она хотела большего.

Венчание состоялось 28 марта, в воскресенье. Почти полуторамиллионная масса людей, как жителей столицы, так и приехавших из проьнции, запрудила все улицы, улочки и бульвары Эльпараисо. Центральная площадь, на которой располагался собор Богородицы, была оцеплена полицейскими и оставалась пустой. Торжество было назначено на полдень.

За десять минут до того, как часы на старинной ратуше пробили двенадцать раз, показался свадебный кортеж. Зрители, увидев кавалькаду автомобилей, закричали. Их Белла, всеобщая любимица, наконец-то станет женой Рамона, народного президента.

Изабелла находилась в огромном белом «Кадиллаке», который был срочно собран по специальному заказу. Ее эскортировали двадцать военных на мотоциклах и несколько «Мерседесов». Рамон должен был прибыть на вертолете. Он приземлился прямо на площадь, чем поразил воображение журналистов и зевак.

Когда дверца «Кадиллака» распахнулась и невеста предстала перед глазами публики, по многотысячной толпе прокатился стон восхищения. Даже Рамон, видевший Изабеллу всего час назад в подвенечном наряде, не смог не прошептать:

— Она великолепна!

Подвенечное платье Изабеллы, настоящее произведение искусства, было создано усилиями трех самых известных кутюрье Эльпараисо. Брюссельские кружева, жемчужная россыпь по всему платью, огромный змеящийся шлейф, отороченный соболем, — все это делало Изабеллу похожей на сказочную принцессу. Толпа, собравшаяся на свадьбу, возликовала.

По красной ковровой дорожке Изабелла проследовала в собор. Он был заполнен именитыми гостями — политиками, бизнесменами, дипломатами. Все, вытянув голову, старались рассмотреть невесту президента.

Изящную головку Изабеллы украшала бриллиантовая диадема невероятной стоимости, принадлежавшая когда-то голландской королевской семье. Изабелла видела, как женщины, затаив дыхание и закусив губы, с завистью смотрят на ее подвенечный наряд.

У алтаря ее ждал улыбающийся Рамон. Зазвучала органная музыка, началась месса. Архиепископ Эльпараисский самолично по такому важному поводу проводил обряд венчания. Флориан старался не смотреть на Изабеллу, и она чувствовала волны ненависти, исходящие от него. Он не хотел, чтобы она стала женой Рамона. Однако она сделала свой выбор.

— Рамон Эстебальдо ди Сан-Стефано, желаешь ли ты взять в жены Изабеллу Веронику Марию Баррейро и быть ей верным до тех пор, пока смерть не разлучит вас?

Рамон, блистательный генерал, в парадной белой форме, с зелено-золотой лентой президентской власти, ответил:

— Да!

— Изабелла Вероника Мария Баррейро, согласна ли ты взять в мужья Рамона Эстебальдо ди Сан-Стефано и хранить ему верность до тех пор, пока смерть не разлучит вас?

Изабелла взглянула на архиепископа. В его глазах она уловила отблески адского пламени. Почему он так криво улыбается — или это только игра ее воображения?

— Да, — последовал ее ответ.

Флориан провозгласил их мужем и женой. Они обменялись обручальными кольцами, затем последовал традиционный поцелуй.

— Как же я люблю тебя, Изабелла, — произнес Рамон.

Хозяйка Изумрудного города

— И я тебя тоже, — ответила Изабелла.

Говорила ли она правду? Она не могла иначе, она стала законной женой Рамона и, таким образом, супругой президента Республики Коста-Бьянка. Она превратилась в спутницу жизни человека, о котором мечтают миллионы женщин. Но в то же время миллионы мужчин, она твердо знала это, грезят ее образом. Изабелла Баррейро ди Сан-Стефано, так теперь именовалась она. Впереди была процедура гражданского брака, но для консервативной Коста-Бьянки важнее всего было церковное действо.

Придворные репортеры и фотографы, допущенные в собор Богородицы, сделали снимки, которые появятся в сегодняшних газетах. В соборе были установлены и телекамеры, которые вели прямую трансляцию. Изабелла убедила Рамона, что бедняки, лишенные возможности присутствовать на свадьбе, должны видеть, как их Белла становится женой их Рамона.

Они, держась рука об руку, направились к выходу. Сейчас они отправятся в президентский дворец, где министр юстиции заключит их брак на бумаге, затем появятся на балконе, чтобы приветствовать толпы народа. И после этого — краткий медовый месяц за городом. Рамон не рисковал покидать страну через три месяца после того, как стал президентом. Да так было и патриотичнее — свежеиспеченная президентская пара остается в Коста-Бьянке.

Весь ритуал был продуман до мелочей, Изабелла наняла лучших организаторов свадьбы в мире, правда, для этого пришлось выложить колоссальную сумму, но об этом не распространялись.

Они выходили из собора, когда это произошло. Изабелла успела заметить, как, прорвав полицейский кордон, на красный ковер, преграждая путь к черному президентскому лимузину, прорвался человек, облаченный в темный костюм. В руке он держал несколько роз.

«Бойся человека в черном с розой», — всплыло в ее памяти предупреждение Рахили. Она успела сжать руку Рамона, охрана бросилась на непрошеного гостя.

— Умри, тварь! — прокричал черный человек, раздалось два выстрела.

Изабелла почувствовала резкую боль. Покушавшийся попал в нее. На глазах множества зрителей, в прямом эфире, она стала жертвой покушения. Ее белоснежное платье было залито кровью. Изабелла осела на ковровую дорожку.

— Боже, он убил нашу Беллу! — закричал кто-то, и толпа, только что ликовавшая по случаю единения двух своих кумиров, завопила от ужаса. Рамон заметался, его и Изабеллу окружили агенты Министерства безопасности. Раздалось еще несколько выстрелов — нападавший был убит на месте.

— Прервать трансляцию, — распорядился Рамон.

Он пытался заслонить Изабеллу от посторонних взглядов. Он склонился над ней. Изабелла едва дышала, на губах пузырилась кровь. Она, приоткрыв глаза, прошептала:

— Я не хочу умирать, Рамон. Спаси меня, пожалуй...

Так и не договорив, она потеряла сознание. Рамон, бережно подхватив раненую Изабеллу на руки, поторопился с ней к вертолету, который стоял на площади. Тем временем толпа в нескольких местах прорвала полицейскую цепочку и бросилась к вертолету.

— Что с ней, она умерла? Белла не может умереть!

Десятки, сотни, тысячи рук тянулись к Изабелле, преградив Рамону, взятому в кольцо немногочисленной охраной, путь к вертолету.

— Расступитесь, она умирает! — напрасно кричал ди Сан-Стефано, всеобщая истерия перешла в подлинное безумие.

— Господин президент, мы вынуждены применить оружие, — сказал один из охранников. — Иначе они просто нас растопчут.

Снова послышались выстрелы, сначала в воздух, а потом и по живым мишеням. Несколько человек, сраженных пулями, упали под ноги беснующейся толпе. Грандиозное празднество превратилось в грандиозную потасовку. Агенты службы безопасности сумели-таки проложить дорогу Рамону, державшему на руках Изабеллу, к вертолету. Дверца еще не захлопнулась, а машина уже поднималась в воздух.

— В президентский госпиталь, — отдал короткое распоряжение Рамон. — Изабелла, — обратился он к жене, — дорогая, прошу тебя, не умирай, ты не имеешь на это права!

В госпитале их уже ждали. Изабеллу немедленно повезли в операционную. Генералу сообщили, что у его жены серьезные ранения — одно в легкое, а другое едва не задело сердце. Шансы, что она останется в живых, были тридцать к семидесяти.

Лучший хирург Коста-Бьянки, который был приглашен на торжественный ужин по случаю бракосочетания президента и Изабеллы Баррейро, был немедленно доставлен в госпиталь. Он, как был, в смокинге, отправился дезинфицировать руки, ассистенты по дороге облачали его в спецодежду. Он сказал Рамону, что надежда есть всегда и он сделает все, от него зависящее...

Потянулись часы ожидания. В давке на площади возле собора погибло около сорока человек, больше тысячи получили повреждения и ранения. В том числе семнадцать человек были застрелены агентами безопасности. Рамон, которому доложили об этом, приказал не пропускать информацию.

— Все должно выглядеть как тщательно спланированная атака приверженцев Сантьяго. Не упоминайте о том, что погибло такое большое количество людей. Слава богу, что это не пошло в прямой эфир. Скажем, что пострадало пять человек.

Его больше всего интересовало состояние здоровья Изабеллы. Он не мог потерять жену сразу после венчания в церкви. В госпиталь прибыл архиепископ Флориан. Он сладким голосом пытался утешить брата.

— Господь смилостивится над Изабеллой, она останется в живых, — говорил он. — Но даже если она умрет, Рамон, то ты не имеешь права роптать. Такова ее судьба.

Изабелла не умерла. Операция по извлечению пули из левого легкого длилась три с половиной часа и прошла успешно, вторая пуля прошла навылет. К полуночи Изабелла очнулась. Рамон оказался у ее кровати.

— Ты не умрешь, — заверил он ее. — Я этого не допущу, моя дорогая.

Изабелла слабо улыбнулась. Она проговорила еле слышно:

— Рамон, я хочу, чтобы мы заключили гражданский брак. Прямо здесь, в палате. Ты сможешь это сделать?

— Конечно, — ответил ди Сан-Стефано. — Изабелла, может быть, нам стоит отложить...

— Нет, — твердо ответила она. — Немедленно. И не забудь проследить, чтобы это попало в газеты и на телевидение. Народ должен видеть меня и тебя вместе.

Даже будучи в тяжелом состоянии, Изабелла помнила незыблемое правило: никогда не забывать об имидже. Рамон вызвал министра юстиции и людей с телевидения, которые устроили все, как нужно. Рано утром следующего дня коста-бьянкцы увидели, как Изабелла, лежащая в палате госпиталя якобы на смертном одре, сочетается гражданским браком с их президентом.

За три недели, которые она провела в госпитале, Изабелла получила четыреста восемьдесят тысяч писем и телеграмм. Гигантские толпы людей с цветами, свечками, ее фотографиями и трогательными самодельными плакатиками собирались под окнами госпиталя, молясь о ее скорейшем выздоровлении.

Изабелла была благодарна народу за такую любовь. Она даже сказала Рамону, что не будь безумца, который попытался ее убить, то его следовало бы выдумать.

— Нам о нем почти ничего не известно, — сказал ей супруг. — Его имя Карлос Родригес, тридцати девяти лет, находился под наблюдением психиатра. Он страдал навязчивыми идеями, одной из которых была ты, дорогая. Видимо, он, узнав, что ты выходишь за меня замуж, решил, что лучше убьет тебя, чем отдаст мужу. Жаль, что агенты спецслужб переусердствовали, они застрелили его около собора. Мне кажется, что он не был одиночным психопатом, это был заговор. Хорошо бы знать, кто за ним стоит...

Рамон не преминул воспользоваться представившейся возможностью. Он организовал несколько политических процессов, на которых к смертной казни были приговорены его противники. Их обвиняли в попытке убить президента и его супругу. Благо, что изобретать ничего не требовалось.

Изабелла поправилась и занялась благотворительной деятельностью. Она заняла пост главы специального фонда помощи детям и малоимущим. Счета фонда пополнялись из государственного бюджета и добровольных пожертвований бизнесменов и промышленников. Добровольное пожертвование выглядело обычно следующим образом — в банк или в крупный концерн приходили представители фонда, которые предлагали перечислить на отдельный счет, скажем, миллион реалов. Если бизнесмен отказывался, то через пару дней к нему наведывалась налоговая полиция или прокуратура, и всегда находилось что-то, противоречащее уголовному законодательству страны. Поэтому бизнесмены предпочитали платить. Никто не хотел ссориться с могущественной супругой президента.

Деньги тратились под прицелами кинокамер и в окружении журналистов. Изабелла совершала поездки по стране, посещая бедные кварталы. Вместе с ней прибывали фургоны, заполненные едой и одеждой. Все это прямо на месте раздавали страждущим. Она организовала множество столовых для бездомных и беспризорников, не гнушалась посещать тюрьмы. Под ее нажимом Рамон регулярно подписывал указы о помиловании и в конце концов сдался — ввел в Коста-Бьянке запрет на смертную казнь.

Об Изабелле писали все газеты, ее визиты ожидались людьми, как сошествие с небес богини. На нее молились, плакаты с ее изображениями нельзя было достать в магазине, потому что их раскупали в считаные часы. Тысячи девочек получали в ее честь имя Изабелла.

— Изабелла-Белла! — кричали люди, только завидев ее. Она стала счастливой звездой президента ди Сан-Стефано.

Благодаря бешеной популярности жены Рамон мог беспрепятственно проводить нужную ему и его покровителям политику. В новостях сообщали о том, что Изабелла открыла в провинции новую школу, построенную на деньги ее фонда, крупным планом показывали счастливые личики детей.

И в то же время ничего не сообщалось о том, что безработными в Коста-Бьянке было около трети взрослого населения и эта цифра увеличивалась. Финансовый кризис, разразившийся в последние дни правления президента Сантьяго, только усугублялся. Даже в Эльпараисо выстраивались очереди за продуктами.

— Я боюсь нового военного переворота, — признался Изабелле муж. — Ты мне нужна, Белла. Ты отвлекаешь людей от насущных забот. Казна государства к твоим услугам.

— Я это знаю, — отвечала Изабелла.

Она действительно это знала. Появляясь на публике, перед журналистами или делегацией бедняков откуда-то из джунглей, она представала в очаровательных эксклюзивных платьях и драгоценностях. Все это покупалось в огромных количествах и за счет бюджета. Изабелла всегда любила швырять деньги, но, превратившись в сеньору президентшу, она ощутила, что это перешло в манию. У нее были собственные капиталы, но она предпочитала их не трогать.

В тот день месяца, когда она решала совершить рейд по магазинам, крупнейшие универмаги и бутики Эльпараисо просто закрывались — для всех, по техническим причинам. Изабеллу доставляли на вертолете, она в гордом одиночестве бродила по этажам, забитым тряпками, парфюмерией, украшениями. Вокруг нее роились услужливые продавцы и советники.

— Сеньора ди Сан-Стефано, этот костюм вам уди-

Антон ЛЕОНТЬЕВ

вительно идет, — говорили льстецы, нисколько не преувеличивая. — И этот тоже.

— Тогда я покупаю еще три, — говорила Изабелла. Она никогда не расплачивалась, счета присылались в Министерство финансов или прямиком в президентский дворец. Рамон, не обращая внимания на цифры, подписывал их.

Чиновники министерства получили строжайшее указание принимать к оплате все счета Изабеллы. Когда один из них проговорился журналистам, что Изабелла Баррейро ди Сан-Стефано за последний месяц только на обувь истратила порядка ста семидесяти тысяч долларов, то его немедленно уволили, а журналиста, уже подготовившего сенсационно-разоблачительную статью о транжирстве Беллы, нашли утонувшим в ванне.

О ней, как и о президенте, полагалось писать в восторженно-трепетных тонах. На все остальное было наложено табу. Изабелла приобрела у Картье ожерелье стоимостью полтора миллиона — об этом молчок. Она увлеклась конным спортом и приказала купить пару дюжин породистых лошадей, суммарная стоимость которых превышала бюджет самой бедной коста-бьянкской провинции в два раза, — это тайна за семью печатями. Президент преподнес супруге на день рождения подлинного древнеегипетского сфинкса, который был контрабандой вывезен из Египта — но это же клевета!

О чрезвычайно расточительном образе жизни Изабеллы писала западная пресса, но американские и европейские журналы и газеты не импортировались в Коста-Бьянку. Ее множество раз просили дать интервью знаменитая Опра Уинфри и Ларри Кинг, однако Изабелла отвечала отказом.

Она часто думала, что ее никто не понимает. У нее было больше тысячи пар обуви, большинство из которых она не надевала ни разу, в президентском дворце в срочном порядке были сооружены три дополнительные гардеробные комнаты для ее нарядов и оборудован бассейн с мини-водопадом. Драгоценности не помещались в пяти больших сейфах. Но ведь таким образом она компенсировала боль, страх и отчаяние.

Быть любимой до безумия — вот к чему была приговорена Изабелла. Когда-то она стремилась к этому, но давно поняла, что совершила ошибку. Она оказалась в западне. Каждый ее шаг отслеживается, от нее ждут, что она, как волшебница, будет исцелять страждущих и больных. А она была обычная женщина со своими слабостями, пороками и фобиями.

Рамон, сознавая это, купил жену, соглашаясь с ее мотовством. Она требовалась ему, как воздух. Изабелла стала его талисманом. Когда ему задавали неприятные вопросы о состоянии государственного долга или гигантском дефиците бюджета, он сводил все к благотворительной деятельности жены.

— Изабелла, я думаю, нам нужен ребенок, — сказал как-то Рамон. — Это повысит твою и без того огромную популярность.

Она сама страстно мечтала о ребенке. Когда-то она хотела забеременеть от Алекса, но это было так давно...

Одним зимним вечером, когда Изабелла расслаблялась в сауне после утомительного турне по провинции и похода по магазинам, в заполненную паром комнату проскользнула Рахиль. Гадалка переехала в президентский дворец, ей были выделены особые апартаменты. Изабелла, помнившая о ее предсказании, теперь всегда советовалась с картами даже по пустяковому вопросу.

— Белла, — сказала, немного поколебавшись, Рахиль. — Ты должна знать... Твой муж кое-что скрывает от тебя.

— У него есть любовница? — лениво спросила Изабелла.

Гадалка ответила:

— О нет, он влюблен в тебя до такой степени, что не видит никого, кроме тебя. Скажи мне, что бы ты предприняла, если бы узнала, что Алекс жив?

Страшные слова, как кинжал, резанули по душе Изабеллы. Она резко поднялась и спросила:

Хозяйка Изумрудного города

— В чем дело, Рахиль, к чему ты завела этот разговор? Алекс мертв, и тебе это известно.

— В этом-то все и дело, — произнесла та. — На границе с Венесуэлой объявился человек, который утверждает, что он — чудом спасшийся Алекс Коваччо. Он собирает отряды, чтобы возглавить сопротивление режиму Рамона.

— Самозванец, — сказала Изабелла, но в ее тоне не было уверенности.

Когда-то она не верила, что Алекс погиб, пыталась тешить себя мыслью, что это ошибка... Но ведь с того момента прошло около полутора лет, почему же за все это время он не объявился? Когда-то он тоже пропадал на долгое время. Или, узнав, что она — жена Рамона, он решил забыть ее?

— Что говорят карты? — спросила глухим голосом Изабелла. — Ты ведь спрашивала у них совета, Рахиль, я знаю. Отвечай, не таи!

Гадалка, опустив глаза, сказала:

— Карты ответили, что Алекс жив. Они всегда говорили мне, что он не погиб тогда в перестрелке, но я им не верила. Были же убедительные доказательства того, что он мертв.

— И ты промолчала! — в бешенстве крикнула Изабелла. — Ты подозревала, что Алекс мог выжить, и молчала! Почему, Рахиль?

Та, зарыдав, пробормотала:

— Потому что этого потребовал Рамон. Он сказал, чтобы я заткнулась, иначе обещал запрятать меня в тюрьму или даже убить. Он давно знает, что Алекс жив или что по крайней мере есть человек, который выдает себя за Алекса.

— Ты утверждаешь, что Алекс жив, — повторила Изабелла. — И что Рамон об этом знает...

— Он специально скрывает это от тебя, Белла, — произнесла Рахиль. — Рамон боится потерять тебя.

Изабелла закрыла глаза. А что, если все это правда? Алекс мог выжить и снова начать вооруженное сопротивление режиму тирана. Как она поступит в этом случае? Она любит Рамона, но и глубокое, сильное чувство к Алексу не прошло. Она — Изабелла Баррейро ди Сан-Стефано, хозяйка Изумрудного города — Эльпараисо, живая легенда, миф, сказка. Сможет ли она бросить все это? И нужна ли она Алексу?

— Ты должна организовать мне встречу с ним, — твердо сказала Изабелла. — Рахиль, ты единственный человек, которому я доверяю. Ты ведь сделаешь это для меня?

Рахиль глубоко вздохнула:

— Когда-то я едва не сошла с ума, узнав, что Алекс мертв. Но теперь, когда высока вероятность того, что на самом деле он остался в живых, я хочу... я хочу, Белла, чтобы он был мертв. Так будет лучше для всех.

— Почему ты так говоришь? — нахмурилась Изабелла. — Ты что-то знаешь! Немедленно сообщи мне! Рахиль, прошу тебя!

Гадалка сказала:

— Да, ты права, я обязана сообщить тебе, Белла. У Алекса есть новая подруга...

Ну, конечно же, новая подруга! Как она сама не подумала об этом. У нее появился муж, у Алекса — другая спутница жизни. Изабелла почувствовала, что ее начинает трясти. Может быть, мудрая гадалка права и лучше позволить мертвецам лежать в гробах? Алекс вернулся и изменил ее жизнь. Она не сможет остаться с Рамоном. Но и бросить его было бы подлостью и преступлением. Рамон так много сделал для нее, он спас ее от смерти два раза, он сделал ее своей женой. Он верит ей — а она предаст его.

— Рахиль, прошу тебя, узнай, Алекс ли этот человек или просто самозванец. Если Алекс... передай ему, что я жду его. Он не забыл меня, я уверена. Кто эта женщина?

Рахиль неопределенно пожала плечами:

— Какая-то русская, вроде бы богатая и влиятельная. Мне известно только, что ее зовут Наталья.

— Красивое имя, — в задумчивости проговорила Изабелла.

Тем же вечером у нее состоялся серьезный разговор

Хозяйка Изумрудного города

с Рамоном. Она нашла его в свежеотремонтированном кабинете. Просторное помещение, облицованное красным деревом и черным мрамором, с гигантским портретом самого Рамона на стене.

Президент, доступ к которому его супруге был открыт круглые сутки и без оповещения заранее, работал с важными бумагами.

Завидев Изабеллу, Рамон снял очки и сказал:

— Дорогая, я рад, что ты здесь. Мне бы хотелось, чтобы ты на следующей неделе выступила с речью в...

— Рамон, — прервала его Изабелла. — Скажи мне, это правда?

Президент насторожился, его движения стали плавными, в темных глазах блеснул страх.

— Что именно правда, Изабелла? — Он взглянул на нее с тревогой.

— То, что Алекс Коваччо жив, — ответила она.

Рамон протер очки, отложил в сторону кипу документов и, наконец, произнес:

— Вероятнее всего, да. Кто донес до тебя эту весть?

— Ты скрывал от меня это, Рамон, — сказала Изабелла. — Как давно объявился человек, который утверждает, что он — это Алекс?

— Почти три месяца. — Рамон выглядел теперь жутко измотанным. — Он сколотил в джунглях команду головорезов и собирается вновь развязать гражданскую войну.

— Почему ты не говорил мне, Рамон? — Изабелла подошла вплотную к мужу.

Президент, поколебавшись, ответил:

— Я боялся, что ты уйдешь от меня к нему. Я не могу тебя потерять, Изабелла, ты мне нужна!

— Потому что я — гарант твоей власти, Рамон? — вырвалось у нее. — Потому что ты знаешь, что народ никогда не пойдет штурмовать президентский дворец, в котором вместе с тобой нахожусь я? Потому что ты купил меня тряпками, драгоценностями и прочей шелухой!

Она отлично знала, что несправедлива к мужу. Не

он заставил ее принять решение, она сама сделала такой выбор. Но Изабелле требовался кто-то, кого она могла обвинить в собственной трагедии. Кто-то, о ком она могла сказать: он мой враг. Рамон не был ей врагом. Она сама была врагом себе...

— Изабелла, пойми, Коста-Бьянка находится в такой тяжелой экономической и политической ситуации, — произнес Рамон. — Ты позволяешь мне сохранить относительную стабильность. Еще несколько лет, и все нормализуется...

— И тогда ты отпустишь меня к Алексу? — Изабелла отбежала к двери. — Я больше тебе не верю, Рамон. Запомни, я поступлю так, как считаю нужным. Я не хочу быть женой диктатора и вора!

— Нет, Изабелла, — жестко произнес он. — Ты не посмеешь бросить меня. Я пойду на все, чтобы ты осталась!

— Даже убьешь меня, как убил Сантьяго? — вырвался у нее невольно едкий вопрос.

Ди Сан-Стефано, побледнев, прошептал:

— Ты знаешь и об этом, Белла? Ты знаешь, что я убил Диего? Ну что же, значит, ты моя соучастница. Ты знаешь, кто именно оплачивает твои дорогостоящие прихоти. Ты была согласна на это, а теперь, когда этот революционер восстал из небытия, бросаешь меня. Ты только моя, Изабелла! Я буду делить тебя только с Коста-Бьянкой!

Рамон говорил медленно, тщательно подбирая каждое слово. Ни капли гнева, ни единого жеста раздражения. Но это-то и пугало Изабеллу. Она никогда не видела мужа таким. Холодная, леденящая ярость кипела в нем. Она поверила — он не позволит ей уйти к Алексу.

Следующим утром они не вспомнили о памятном разговоре, сделав вид, как будто ничего и не было. Изабелла отправилась на открытие новой школы для слепоглухонемых детей, а президент возглавил заседание правительства. Вечером, промотав около ста тысяч долларов по мелочовке, Изабелла с трепетом ждала Рахиль.

Хозяйка Изумрудного города

Антон ЛЕОНТЬЕВ

Гадалка появилась в ее будуаре около полуночи. Она произнесла всего одну фразу:

— Это он!

Изабелле хватило этого, чтобы ощутить неземное счастье. Алекс жив, и она сможет увидеться с ним! Пусть Рамон угрожает ей смертью, пусть она станет преступницей и потеряет все, что у нее есть, но она будет с Алексом. И ей плевать, что у него имеется непонятная русская подружка.

— Мне удалось передать ему весточку, однако надеяться на ответ бессмысленно, — сказала гадалка. — Он находится в самой чаще джунглей. Алекс поднимает новое восстание, на этот раз против твоего мужа. Изабелла, подумай хорошенько, стоит ли тебе с ним встречаться. У тебя есть Рамон...

— Спасибо, Рахиль, — холодно проронила Изабелла. — А теперь я хотела бы остаться одна.

Обиженная гадалка исчезла из ее покоев. Изабелла знала — Алекс придет к ней. Это будет так же неожиданно, как и в тот день, когда она обнаружила его у себя в кофейной комнате.

Шел день за днем, прошла неделя, потянулась вторая, но Алекс не давал о себе знать. Зато Рамон был вынужден всенародно объявить, что группа бунтовщиков, действовавших в джунглях, сотрясает основы государственной власти. Он намеренно не упоминал имени, но слухи моментально разнеслись по всей стране — это Алекс Коваччо.

Совершенно того не желая, Изабелла была вынуждена принимать участие в бале, который давал президент по случаю своего пятидесятилетия. Во дворце, снова засиявшем во всем великолепии после генеральной реконструкции за сто миллионов долларов, собрался цвет Коста-Бьянки, дипломатический корпус и масса приглашенных из-за рубежа именитых гостей.

Изабелла, облаченная в серебристое платье, украшенная язычески-тяжелым рубиновым ожерельем, стояла, как того когда-то и хотел Рамон, на самом верху мраморной лестницы и встречала гостей. Она ждала — Алекс должен появиться именно сегодня.

Она со страданием беседовала на отвлеченные темы, постоянно оборачиваясь. Ей говорили комплименты, а французский премьер-министр даже провальсировал с ней, но Изабелла, отрешенная от всего, ждала Алекса.

Прием близился к завершению, а его так и не было. Изабелла, оказавшаяся на секунду в одиночестве, ощутила чье-то присутствие рядом. Это был официант с подносом, на котором возвышались бокалы с шампанским.

— Благодарю, — она нервным жестом дала понять, что не желает спиртного. Официант не исчезал. Изабелла, которой претило назойливое любопытство, хотела было сказать, чтобы тот убирался прочь, но, подняв глаза, увидела Алекса.

Он стоял перед ней, держа поднос с шампанским. Он пришел, не обманул, отозвался на ее зов.

— Ты! — вырвалось у нее.

На ее крик оглянулась пышная дама, жена американского посла. Изабелла, натянуто улыбнувшись, принесла ей извинения. Алекс приложил палец к губам, призывая к молчанию.

Изабелла отвлеклась на секунду — ее позвал Рамон, желая представить очередному гостю, а обернувшись, уже не обнаружила Алекса рядом. Он исчез. Она была готова броситься прочь из зала, заполненного блестящей публикой. Он не мог так поступить, показаться и затем пропасть.

Изабелла снова обнаружила его около колонны. Он, махнув головой, показал ей на зеркальную дверь, которая вела в смежный зал. Изабелла, коротко побеседовав с важным промышленником из Мексики, осторожно подошла к двери.

Кажется, за ней никто не наблюдает. Рамон занят гостями, те заняты выпивкой и флиртом.

Она прошла в темный зал. Ее обхватили руки, ее поцеловали губы. Алекс, это был он...

Хозяйка Изумрудного города

— Как же я ждала тебя, — прошептала Изабелла, чувствуя, что слезы текут по ее щекам. — Где ты был все это время, почему ты не мог объявиться раньше?

Он ответил:

— Тогда все посчитали меня мертвым, а на самом деле я остался в живых. Меня подобрали индейцы, я провел у них в племени полгода, они вылечили меня и подарили новую жизнь. Когда я сумел добраться до Венесуэлы, то ты уже была супругой Рамона, президента Коста-Бьянки.

Он снова поцеловал ее. Изабелла обхватила его, не желая отпускать от себя.

— Белла, мы оказались снова разделены пропастью, — произнес Алекс. — Я прощаюсь с тобой, моя дорогая девочка. У меня есть отличная возможность убить твоего мужа-тирана, который ничуть не лучше Сантьяго. Но я же знаю, как много он для тебя значит.

— Нет, — прошептала Изабелла. — Нет, нет, нет! — прокричала она, не обращая внимания на то, что их могли обнаружить в любой момент. — Он для меня ничего не значит, Алекс. Я люблю тебя! Я не отпущу тебя. Прошу, возьми меня с собой!

Призрачный лунный свет, проникая сквозь огромное узорчатое окно, падал на лицо Алекса. Коваччо покачал головой:

— Ты же знаешь, что это невозможно, Белла. Вообще-то именно тебя мне стоит бояться больше всего, именно ты сделала режим ди Сан-Стефано таким привлекательным и жизнеспособным. Ты мой враг, Изабелла...

Зеркальная дверь распахнулась, Изабелла инстинктивно отпрянула. Один из специальных агентов, охранявших безопасность президента, его супруги и гостей, проверял помещения. Завидев Изабеллу, он, не подав и виду, что удивился, молча поклонился.

— Здесь никого, кроме меня, нет, — сказала она. — Уходите!

Никто не осмеливался перечить великой Изабелле. Она обернулась. Алекса снова не было рядом. Окно тихо хлопнуло на легком ветру. Он ушел. Ушел из ее жизни.

Изабелла вернулась в зал, где шло юбилейное торжество. Никто не заметил ее пятиминутного отсутствия. Она, осознав, что больше никогда не увидит Алекса, ощутила рвущую сердце боль. Изабелла продолжала улыбаться, раздаривать улыбки, вести беседы.

— Белла, спасибо тебе за то, что подарила мне чудесный вечер. Я вижу, что у тебя великолепное настроение, — сказал Рамон, когда они остались одни в пустом зале около четырех утра.

— О да, я только что умерла, — ответила та. — А теперь я хочу спать, Рамон!

Она проспала почти двадцать семь часов. Служанка, напуганная тем, что госпожа Изабелла не покидает постель, и решившая, что она умерла, посеяла всеобщую панику во дворце. Рамон, примчавшийся по срочному вызову с военного полигона, где проходили испытания нового истребителя, столкнулся с министром здравоохранения Коста-Бьянки, который заверил его, что все в полном порядке.

— Ну, или почти в полном порядке. Синьора Баррейро ди Сан-Стефано просто спит. Но ее очень сложно разбудить. Уверяю вас, это не кома. Скорее всего, реакция на многомесячную усталость и стресс. Лучший выход — оставить все, как есть. Организм сам примет решение, когда же пробудиться.

Изабелла проснулась и увидела около себя Рамона. Молча она проследовала в ванную комнату.

— Рамон, не мешай мне, — сказала она, когда, вернувшись через два часа после горячей ванны, обнаружила мужа по-прежнему в кресле около ее кровати. — Я должна увидеться с ним и принять решение.

— Я согласен, — произнес Рамон. — В моих силах уничтожить Алекса, я бы мог задействовать все спецслужбы и военные подразделения, закатать джунгли в асфальт и повесить твоего Алекса на лиане. Но я не сделаю этого по одной простой причине — ты его любишь. А я люблю тебя и не собираюсь причинять тебе боль. Ты встретишься с ним.

— Спасибо, — только и произнесла Изабелла и, пройдя мимо мужа, заперлась в гардеробной.

Неделей позже она вылетела на частном самолете в отдаленную провинцию, где разгорался пожар мятежа. Изабеллу сопровождала Рахиль. Гадалка боялась встречи с Алексом в крошечном пограничном городке, который был во власти повстанцев. Изабелла приняла решение отправиться на свой страх и риск в логово противников Рамона. Она знала, что мятежники считали ее дешевой проституткой и неудавшейся актрисой.

— Но ведь я такой и являюсь, Рахиль, — сказала она гадалке, садясь в самолет. — Будь что будет — или я верну Алекса, или погибну.

— Или все останется, как прежде, — заметила философски гадалка.

Они попали в полуразрушенный, бедный городок с каменными постройками и деревянными сараями. Изабелла во время многочисленных поездок по стране навидалась сотни таких. Она сама выросла в подобном. Чтобы как-то объяснить отсутствие Изабеллы в Эльпараисо, президентский дворец распространил слухи о ее нездоровье.

Подкрепленная сплетнями о том, что Изабелла едва не умерла, накачавшись наркотиками (переработка журналистами ее долгого сна), подобная информация выглядела достоверной. Тысячи поклонников Беллы снова потянулись под окна дворца, ставя свечки и распевая псалмы. Что бы они сказали, узнав, что объект их обожания, святая Белла, бросив мужа, которому клялась в верности перед алтарем, улетела к любовнику — главарю повстанцев?

Их встретили настороженно, бедняки-солдаты таращились на Изабеллу, не веря, что она оказалась в их местечке. Еще бы, до этого они видели ее только по телевидению и на фотографиях в газетах. Рахиль осталась на дешевом постоялом дворе, Изабелле завязали глаза и, усадив в джип, повезли по колдобистой дороге в джунгли.

Поездка длилась три часа. Она попала в лагерь мятежников. Так уже когда-то было... Но тогда она точно знала, что Алекс — только ее. А что ожидает ее теперь?

Он встретил ее в небольшой хижине, в которой располагался мощный компьютер, рация и масса прочих электронных приборов.

— Изабелла, ты хотела меня видеть, — произнес он.

Она подошла к нему и, обняв за шею, сказала:

— Я люблю тебя и не отдам тебя никому.

Он попытался отстраниться от ее объятий, но Изабелла не позволила Алексу вырваться.

— Где твоя Наталья? — спросила она. — Я же знаю все про нее. Супербогатая русская, ее муж был крупным мафиози, его арестовали, и он скончался в тюрьме. Алекс, ты познакомился с ней семь месяцев назад, когда она прилетела в Коста-Бьянку, чтобы договориться с тобой о поставках оружия и экспорте наркотиков. Она твоя любовница.

— У тебя отличные источники информации, — раздался приятный женский голос с легким акцентом. Изабелла обернулась.

В дверях хижины стояла она — Наталья.

Прекрасная фигура, темные волосы, идеальное лицо. Одета Наталья была в джинсы и майку цвета хаки, которая облегала ее аппетитные груди.

— Я могу понять, почему ты выбрал именно ее, — в один голос произнесли обе женщины. Их глаза, голубые и зеленые, засверкали ненавистью.

— Что она делает в лагере, Алекс? — спросила Наталья.

Она, повстречав Алекса Коваччо, мгновенно влюбилась в него. Он ответил ей взаимностью. С тех пор Наталья делила Москву и Коста-Бьянку, детей и Алекса. Благодаря Алексу Наталья улучшила свой английский и начала осваивать испанский.

— Я приехала к Алексу, — ответила Изабелла.

В легком костюме травянисто-зеленого цвета и с

золотой сеткой с инкрустированными изумрудами, которая покрывала ее забранные в прическу волосы, она выглядела как супермодель.

— Ну что же, не буду вам мешать, — Наталья, хмыкнув, вышла.

— Алекс, позволь мне все объяснить, — сказала Изабелла.

Она начала говорить, и они провели за беседой два часа. Она же видела, что Алекс колеблется. Она любит его. Но и ее соперница, эта русская миллионерша с криминальными наклонностями, тоже любит его.

Когда вечером Алекс, так и не приняв решения, провожал Изабеллу к джипу, к нему подбежал один из заросших щетиной мятежников.

— Она только что улетела, — сказал он, явно имея в виду Наталью. — И оставила тебе это, — он протянул конверт.

Алекс пробежал глазами короткую записку и бросился к телефону. Изабелла поняла, что ее отбытие отменяется.

— Она улетела в Вашингтон, — сказал ей Алекс. — Она написала, что здесь ей больше делать нечего, если я выбрал тебя.

Изабелла помассировала покатые литые плечи Алекса.

— Ты же на самом деле выбрал меня, — промурлыкала она. — Алекс, мой любимый... Забудь о Наталье.

— Она же обеспечила меня деньгами на продолжение борьбы, — произнес он.

Изабелла закрыла его рот поцелуем.

Убедить мужчину в том, что пора предаться любви, Изабелла умела. Алекс не смог устоять перед ней. Они провели ночь в хижине, на грязноватом матрасе. Изабелле было все равно — она рядом с любимым.

Утром Алекс сказал:

— Тебе пора обратно в Эльпараисо. Ты не сможешь остаться здесь.

— Почему? — прошептала Изабелла. — Я хочу этого больше всего на свете...

Он нежно поцеловал ее и ответил:

— Я не из тех мужчин, которые приносят счастье женщинам. Кроме того, ты изменилась, Белла, изменился и я.

— И еще у тебя есть она, — произнесла Изабелла. — Вот что изменилось прежде всего, Алекс.

В ней закипела внезапная злоба. Злоба на всех — на Алекса, на Рамона, на Наталью. И в первую очередь на себя. Она рискует жизнью, отправляется на край света к нему, а он не знает, что ей сказать. Единственное, на что Алекс способен, так это заняться сексом. Ее боготворят миллионы, собственный муж-президент сходит по ней с ума, а она унижается перед Алексом. Но ведь она его любит...

— Это Наталья, — в хижину, где на матрасе сидела обнаженная Изабелла, ворвался чумазый мужчина с автоматом наперевес. Он бросил Алексу телефон. Коваччо, поймав его на лету, произнес в трубку крайне нежным тоном:

— Моя милая девочка, это ты...

Он словно забыл о присутствии Изабеллы. Быстро одевшись, она побежала к джипу и, так и не попрощавшись с Алексом, который был занят разговором с Натальей, завязала себе глаза и крикнула:

— Прочь, везите меня назад!

По дороге она старалась ни о чем не думать и, не отвечая на многочисленные вопросы встревоженной Рахили, вылетела обратно в столицу Коста-Бьянки.

Рамон с нетерпением ожидал возвращения Изабеллы. Он знал, что она должна принять решение. Но каково оно будет? Он встретил ее в аэропорту. Изабелла, подав ему руку с трапа, сказала:

— Я вернулась.

— Как же я рад! — воскликнул ди Сан-Стефано. — Значит, ты остаешься со мной?

Изабелла предпочла промолчать. Она сама не знала, что же собирается предпринять. Обида на Алекса за то, что он пренебрег ею, бросившись разговаривать с Натальей, прошла. Он же не упрекает ее за то, что она стала женой Рамона, — как же она, в свою очередь, может требовать от него, чтобы он отказался от этой женщины. Наталья помогла Алексу, как когда-то Рамон помог самой Изабелле. И все же это не было поводом, чтобы отдавать ей Коваччо.

Изабелла продолжила деятельность с утроенной силой. Казалось, что вся ее энергия и любовь, которую она хотела бросить к ногам Алекса, приняли другие формы. Она посещала больницы, держала на руках больных СПИДом детей, жертвовала гигантские суммы. В то же время, как и обычно, скупала новые вещи, драгоценности, автомобили, антиквариат, не обращая внимания на цену. Она металась между двумя крайностями, не зная, какой же отдаться.

Рамон не торопил ее, их разладившиеся отношения начали приходить в норму. Изабелла пыталась его убедить, что развод — не такая страшная вещь.

— Нет, — сказал ей грозно ди Сан-Стефано. — Изабелла, народ Коста-Бьянки называет тебя святой, ты не имеешь права бросать ни его, ни меня. Алекс Коваччо не сделает тебя счастливой. Это могу только я.

Она приняла решение бросить мужа и перебраться в джунгли в тот самый момент, когда поняла, что беременна. С Рамоном она не спала уже больше двух месяцев, это мог быть ребенок только от одного человека — Алекса. Она зачала его той ночью в хижине.

Рахиль, раскинув карты, произнесла после долгой паузы:

— Этому ребенку суждено вырасти сиротой, Белла, если ты сейчас бросишь Рамона. Одумайся, ты не сделаешь этого!

Изабелла, которая собирала чемоданы, правда, не зная, что же взять с собой, ответила ей:

— Я ни за что не избавлюсь от него.

— А как же Наталья? — поинтересовалась гадалка. — Она явно не из тех женщин, которые уступают мужчин соперницам. Знаешь, Изабелла, мне кажется, во многом вы с ней похожи.

— Мы совершенно разные, — отрезала Изабелла. — Эта русская не представляет для меня угрозы. Я знаю, что Алекс любит только меня. А на крайний случай...

Она раскрыла небольшую шкатулку из слоновой кости. Там, в углублении, чернел миниатюрный пистолет, инкрустированный бирюзой. Подарок одного из почитателей Изабеллы. Она получала ежедневно до пяти тысяч подношений со всей страны и из-за рубежа.

— Ты что, пойдешь на убийство, Белла? — ужаснулась Рахиль. — Это же смертельный грех!

— Ради Алекса, — произнесла Изабелла, доставая пистолет, — я пойду не только на это. Наталья не получит его ни в коем случае. Я уничтожу ее, ты мне веришь?

Взглянув в голубые глаза Изабеллы, гадалка содрогнулась. Она видела решимость, помноженную на сумасшедшую любовь.

— Я тебе верю, — скорбно произнесла она. — И будь что будет, Белла. Я всегда с тобой.

На публике президентская чета сохраняла видимость счастливой семейной жизни. Рамон, появляясь с Изабеллой, облаченной в немыслимый туалет, на балконе дворца, приветливо махал рукой тысячам людей, собравшихся на площади. Однако ситуация в Коста-Бьянке становилась критической. Приближалась вторая годовщина переворота, в результате которого Рамон ди Сан-Стефано пришел к власти, а итоги были неутешительны, если не сказать — плачевны. Охваченная кризисом экономика, владычество зарубежных компаний и концернов, возрастающая нищета, безработица, отсутствие перспективы. Помимо этого — возобновившийся после короткого перерыва кровопролитный конфликт, который грозил перерасти в гражданскую войну. Алекс Коваччо, собирая под своими знаменами всех недовольных новым президентом, уже фактически овладел двумя провинциями на западе страны.

Изабелла, узнав о том, что Рамон намеревается жесточайшим образом подавить сопротивление мятежников, устроила мужу истерику.

Хозяйка Изумрудного города

— Ты не посмеешь этого сделать! — кричала она в его кабинете. — Рамон, я умоляю тебя!

Президент, нервно постукивая костяшками пальцев по столешнице, отвечал:

— Единственное, о чем ты заботишься, Белла, так это Алекс Коваччо. Ты боишься за его жизнь. Но он — наш враг. Он желает лишить меня и соответственно тебя власти. Разве ты готова потерять свой гардероб, украшения, свой статус живой богини?

— Да, — сказала Изабелла. Она давно приняла решение и ждала случая, чтобы сообщить его Рамону.

Ди Сан-Стефано замолк, затем произнес:

— Я тебе не верю, Белла. Ты не представляешь, на что идешь. Завтра я вылетаю с инспекцией военных полигонов на острова, вернусь через два дня. К этому времени ты должна принять решение.

Изабелла вздохнула с облегчением. Итак, дата ее расставания с Рамоном назначена. Если он тешит себя надеждой, что, вернувшись в Эльпараисо, увидит ее преображенной и вновь верной ему, то ошибается. Она благодарна Рамону за все, но любит-то она Алекса.

И самое важное — она ждала ребенка от Алекса. Никто, за исключением Рахили, не знал о ее беременности. Рамон рассвирепеет, если узнает, что отец малыша Алекс Коваччо. А что предпримет сам Алекс? Нужен ли ему ребенок? В любом случае ребенок нужен ей. Она ни при каких обстоятельствах не откажется от него.

Рамон вылетел на секретный полигон, Изабелла осталась в столице. Стоял сентябрь. Изабелла заперлась на своей половине дворца, не принимая никого. Она пыталась читать, но не могла сосредоточиться. В голове складывались фразы для прощального разговора с Рамоном. Она бросит его и обречет тем самым на одиночество. Тогда он не сможет долго оставаться у власти. Фактически она предает его.

Изабелла размышляла, полулежа в большом кресле а-ля Людовик Пятнадцатый, когда в ее будуар влетела Рахиль. Изабелла сразу поняла, что произошло нечто из ряда вон выходящее. Первой ее мыслью было — что-то случилось с Алексом.

— Изабелла, — начала гадалка, задыхаясь, — Белла... — Она заплакала, опустившись на шкуру белого медведя, покрывавшую пол.

— Алекс, что с ним! — закричала Изабелла, подбегая к Рахиль. Она бесцеремонно начала трясти гадалку за плечи. — Рахиль, говори же, его убили?

В этот раз он умер по-настоящему, мелькнула у нее мысль. Или это месть Рамона, он же мог обмануть ее и отправиться не на островной полигон, а в мятежные провинции, чтобы лично руководить подавлением противоправительственного мятежа.

— С Алексом все в порядке, — сказала Рахиль, немного приходя в себя. — Только что поступило сообщение, что самолет Рамона потерпел крушение над джунглями, Изабелла. Скорее всего, он мертв.

Изабелла замерла. Рамон мертв? Этого не может быть! Она всегда думала о муже как о некой данности, которую изменить нельзя. Рамон не мог умереть, это совершенно нереально.

Она снова забралась в кресло с ногами. Значит, теперь она свободна. Если Рамон погиб, то она может спокойно покинуть Эльпараисо и перебраться к Алексу. Ее больше не связывают обязательства и узы брака.

— И что теперь? — произнесла она счастливым голосом. Изабелла никогда бы не подумала, что будет так рада смерти ди Сан-Стефано. — Сообщения проверенные? Возможно, это вынужденная посадка, кто-то мог выжить, в конце концов...

Гадалка, размазывая по щекам тушь, перемешанную со слезами, воскликнула:

— Белла, ты улыбаешься! Неужели тебе все равно, что произошло с Рамоном? Я не могу поверить, он же так любит тебя...

— Он так любил меня, — поправила Изабелла. — Что же, я могу собираться?

Однако ей не суждено было покинуть Эльпараисо. Едва сообщения о катастрофе президентского самолета

Хозяйка Изумрудного города

достигли столицы, во дворце началась суета. Премьер-министр взял на себя временные полномочия главы государства. Изабелла требовала себе самые свежие новости. Они были неутешительные.

Рамон, летевший вместе с высокопоставленными военными, погиб. Их самолет рухнул с огромной высоты на заболоченную труднопроходимую местность. Спасательная экспедиция не имела смысла, и все же десятки вертолетов и сотни агентов спецслужб устремились на место падения лайнера.

В новостях ни о чем не сообщали. Дикторы проинформировали население о том, что президент Рамон ди Сан-Стефано находится с короткой рабочей поездкой на островных территориях, и ни слова о произошедшей трагедии.

Было созвано расширенное заседание совета министров. Оно прошло поздно ночью в бункере под президентским дворцом. Обстановка была сверхсекретная, о смерти президента знали тридцать человек в Коста-Бьянке. Эти тридцать человек думали над тем, как быть дальше.

Изабеллу пригласили на заседание, она, подумав, согласилась. Начнется дележка страны, самое подходящее время, чтобы объявить — она выходит из игры.

В небольшом зале, где стоял круглый черный стол, ее ждали нервные и растерянные министры. Она пришла самой последней. Изабелла, помня о том, что она стала вдовой, облачилась во все темное. Она удивилась — кресло, которое обычно занимал ее муж, было свободным. В него никто не рискнул сесть.

— Сеньора Баррейро ди Сан-Стефано, примите наши самые искренние соболезнования, — произнес премьер-министр. — Смерть президента, да еще такая неожиданная, означает для Коста-Бьянки виток новых проблем и сложностей. В первую очередь нависает опасность переворота или активизации действий мятежников. Поэтому крайне важным становится кандидатура нового главы государства.

Изабелла, заняв кресло, которое, как она поняла,

оставили для нее, рассеянно слушала. Какая ей разница, кого именно изберут новым президентом. Ей все равно, любой из соратников ее мужа имеет на это право. Она мысленно была с Алексом.

— Нам нужен человек, который позволит проводить прежнюю политику, — цинично продолжал премьер-министр. — Не скрою, никто из присутствующих не заинтересован в том, чтобы к власти пришли новые лица. Это будет означать, что мы потеряем наши сферы влияния.

— Господин премьер, вы же стали временным президентом, почему бы вам не сменить моего мужа? — спросила Изабелла.

Премьер-министр с усмешкой ответил:

— Изабелла, вы позволите так называть вас, для нас важно, чтобы тот, кто пришел к власти, продержался как можно дольше и не изменил своим обещаниям, едва принеся присягу. Я не пользуюсь поддержкой населения. Мои коллеги, — он обвел рукой других участников тайного совещания, — тоже не подходят каждый по особой причине. Поэтому мы решили...

Он замолк. Изабелла посмотрела на каменные лица министров. Они не хотят власти, их устраивает ди Сан-Стефано. Но Рамон умер. Чего же они хотят от нее?

— Скрывать смерть президента больше невозможно, — говорил премьер-министр. — В Америке, нам это точно известно, об этом уже знают. Так что через несколько часов эта новость пойдет в эфир. И к этому времени нам нужен новый глава страны. Им станете вы, Изабелла.

Она подумала, что ослышалась. Изабелла с изумлением воззрилась на премьер-министра. Тот повторил:

— Вы, как никто другой, идеально подходите для этой роли. Народ боготворит вас, вы пользуетесь поддержкой бедняков, сможете найти общий язык с представителями бизнеса. Вы же в курсе многих дел вашего супруга, Изабелла. Уже готов указ о том, что вы берете на себя полномочия президента. Вы, Изабелла Вероника Мария Баррейро ди Сан-Стефано, сменяете своего погибшего мужа на этом посту.

— Подождите, — произнесла Изабелла в растерянности. — Но вы же не знаете, согласна ли я на это... Я не хочу, я не смогу...

Когда-то она мечтала занять этот пост, а теперь отказывается от него. Они не поймут ее, если она скажет, что готова бросить страну ради Алекса Коваччо, государственного преступника.

— Изабелла, — проникновенно произнес премьер-министр, беря ее за руку. — Мы умоляем вас. Вы же не хотите, чтобы завтра кто-нибудь из дубоголовых генералов, воспользовавшись крайне благоприятной возможностью, вывел на улицы Эльпараисо танки и провозгласил себя преемником Рамона? Тогда всем придется плохо, и не только вам. Вспомните о своих безумных тратах, коллекциях бриллиантов, виллах, гоночных авто, мехах, лошадях... Вы сможете продолжить привычную жизнь, а иначе потеряете это навсегда.

Он говорил ласково, словно убеждая капризного ребенка, но Изабелла чувствовала скрытую угрозу. Она им нужна. Нужна, чтобы эта кучка жуликов и аферистов могла сохранить власть.

— Я подумаю, — уклончиво произнесла она, зная, что не согласится на это предложение. Это же ловушка, они сначала используют ее, а потом уберут со сцены.

— Вот и прекрасно, — премьер-министр поцеловал ей руку. — Вам нужно отдохнуть, Изабелла, у вас очень усталый вид. Отправляйтесь к себе, поспите, я обо всем позабочусь.

Она покинула бункер и в сопровождении трех охранников поднялась к себе в апартаменты. Рахиль уже обо всем знала. Гадалка запричитала:

— Белла, ты обязана согласиться. Рамон бы этого хотел...

— Теперь любые пожелания, какие выгодны в зависимости от конъюнктуры, будут приписываться Рамону, — ответила Изабелла. — Я не соглашусь, Рахиль. Мне это не нужно.

— Ты все думаешь об Алексе, а думает ли он о тебе? — крикнула гадалка. — Ты ему не нужна, у него есть Наталья. А тебе предлагают целую страну, Изабелла. Ты же прирожденная королева, ты сможешь править, если тебя будут окружать нужные люди...

Изабелла нахмурилась, речи Рахили показались ей знакомыми. Такое она уже слышала — и не далее как четверть часа назад.

— Скажи, что они пообещали тебе за то, что ты склонишь меня стать президентом Коста-Бьянки? — сказала Изабелла. — Рахиль, я же тебе верила... Убирайся прочь!

Изабелла, чувствуя, что голова начинает нестерпимо болеть, приняла несколько таблеток снотворного, запила их виски и бросилась на кровать. Они не вынудят ее изменить решение. Она отправится к Алексу.

На следующий день она проснулась около полудня от назойливого гула. Ей показалось, что ревут двигатели самолетной турбины. Прислушавшись, она поняла — это крики толпы, сливающиеся в один-единственный лозунг:

— Да здравствует Изабелла!

Она бросилась к занавешенному окну, приподняла тяжелую бархатную портьеру. На площади перед дворцом собралась гигантская толпа, никак не меньше полумиллиона человек. Люди, ревя и плача, скандировали:

— Изабелла, Изабелла, Изабелла!!!

Изабелла включила на полную мощность телевизор. Без перерыва шли новости. Дикторы выступали на фоне портрета Рамона в траурной рамке. Изабелла вслушалась в их речи.

— В результате террористического акта, предпринятого мятежниками, возглавляемыми Алексом Коваччо, президент Коста-Бьянки и сопровождавший его министр обороны и ряд высокопоставленных военных погибли...

Не посоветовавшись с ней, премьер-министр повесил ответственность за гибель Рамона на Алекса. Весьма умный шаг, он таким образом нейтрализовал мятежников, низвел их до уровня обыкновенных террористов. Изабелла почувствовала, как в ней закипает злость. На тайном заседании речь шла о том, что пилот не справился с управлением и врезался в скалу, а теперь, как выясняется, во всем виноват Алекс Коваччо.

Но не это поразило ее больше всего. Дикторы, выплевывая проверенный цензорами текст, продолжали:

— Миллионы коста-бьянкцев вышли на улицы, требуя одного — чтобы новым президентом страны стала супруга президента ди Сан-Стефано Изабелла. И как только что сообщил пресс-секретарь президентского дворца, госпожа Изабелла Вероника Мария Баррейро ди Сан-Стефано сегодня ночью официально была избрана новым главой государства. В течение двух часов госпожа президент выступит с обращением к народу страны и в прямом эфире принесет президентскую присягу...

Что?!

Изабелла не могла поверить своим ушам — она уже президент! Горстка авантюристов, вцепившихся, как клещи, во власть, не хочет упускать возможности грабить Коста-Бьянку и дальше. Она же выгодна и их заокеанским покровителям. Они сделали ее президентом без ее согласия. Они считают, что она будет послушной марионеткой в их руках. Ну что же...

К ней осторожно постучали. Изабелла, абсолютно спокойная, сказала:

— Войдите!

— Это я, — показался острый нос гадалки Рахили. С виноватым видом она вкатилась в будуар. — Изабелла, прими мои поздравления, ты стала президентом...

— Еще нет, — сказала Изабелла. — Рахиль, ты должна мне помочь...

— Если речь пойдет о том, чтобы бежать из Эльпараисо и найти Алекса, то я в этом не участвую, — зашептала гадалка.

Изабелла рассмеялась. Она подошла к смежной гардеробной, распахнула дверцы нескольких шкафов и произнесла:

— Помоги мне выбрать платье для официального

обращения к народу. Я стану президентом Коста-Бьянки! Я согласна!

Часом позже в студии телецентра шла подготовка к прямому эфиру. Премьер-министр суетился около Изабеллы, подсовывая ей все новые и новые варианты текста. Вокруг Изабеллы вились стилисты и визажисты. Она выбрала темно-синий костюм от Диора, отказалась от драгоценностей, попросила нанести минимум косметики. В очках, строгая и собранная, она вовсе не походила на себя.

— Как же я рад, Изабелла, что вы приняли верное решение, — рассыпался в любезностях премьер-министр. — Народ хочет видеть только вас президентом.

— С каких это пор желания народа стали учитываться в нашем государстве? — с горькой иронией сказала Изабелла.

— Подпишите, — премьер подпихнул к ней пачку документов.

— Что это? — спросила Изабелла.

Премьер-министр, ничуть не смущаясь, сказал:

— Указ о моем назначении на пост премьер-министра с одновременным совмещением должностей министра финансов, министра обороны и министра иностранных дел и предоставлении мне диктаторских полномочий. Изабелла, вы же умная женщина...

— Вы предлагаете мне ограничиться балами, тряпками и бассейном, а самим заняться разграблением страны?

— Вы правильно меня поняли, — ответил премьер. — Вы же не сможете стать верховным главнокомандующим, вы женщина, а не боевой генерал.

— Я все подпишу, но после моего официального вступления в должность, — пообещала Изабелла. — Вы же знаете, что я пока еще не президент.

Спустя час с небольшим она стала президентом. Прямо в прямом эфире, в здании телестудии, где когда-то начинала карьеру журналистки. Верховный судья, седой, ничего не понимающий старик, которому пригрозили, что если он посмеет отказаться, то его за-

Хозяйка Изумрудного города

Antон ЛЕОНТЬЕВ

стрелят на месте, передал ей регалии президентской власти — золотисто-зеленую ленту и орден. Изабелла, знавшая наизусть текст присяги, произнесла его твердым голосом. В тринадцать часов сорок семь минут по местному времени 19 сентября она стала президентом Коста-Бьянки.

— Для меня это честь, — сказала Изабелла в своем обращении. — Мой погибший... от рук террористов... супруг, генерал Рамон ди Сан-Стефано, делал все возможное, чтобы добиться процветания нашей любимой Родины. Я продолжу его мудрую и взвешенную политику.

Премьер-министр, стоявший за телекамерами, одобрительно кивал головой. Именно такой он мыслил Изабеллу как президента — красивой, уверенной, и в то же время ею можно помыкать и безнаказанно продолжать расхищение богатств Коста-Бьянки. Он не ошибся, что предложил ее кандидатуру.

Миллионы коста-бьянкцев, затаив дыхание и плача, следили за тем, как их любимица Белла становится президентом. В зарубежных массмедиа царил переполох, Изабеллу сравнивали с Эвитой Перон и ее тезкой Изабеллой Маркос. Никто не ожидал, что выбор хунты, удерживающей власть в этой небольшой южноамериканской стране, падет на Изабеллу.

— Но в то же время мне хотелось бы уверить вас, мои сограждане, что те, кто грабят страну и проводят политику насилия и террора, понесут наказание. Причем немедленно.

Премьер-министр встрепенулся. В речи, которую он сам написал для Изабеллы, таких слов не было.

— Поэтому я властью, данной мне народом и Конституцией, объявляю вне закона господина Филиппо Гонзалеса, нынешнего премьер-министра республики, а также весь действующий кабинет министров по обвинению в антиконституционных деяниях и финансовых злоупотреблениях.

Изабелла поставила изящную подпись на листе бумаги. Все затаили дыхание, премьер-министр покрылся испариной.

— И одновременно, с учетом серьезной обстановки, возлагаю на саму себя должность председателя правительства, министра обороны, министра внутренних дели и министра финансов. Уверяю вас, переходная стадия продлится недолго, пока не будут найдены люди, достойные занимать эти посты.

Премьер-министр попытался броситься к Изабелле и помешать ее речи, но его удержали дюжие охранники. Изабелла, тонко улыбнувшись, добавила:

— Я клянусь, что положу конец гражданской войне и разгорающемуся мятежу в западных провинциях. Мы найдем общий язык с теми, кого именуют сепаратистами. Я немедленно начну переговоры о прекращении вооруженных действий с господином Алексом Коваччо. Мой супруг, генерал Рамон ди Сан-Стефано, стал жертвой террористического акта. Его самолет был взорван — но вовсе не людьми Алекса Коваччо. Мой муж был убит по приказанию господина премьер-министра страны, Филиппо Гонзалеса, который собирался занять его место...

Она завершила прямой эфир под аплодисменты. Полумиллионная толпа, собравшаяся на центральной площади Эльпараисо, следила за приведением нового президента к присяге по огромным телевизионным экранам. Последние слова Изабеллы потонули в криках радости и восторга.

— Это бред, это клевета! Ты... дрянь! — кричал премьер-министр, удерживаемый охраной.

Изабелла, подойдя к нему, сказала:

— У власти вкус крови, господин премьер-министр, не так ли? И вам это известно. Вы хотели, чтобы я стала президентом и лгала ради вас. Если я и буду лгать, то ради себя. Я не собираюсь исполнять ваши приказания.

Филиппо Гонзалес утробно расхохотался.

— Ты, Изабелла, порождение дьявола. Как же я ошибся в тебе... Клянусь, тебя нужно сжечь на костре, как поступали с ведьмами в Средневековье! Но ты за все поплатишься!

— Уведите бывшего премьер-министра, — произнесла Изабелла, отдав первое приказание на посту президента страны.

Рахиль бросилась к Изабелле с поздравлениями, но она, отстранив гадалку, сказала:

— Все потом, Рахиль. Мне нужно немедленно выступить перед военными и проследить за тем, чтобы не произошел скоротечный путч.

— Его не будет, — сказала Рахиль. — Карты уверили меня в этом! Ты — президент Коста-Бьянки, Белла!

Как и планировала, Изабелла поехала в казармы, где уже витал дух скрытого неповиновения. Толпы народа, запрудившие улицы и площади Эльпараисо, приветствовали нового прелестного президента. Она, пренебрегая собственной безопасностью, ехала на джипе в сопровождении охраны. Ее немедленно узнавали, махали руками, посылали воздушные поцелуи.

— Госпожа президент, — сказал ей начальник охраны, — мы не можем гарантировать вам безопасность в таких условиях.

— Я не собираюсь прятаться от собственного народа, — заявила ему Изабелла.

Военные встретили ее сдержанно. Одно дело, когда к власти приходит мужчина, боевой генерал или полковник, прошедший горнило вооруженных конфликтов и опасных вылазок, а совсем другое — когда ты вынужден подчиняться женщине, пускай и такой великолепной, как Изабелла Баррейро ди Сан-Стефано. Ее удел — благотворительность, церковь, нищие и обездоленные.

Именно подобные мысли, Изабелла могла поклясться, бродили в головах военных. Однако она приняла решение. Политики, не спросив ее согласия, сделали ее президентом. И она начала собственную игру.

Первым дело она заперлась в конференц-зале с генералами. Многих она знала лично, они были друзьями ее мужа. Они восхищались ею — она была ангелом-хранителем, красивой богиней, одаривающей всех своим теплом. Но теперь она претендует на то, чтобы подчинить себе армию.

— Синьора Баррейро ди Сан-Стефано, — титуловали ее, избегая президентского звания, военные. — Мы скорбим по поводу кончины президента, но это вовсе не значит, что мы согласимся на вашу кандидатуру.

Изабелла достаточно разбиралась в истории: почти во всех случаях при перевороте к власти приходили военные. Армия — самая могущественная сила в государстве. Даже обожание народа и его безмерная поддержка не гарантировали того, что она продержится в кресле президента более суток, если военные выступят против.

— Это не значит, что мы против вас... — продолжил другой генерал. — Но мы бы предпочли, чтобы новый президент был из наших рядов. Изабелла, вы потрясающая женщина, вы достойны любого министерского поста. Займитесь социальными вопросами, здравоохранением, культурой, наконец. А управление страной предоставьте нам, мужчинам.

Сколько раз она слышала подобные мнения: если ты женщина, то, значит, ни на что не годна.

— Вы провозгласили заключение скорейшего мира с мятежниками, — генералы были явно недовольны этим решением. — Но как можно договариваться с сепаратистами, их нужно выбивать артиллерией и авиацией из джунглей.

— Господа генералы. — Изабелла чувствовала, что обстановка накалялась. — Позвольте мне выступить перед простыми солдатами...

Они ей отказали. Она находилась в зале с тридцатью вооруженными мужчинами, одетыми в военную форму. Изабелла поняла — они не выпустят ее живой. Она стала их заложницей.

— Изабелла, вы передадите власть генералу Артуро Вирьяно, — один из военных с угрожающей гримасой пододвинул к ней несколько листов бумаги. — Мы вас не тронем, у вас как у президентской вдовы сохранятся все привилегии, вам оставят все ваши наряды и драгоценности. Но вы переедете из столицы в провинцию, куда-нибудь подальше...

— Я ничего не буду подписывать, — сказала Изабелла.

Она играла ва-банк. Они же просто застрелят ее. Она им мешает.

Заговору генералов не суждено было произойти. К зданию Генерального штаба, где происходил напряженный разговор между Изабеллой и военными, подошли толпы людей. Они требовали одного — их Беллу.

В окна полетели камни, люди бросились через высоченную ограду на штурм здания.

— Наши дела скверные, — сказал один из генералов. — Мне только что сообщили, бунтуют солдаты. Они отказываются идти против Изабеллы и присягать генералу Вирьяно. Танковые дивизии перешли на их сторону.

— Тогда тебе вообще не суждено жить, Изабелла, — прошептал один из генералов.

Он вытащил пистолет. Изабелла, само спокойствие, смотрела на теряющего рассудок генерала.

— Вы посмеете применить оружие? Застрелите меня, своего президента? Я принесла присягу, я — официальный глава Коста-Бьянки. Я приказываю вам положить оружие, генерал, и сдаться. Обещаю, что никто из вас не понесет ответственности.

Генерал медленно нацелил на нее пистолет, его палец лег на спусковой крючок. За окнами бесновалась толпа, в коридорах здания слышались крики и боевые песни.

— Изабелла, мы тебя любим. Ты наш президент!

Изабелла смело взглянула в налитые кровью глаза генерала, готового убить ее.

— Ну что же вы, стреляйте. Я не боюсь смерти. Но помните, толпа растерзает вас, как только обнаружит эту комнату. И лишь я могу спасти вам жизнь.

Генерал опустил пистолет. Руки его дрожали. Оружие упало на стол.

— Вы победили, госпожа президент, — прошептал он. — Вы победили...

Штурм расстроил амбициозные планы военных выдвинуть из своих рядов нового президента. Охрана Генерального штаба перешла на сторону штурмующих, и генералы оказались в совершенной изоляции. Никто из военных не посмел привести в исполнение угрозу и убить Изабеллу.

Она под крики и рев толпы вышла из здания Генерального штаба, плененных генералов вывели вслед за ней.

— Мои коста-бьянкцы! Я снова с вами! Солдаты Отчизны, я благодарю вас за поддержку. Без вас я бы уже не была президентом!

Раздался оглушительный свист. В генералов полетели бутылки и гнилые овощи.

— Это твой триумф, — произнесла Изабелле невесть откуда взявшаяся Рахиль. — Смотри, что распространяют в толпе!

Изабелла взглянула на свою фотографию — над ее головой сиял нимб, а подпись гласила: «Святая Изабелла, спаси и сохрани нас».

— Они тебя любят, ты их кумир, — сказала гадалка. — Но будь осторожна, Белла, любовь в любую секунду может обернуться ненавистью.

— Мне это не грозит, — уверенно ответила Изабелла. — Я сделаю их счастливыми.

Переход власти к Изабелле состоялся. Зарубежные политики и маститые комментаторы, которые были уверены, что она не продержится в этой должности и суток и будет либо убита, либо смещена военными, поражались — режим Изабеллы Баррейро ди Сан-Стефано оказался жизнеспособным.

По случаю начала своего президентства Изабелла подарила жителям страны две недели каникул. За это время она взялась за формирование новой команды. Первыми указами были постановления о предоставлении средствам массовой информации полной и безоговорочной свободы, ликвидации тайной полиции и праве

Антон ЛЕОНТЬЕВ

граждан на справедливый суд. Ей пришлось умолчать, что именно ее муж ввел в Коста-Бьянке жесточайшую цензуру и ущемлял права. Да и она сама — не она ли когда-то хлестала по щекам главного редактора крупного столичного еженедельника, который осмелился напечатать статью о ее безумных тратах.

Рамона похоронили с президентскими почестями в Пантеоне, где покоились самые знаменитые и выдающиеся коста-бьянкцы. Военные дали сто один залп из винтовок, и полированный гроб с флагом страны, генеральской фуражкой и президентским орденом скользнул в могилу. Изабелла, облаченная во все черное, стояла в одиночестве. То, как она поцеловала крышку гроба, вошло в историю.

Сама же Изабелла была рада, что ее лицо скрывает густая вуаль — на ее глазах не было ни слезинки. Она любила Рамона, но его смерть принесла ей облегчение. И долгожданную свободу.

На пост премьер-министра она назначила опального профессора экономики, в правительство вошли диссиденты и специалисты из-за границы. Изабелла не собиралась продолжать курс Рамона, она объявила, что эра владычества иностранных концернов в Коста-Бьянке завершается. Когда-то ее прадед, могущественный Ринальдо Баррейро, владел почти всеми изумрудными приисками в стране, теперь они принадлежали западным компаниям. Все богатство, как она прекрасно знала, сосредоточилось в руках Теодора Коваччо. Тот, обитая в Лондоне, по-прежнему плел нити интриг и получал колоссальную прибыль через подставных лиц и фиктивные фирмы.

Настал ее черед отомстить ему. С большим удовольствием Изабелла подписала постановление о ликвидации концерна-гиганта, принадлежащего Теодору. Через эту монополию проходило сто процентов коста-бьянкской нефти. Вместо нее были созданы десять мелких независимых предприятий.

На пост министра иностранных дел она назначила знаменитую коста-бьянкскую поэтессу, желая тем самым отполировать свой имидж в глазах западной общественности. Про нее писали и говорили, что она не знает, как управлять страной, и пришла к власти, чтобы тратить все деньги только на себя. Но постепенно, под влиянием ее разумных экономических и политических шагов, голоса противников становились все слабее. Изабелла, понимавшая, что сама не в состоянии принимать ответственные решения, окружила себя эффективными и интеллектуальными советниками. Она не боялась признать, что не разбирается в макроэкономике.

— Зато меня любят в народе, — говорила она.

Изабелла впервые за двухсотлетнюю историю независимой Коста-Бьянки отодвинула от власти военных, низведя их до естественной роли — защитников внешних границ.

Настал момент, когда она вплотную подошла к осуществлению своего обещания относительно прекращения вооруженного конфликта. Среди сотен тысяч писем и телеграмм она запомнила только одно послание — от Алекса.

«Поздравляю. Верю. И люблю». О, это был он! И Алекс любил ее — это самое важное! Изабелла была свободна. А вот Алекс?

Она встретилась с ним на нейтральной территории, в столице одной из провинций. Она прибыла туда с минимумом охраны на вертолете, он прибыл в сопровождении нескольких джипов. Изабелла и Алекс сошлись в старинной церкви.

Изабелла ждала его, сидя на скамейке. Гулкие шаги, разносящиеся по каменным плитам, заставили ее вздрогнуть. Что это — шаги судьбы?

Она обернулась. Алекс, облаченный в столь непривычный для него пиджак, легкую белую рубашку и джинсы, стоял рядом с ней.

— Я так рад тебя видеть, — произнес он.

Изабелла ответила:

— И я тоже.

— Госпожа президент, мои соболезнования и поздравления, — сказал он и поцеловал ее.

Хозяйка Изумрудного города

Она была для него Беллой, только его Беллой, и никем более. Слившись в поцелуе под сводами старинной церкви, они забыли о высокой политике и финансовых интересах. Однако неизбежно настало время вспомнить о том, зачем они встретились.

— Изабелла, я был рад услышать в твоем выступлении призыв к миру, — сказал Алекс. — Ты смотрелась просто божественно... Но мы ни за что не прекратим борьбу...

— Даже если я предложу тебе и твоим сторонникам войти в мое правительство? — сказала Изабелла.

— А ты предложишь? — не поверил Алекс. — Ты сделаешь это, Изабелла?

— Ради тебя я сделаю все, — она говорила правду.

Ее мучил единственный вопрос, который она не решалась задать, — есть ли у них совместное будущее? Наталья, вот кто стоит между ними... Сбылись все самые смелые мечты Изабеллы, не было только одного — Алекса.

— Ты будешь со мной? — спросила она Алекса.

Коваччо ответил, не задумываясь ни секунды:

— Да, Белла, я буду с тобой!

Но говорил ли он правду? Алекс когда-то уже клялся ей в любви, обещал, что они всегда будут вместе, — и они расстались.

— А как же твоя подруга, эта русская миллионерша по имени Наталья?

Алекс нахмурился.

— Наталья мне очень дорога, Белла. Я... Я когда-то думал, что люблю ее, но теперь понимаю, что это не так.

— Ты расстанешься с ней? — потребовала Изабелла. — Ты сделаешь это немедленно, Алекс.

— Да, Белла, ради тебя я сделаю это, — ответил он, но в голосе его почему-то не было уверенности.

Теплые лучи коста-бьянкского солнца пронзали цветные витражи, на которых было изображено распятие Христа. Изабелла поняла: ей самой придется разрешить проблему, имя которой Наталья. И она сделает это. Она никому не отдаст Алекса.

— Ну что же, мой милый, а теперь самое время обсудить кое-какие насущные вопросы. — Она моментально превратилась в ее высокопревосходительство госпожу президента Республики Коста-Бьянка Изабеллу Веронику Марию Баррейро ди Сан-Стефано.

Они заключили договоренность: правительственные войска прекращают преследование сил мятежников, а те, в свою очередь, освобождают оккупированные провинции. Изабелла подписала указ, согласно которому все участники вооруженных действий освобождаются от уголовного преследования. Она частично пошла и на выполнение их требований.

— Все я не смогу реализовать, у нас все-таки не социалистическая страна, — объяснила она Алексу. — Но ведь ты разумный человек...

В стране возликовали. Многолетний конфликт, который унес тысячи жизней, завершался. Изабелла и Алекс Коваччо подписали официальное перемирие в президентском дворце. И сразу же Изабелла объявила, что посты министра внутренних дел, министра торговли и министра горнодобывающей промышленности занимают представители бывшего фронта сопротивления.

Она предложила учредить пост вице-президента с условием, что его займет Алекс Коваччо. Алекс, взяв тайм-аут для размышления, отказался.

— Изабелла, я всю свою сознательную жизнь стремился к власти. Это стало смыслом моего существования, как и борьба против режима. Я никогда не думал, что смогу победить. Борьба велась ради борьбы. И вот ты разрубила этот гордиев узел. Нет, я не стану вице-президентом...

— Но почему! — воскликнула Изабелла. — Алекс, мы с тобой можем управлять Коста-Бьянкой. Алекс...

В своих дерзновенных мечтаниях она представляла новую свадьбу — свое венчание с Алексом. А он отказывается от этого...

Коваччо попытался объяснить ей:

— Изабелла, пойми меня, прошу тебя. Мне нужна полная власть. Я не соглашусь стать вице-президентом...

— Пока президентом являюсь я, — закончила его фразу Изабелла. — Ну что же, Алекс, тебе придется немного подождать. Ты можешь выставить свою кандидатуру на выборах. Или, — тут она улыбнулась, — организовать путч. И ты не изменишь свое решение, даже если я сообщу тебе неожиданную новость?

— Какую именно? — спросил Алекс.

— Я жду от тебя ребенка, дорогой, — произнесла Изабелла. — Я беременна.

Когда средства массовой информации докопались до факта, что президент Изабелла Баррейро ди Сан-Стефано в положении, началась всеобщая вакханалия. Первым делом возник вопрос — кто же является отцом ребенка. Покойный президент Рамон ди Сан-Стефано или...

Ни для кого более не являлось секретом, что между госпожой президентом и бывшим лидером повстанцев Алексом Коваччо, кроме политической, существует и иного рода связь. Неужели...

Коста-бьянкские газеты не решались, памятуя о недавней цензуре и строгих наказаниях, об этом писать, а вот их зарубежные коллеги вовсю спекулировали на этом — Алекс Коваччо спит с Изабеллой? Что за пикантная подробность!

Изабелла поняла, что затянувшееся молчание может подорвать доверие к ней, и дала интервью, которое смотрела вся страна. В простых и бесхитростных выражениях она объяснила, что любит Алекса Коваччо и ребенок...

— Отцом ребенка является именно он, — произнесла она, хотя ее советники отговаривали ее от этого шага, заклиная обмануть и заявить, что это ребенок покойного президента.

Изабелла не просчиталась — ее популярность сравнялась с Эверестом. Она добавила много теплых фраз про президента ди Сан-Стефано, но сказала, что единственной любовью в ее жизни является...

— Алекс Коваччо. И я буду счастлива стать его женой! Она сделала ему предложение!

Католическая церковь страны во главе с архиепископом Эльпараисским осудила Изабеллу, клеймя ее за грех прелюбодеяния и нарушение супружеской верности. Флориан, который давно точил зуб на Изабеллу, старался не выступать открыто против нее, но в этот раз он не сдержался. Архиепископ в страстной проповеди назвал Изабеллу «вавилонской блудницей» и пригрозил отлучить ее от церкви.

— Я думаю, что подобная бурная реакция его высокопреосвященства объясняется одним простым фактом, — ответила на этот выпад Изабелла. — Архиепископ когда-то предлагал мне стать его любовницей и чуть было не соблазнил меня. Я ему отказала, и он затаил обиду.

Флориан, разумеется, опроверг это заявление, но слухи пошли. Ватикан приказал архиепископу успокоиться и пригрозил ему отставкой, если он и впредь будет совершать нападки на Изабеллу Баррейро ди Сан-Стефано.

У Изабеллы оставалась одна нерешенная проблема — Наталья. Тайно покинув Эльпараисо, госпожа президент вместе с верной Рахиль направилась на Бермудские острова, где в тот момент отдыхала Наталья Короткова. Изабелла была уверена — она отдыхает там не одна, а с Алексом. Коваччо так и не ответил на ее открытое предложение стать его супругой. Он боялся — или не хотел?

— Изабелла, не делай глупостей, — сказала Рахиль.

Изабелла взяла с собой миниатюрную шкатулку из слоновой кости, внутри которой покоился пистолет.

— Ты же не собираешься ее убивать?

— А почему бы нет? — сказала Изабелла. — Или Алекс будет моим — или его никто не получит.

Гадалка в страхе перекрестилась:

— Святая Мадонна, образумь Изабеллу. Что же тогда будет, если ты ее застрелишь?

— Все останется, как и было, — ответила Изабелла.

Она помнила: Рамон убил президента Диего Сантьяго, чтобы завладеть его тайными счетами и устранить противника. Но Рамон и сам погиб... Неужто судьба карает всех, кто преступает моральные законы.

— Изабелла, карты говорят мне — у тебя есть два

Антон ЛЕОНТЬЕВ

пути. Какой ты выберешь, зависит только от тебя. Прошу, выбери правильный.

Изабелла, никем не замеченная, проникла на территорию шикарного отеля. Наталья снимала пентхауз. Изабелла на лифте взмыла на самый верх белоснежного небоскреба и остановилась перед дверью в номер Натальи.

Итак, у нее есть два пути. Она нащупала пистолет, который покоился в сумочке. У Натальи посетитель, это сказал ей подкупленный администратор. Темноволосый мужчина. Так и есть, Алекс вместе с ней. Поэтому он и не дает Изабелле ответа, поэтому он и не хочет жениться на ней...

Изабелла вставила в электронный замок пластиковую карточку-ключ. Прошла в выложенный черно-белыми мраморными плитами холл. Она решила: Наталья должна умереть. Она не потерпит соперницу, которая похищает ее любимого.

Из спальни доносились приглушенные голоса, смех и звуки поцелуев. Наталья и Алекс. Изабелла осторожно сняла пистолет с предохранителя. Будет достаточно одной пули.

Раздались шаги, Изабелла затаилась. Из спальни, полностью обнаженная, показалась Наталья. Она подошла к ведерку со льдом, взяла бутылку шампанского и два бокала. Изабелла бесшумно приблизилась к ней.

Короткова обернулась, почувствовав порыв ветра. У нее за спиной стояла Изабелла Баррейро, одетая в джинсы и майку, совсем не похожая на свой глянцевый образ. Изабелла обеими руками держала пистолет, дуло которого было наставлено прямо в грудь Наталье.

— Я пришла, чтобы убить тебя, Наталья, — прошептала Изабелла.

Их глаза встретились. Наталья увидела ярость и ревность во взгляде Изабеллы. Бокалы выскользнули из ее руки и, упав на мраморный пол, разлетелись вдребезги.

— Дорогая, все в порядке? — спросил по-английски мужской голос. Из спальни появился атлетического телосложения темноволосый мужчина.

Это был не Алекс.

— В чем дело? — спросил он, увидев Изабеллу с оружием в руках. — Наталья, я вызову полицию!

— Не двигайтесь, — произнесла Изабелла, закусив губу.

— Майкл, прошу, уйди обратно в спальню, — сказала Наталья. — Нам нужно поговорить с госпожой президентом, не так ли?

— Но она хочет тебя убить. — Тем не менее, подчинившись приказу Натальи, Майкл исчез в спальне.

— Как видишь, у меня в спальне не Алекс, Изабелла. Это Майкл, известный автогонщик. Он мой новый приятель, — сказала Наталья. — Может, ты опустишь оружие?

Изабелла проигнорировала ее слова. Наталья, не обращая внимания на оружие, взяла сигарету, щелкнула зажигалкой и затянулась.

— Значит, ты пришла, чтобы убить меня, Белла. Разреши спросить, за что?

— За то, что ты отняла у меня Алекса. Я знаю, он не желает быть со мной из-за тебя. Но я не хочу делить его с тобой, Наталья.

Короткова, закинув голову, рассмеялась:

— С чего это ты взяла, Белла? Неделю назад мы расстались с Алексом. Когда-то я прилетела в Коста-Бьянку, чтобы вести с ним переговоры о поставке оружия и покупке у него наркотиков. Да, да, твой благоверный занимался и этим... Я влюбилась в него с первого взгляда, это была сумасшедшая страсть, полная огня и неистовства. Но это все в прошлом, Изабелла.

Изабелла не могла поверить тому, что говорит Наталья. Она рассталась с Алексом?

— Он мне не нужен, я не собираюсь стоять у тебя на пути. И все же опусти эту чертову «пушку», меня это нервирует! Кстати, хочешь шампанского?

Изабелла опустила пистолет. Она прилетела на Бермуды с твердым желанием лишить Наталью жизни. И вот... Она, оказывается, ей вовсе не соперница.

— Мы выпьем за тебя, Белла, — сказала Наталья, разливая шампанское в бокалы. — У тебя есть Алекс.

Хозяйка Изумрудного города

У меня — Майкл. Я думала, что Алекс — это тот, кого я искала всю жизнь. Но страсть улетучилась, как пузырьки из бокала с шампанским. Я сказала, что лучше тебя ему никого не найти, и это так!

Она протянула Изабелле бокал. Затем, накинув шелковую простыню, произнесла:

— Вы созданы друг для друга. Ты же мне веришь?

— Да, — проговорила Изабелла.

— Вот и хорошо, — Наталья поддела изящной ножкой лежавший на полу пистолет, и он отлетел в угол. — А теперь, Белла, мы обсудим с тобой кое-какие дела. Так сказать, по старой дружбе не окажешь ли ты мне услугу? Через месяц в Эльпараисо пройдет закрытый аукцион, на котором выставляется на продажу нефтехимический концерн, принадлежавший раньше Теодору, отцу Алекса. Я являюсь одним из покупателей. Мне чрезвычайно важно, чтобы победила именно я. Не могла бы ты мне в этом помочь? Понимаю, это не совсем законно, но все же, по старой дружбе, так сказать...

Изабелла ощутила симпатию к этой женщине. Она чем-то напоминала ее саму.

— Кстати, Изабелла, в моей семье такое уже было, — произнесла Наталья. — Моя бабка хотела убить свою сестру за то, что та украла у нее любимого.

— Твоя бабка жива? — спросила вдруг Изабелла.

Наталья отмахнулась:

— Сгинула в сталинских лагерях. Тебе это интересно? Подожди!

Короткова вышла из комнаты и через минуту вернулась с большим фотоальбомом.

— Я мало кому позволяю взглянуть на эти фотографии, они слишком личные. Смотри, вот она, моя бабка Евгения Арбенина. А рядом — ее сестра Надежда, которую Евгения едва не застрелила, как только что ты меня. Бабка рассказала об этом моему отцу, а тот — мне.

На Изабеллу взирали изображения давно минувшей эпохи. Толстая, неуклюжая, безвкусно одетая особа, Евгения, бабка Натальи. А рядом с ней...

Рядом с ней на выцветшем черно-белом фото она

узнала Надин Ильицкую-Баррейро, блистательную супругу Ринальдо. И свою прабабку.

— Кто это? — Изабелла указала на Надин. — Кто изображен рядом с твоей бабкой?

— Ее сестра, беспутная Надежда, — ответила Наталья. — Ты удивлена, почему они такие разные? У них разные матери. Мать Евгении — урожденная баронесса Корф, а мать Надежды — некая Модестина Циламбелли, мещанка из русской провинции с претензиями на итальянское происхождение.

Изабелла почувствовала, что у нее кружится голова. Как же так! Она великолепно знала облик Надин, ей было с самого детства известно о своем происхождении из могущественного клана Баррейро, она тайком собирала и рассматривала в монастыре старые журналы с многочисленными фотографиями своей знаменитой прабабки.

И вот — ее прабабка на фотографии вместе с бабкой Натальи. Более того, Евгения и Надежда были сводными сестрами, а значит, между ней и Натальей тоже имеется родство.

— Знаешь, — медленно произнесла Изабелла. — Надежда — моя прабабка.

Наталья, которую удивить чем-либо было сложно, замерла, а потом, откинув голову назад, расхохоталась.

— Повтори, что ты сказала, Изабелла. Надежда — твоя прабабка? Боже мой, но как такое может быть!

Изабелла была потрясена не меньше самой Коротковой. Наталья попыталась разобраться во всем:

— След Надежды затерялся осенью 23-го года в Гамбурге, после того как Евгения, приложив большие усилия, нашла ее с сыном в трущобах Рипербан. Надежда случайно — или намеренно, кто теперь знает? — убила итальянского мафиози, шедшего за ней по пятам. И сбежала. Евгения хотела забрать их к себе в Берлин, но ее мечтам не суждено было сбыться!

— Надин познакомилась с Ринальдо Баррейро на круизном пароходе, который шел из Гамбурга в Южную Америку, — подхватила Изабелла. — Но для всех

Хозяйка Изумрудного города

она была польской графиней Надин Ильицкой с маленьким сыном Сержем. Ее муж погиб на охоте...

— Узнаю пронырливую Надежду! — воскликнула Наталья. — Бабка именно такой описывала моему отцу его тетку, которую он знал только по немногочисленным фото, — с претензиями на аристократическое происхождение, авантюрной и обворожительной. Значит, Надин вышла замуж за Баррейро, а Серж, ее сын, которого Надежда родила от мужа Евгении, был твоим дедом. Ну-ка, расскажи поподробнее!

Изабелла пересказала все то, что ей было известно о своем происхождении. Наталья, выслушав ее, покачала головой:

— Обеим не повезло. Надин, которую предал собственный сын, умерла в психушке, Евгения пропала где-то в Сибири, в то время как ее сын, мой отец, попал в детский дом.

Она откупорила еще одну бутылку шампанского.

— Кем ты мне приходишься? Троюродной племянницей? А я, получается, твоя тетка? Вот это да! Судьба любит подшучивать — надо же, Евгении и Надежде не довелось больше встретиться после памятной ночи в Гамбурге, зато встретились мы.

Изабелла все еще не могла прийти в себя. Наталья, которую она ненавидела, которая едва не отобрала у нее Алекса и которую она хотела убить, оказалась ее родственницей. А ведь если посудить, больше-то в этом мире у нее никого и нет — если не считать фанатички-матери, заживо похоронившей себя в монастыре.

— Надо же, Изабелла, какие мы с тобой непохожие, — сказала Наталья. — Ты живешь в Коста-Бьянке и говоришь по-испански, я — в России, и мой родной язык русский. У тебя кофейная кожа, у меня — аристократическая бледность. Ты — президент своей страны, я же глава подвластной только мне финансовой империи. Но мы обе любили одного человека, Алекса. Честно, я больше не претендую на него! И раз мы встретились, то не будем повторять ошибок Надежды и Евгении.

— Ты права, — ответила Изабелла. — Ты совершенно права, тетя! Вместе мы добьемся очень многого!

— Я тоже так думаю, дорогая племянница, — сказала Наталья. — И скажу честно: я чертовски рада, что ты оказалась мне не чужой.

— И я тоже, — ответила Изабелла совершенно искренне.

Рахиль, ходившая из угла в угол все четыре часа, пока отсутствовала Изабелла, с криками бросилась к ней, когда Изабелла появилась в комнате придорожного мотеля, где они остановились.

— Ну что, ты убила ее? — спросила Рахиль, держась за нательный крестик.

— Мы заключили с ней тайное соглашение, — сказала Изабелла. — Я получаю Алекса, она получает часть империи Теодора. А она не такая уж и мерзавка, как я погляжу. И, кроме того, она моя тетка. Что, удивлена? Расскажу все в самолете, нам пора в Эльпараисо, и как можно быстрее!

Через два дня Алекс сделал Изабелле предложение.

— Как же долго я ждала этого, Алекс, — прошептала Изабелла. — Сбылись все мои мечты...

Алекс не мог поверить, что обе его возлюбленные оказались вдруг родственницами. И более того, он никак не ожидал, что их ненависть внезапно перерастет в дружеский союз. Все это виделось первой ступенькой к счастью Изабеллы и Алекса — к их свадьбе.

Со свадьбой решили не спешить, сначала Изабелла должна была разрешиться от бремени. 29 мая она родила очаровательного мальчика, которого назвали Александриньо. По случаю появления на свет малыша были устроены народные празднества. Изабелла, прижав к себе сына, была счастлива. У нее есть страна, у нее есть Алекс, у нее есть сын...

Даже архиепископ Флориан, казалось, изменил свое отношение к Изабелле. Он пожаловал к ней в палату больницы, чтобы заключить мир.

— Изабелла, я был неправ, — сказал он. — Я когда-то любил тебя, затем ненавидел, а сейчас понимаю: ты имеешь право на счастье. Ты разрешишь мне крестить Александриньо?

Она согласилась.

Хозяйка Изумрудного города

Со всей страны потянулись делегации с поздравлениями, ее заваливали письмами, открытками, телеграммами, электронными сообщениями. В день крестин Флориан преподнес ей роскошный подарок — изумительной красоты бриллиантовое ожерелье, в центре которого ослепительно мерцал огромный треугольный изумруд.

— Это «Звезда Коста-Бьянки», он был найден в шахте, принадлежавшей твоему прадеду Ринальдо Баррейро, в 1907 году. Изумруд после огранки весит 68 каратов, Изабелла. Он — уникум, этому ожерелью нет цены... Его когда-то надевала твоя прабабка Надин, и то всего один раз. Потом эту драгоценность приобрел государственный музей Коста-Бьянки. Но я договорился, ты имеешь право взять его на один день...

Изабелла, облаченная в белое платье, с ожерельем, в центре которого переливалась «Звезда Коста-Бьянки», вместе с Алексом присутствовала в соборе Богородицы на крещении Александриньо. Она пригласила и Наталью, которую попросила стать крестной матерью малыша.

— Это будет знаменовать собой наше окончательное примирение, — сказала Изабелла.

Наталья с радостью согласилась.

Вслушиваясь в пронзительную органную музыку, которая заполняла собор, глядя на Алекса и Александриньо, Изабелла едва сдерживала слезы. Флориан осторожно опустил малыша в серебряную купель.

Вечером, после торжественной церемонии, архиепископ преподнес ей еще одно ожерелье, точную копию того, что она надевала на крестины сына.

— Это, конечно же, не «Звезда Коста-Бьянки», но, Изабелла, прошу тебя, прими его от меня в знак примирения.

— Ты же знаешь, Флориан, как я люблю драгоценности, — сказала Изабелла. — Но какая искусная копия... Благодарю тебя!

А через месяц разгорелся непомерный скандал. В государственном музее обнаружили, что ожерелье, гордость Коста-Бьянки, сокровище, принадлежавшее всему народу, на самом деле подделка. Колье планировалось отправить на выставку ювелирных раритетов в Швейцарию, и эксперты страховой компании, проводившие его оценку, выяснили, что в пуленепробиваемом боксе находится не подлинник, а первоклассная фальшивка.

Изабелла узнала об этом из газет. Авторы статьи задавались вопросом — как же получилось, что бриллиантовое ожерелье с бесценным изумрудом было похищено? И где настоящие камни? Ответ предлагался такой — его экспроприировала Изабелла Баррейро ди Сан-Стефано. Тут же давалась цветная фотография госпожи президента на церемонии крестин ее первенца: Изабелла в белоснежном платье, с ожерельем вокруг шеи.

— Страсть Изабеллы к драгоценностям широко известна, но всему есть границы, — гневно писали анонимные журналисты. — Какое право имеет госпожа президент похищать камень стоимостью в пятнадцать миллионов долларов и заменять его подделкой? Такая ли святая наша Белла?

Изабелла попыталась связаться с архиепископом, но ей сказали, что его высокопреосвященство уехал по срочным делам в Ватикан и связаться с ним не представляется возможным.

Эта статья была началом грязной кампании. Газеты, журналы, телеканалы, до этого восхвалявшие Изабеллу, все как один обрушились на нее с критикой. Шесть тысяч платьев, тысяча двести пар обуви, две тысячи шляп, драгоценности, антиквариат, автомобили... Возникли из небытия свидетели ее карьеры проститутки, которые живописали, как госпожа президент была искусна в постели. Некоторые ее коллеги-журналисты заявляли, что своим успехом на телевидении Изабелла была обязана тому, что спала с продюсерами канала.

— Введи цензуру, заткни им рты, — уговаривала ее Рахиль. — Белла, это может окончиться катастрофой. Они делают из тебя монстра.

— Они этого и ждут, тогда они разорвут меня в клочья. Кто-то добивается от меня диктаторских действий.

Хозяйка Изумрудного города

У нас же провозглашена свобода слова, — отвечала ей Изабелла.

Простой народ изумлялся — святая Белла на самом деле была великой грешницей. Вместо восторженных писем она стала получать послания, полные гнева, оскорблений и грязи. Политические обозреватели в один голос заявляли, что Изабелле самое время подать в отставку и уйти с политической арены.

— Она — наследница кровавого диктатора Рамона ди Сан-Стефано, в конце концов, она даже не избрана народом, как несчастный президент Диего Сантьяго, а пришла к власти на волне народного отчаяния и повсеместной скорби после гибели мужа. Да и ее супруг както подозрительно удачно погиб в авиакатастрофе, кто знает, не скрывается ли за этим рука прекрасной и порочной Изабеллы?

Изабелла впала в отчаяние. Алекс пытался убедить ее выступить перед народом, она это и сделала, но впервые за многие годы ее не слушали, освистали и забросали бутылками и тухлыми яйцами. Телеканалы дали этот позор в прямом эфире, особо отмечая, что в тот день Изабелла была одета в платье от Версаче и на ней были драгоценности от Картье.

— Она тратит наши деньги на себя и свою клику. Она лгала нам долгие годы. Изабелла — обманщица и предательница!

Потрясением было появление на телеэкране матери Изабеллы, которая в течение тридцати лет была монахиней. Урсула, родившая Изабеллу от хозяина дома, в котором работала, превратилась в ханжу, ее голова была забита церковными догмами.

— Изабелла порождение сатаны, она плод греха и разврата, — твердила Урсула, похожая на сушеную треску. — Она не вспомнила обо мне ни разу, не навестила меня, не прислала ни одного письма... Я проклинаю ее, она не моя дочь!

Изабелла, которая и не знала, что ее мать до сих пор жива (Урсуле было всего сорок семь), впала в шок. Она сумела выяснить, что за атакой прессы стоит Теодор

Коваччо. Олигарх жаждал восстановить утраченные позиции и решил уничтожить Изабеллу.

— Я не уйду в отставку, экономические реформы в стране только начались, — твердо заявила Изабелла. — Я согласна в течение трех месяцев провести свободные и многопартийные выборы. И я верю, что стану победителем. Да, в моей жизни было много ошибок, но я горжусь тем, что судьба позволила мне возглавить такую прекрасную страну, как Коста-Бьянка. Я люблю тебя, Коста-Бьянка!

Этот лозунг — «Я люблю тебя, Коста-Бьянка!» — и стал ее слоганом. Изабелла начала подготовку к предвыборной кампании с твердым намерением победить...

В конце июля наступило затишье. Атаки средств массовой информации стихли, Изабелла вздохнула с облегчением: ей требовалась передышка. Она даже взяла недельный отпуск, чтобы расслабиться и насладиться семейной жизнью с Алексом и Александриньо.

31 июля Алекс отбыл в Южную Африку, чтобы присутствовать на переговорах с концерном «Де Бирс» по поводу продажи нескольких изумрудных шахт. Изабелла осталась в Эльпараисо. Выборы были назначены на 12 октября. У нее оставалось не так уж много времени, чтобы победить. Но она верила — президентом изберут именно ее.

Последний день июля завершался. Нестерпимая жара расплылась в воздухе, Изабелла работала в кабинете над своей речью перед профсоюзами горнодобывающей промышленности. Она ни за что не позволит повториться кошмару, когда ее освистали и закидали мусором.

Изабелла ощущала непонятную легкую тревогу. Она осталась в столице совсем одна. Рахиль была в Австрии, где ей при помощи лазера корректировали зрение, Наталья находилась в Москве.

Пробило четверть двенадцатого, когда Изабелла услышала легкий шум за дверью кабинета. Кто смеет беспокоить президента страны? Массивные двери распахнулись, в кабинет вошли вооруженные люди.

— В чем дело? — спросила Изабелла.

Хозяйка Изумрудного города

Она оглянулась — представителей спецслужб, которые день и ночь охраняли ее дворец и ее кабинет, не было. Что с ними? В колыбели, мирно посапывая, спал Александриньо.

Она узнала вошедших. Начальник Генерального штаба, один из военных, которого она считала лояльным и преданным ей, заместитель министра обороны, шеф эльпараисской полиции, несколько крупных военных чинов. Все они были вооружены.

— Изабелла Баррейро ди Сан-Стефано, — сказал генерал, начальник Генерального штаба, — вы арестованы!

— Генерал Луардес, что вы такое говорите?

Изабелла, оценив ситуацию, попыталась выиграть время. Итак, военный переворот, о возможности которого она забыла. Теперь ясно, зачем организовывалась ее травля в прессе и на телевидении. Теодор Коваччо намеревался вернуться к власти, установить очередную военную диктатуру, поэтому и подготавливалась благодатная почва для путча.

Генерал Нанито Луардес подошел к Изабелле и с размаха ударил ее по щеке. Александриньо, проснувшись от шума, пронзительно закричал.

— Прошло твое время, шлюха! — проревел Луардес, тыкая Изабелле в лицо пистолетом. — Собирайся немедленно! Ты больше не президент Коста-Бьянки. С этой секунды новый глава государства — это я!

— Вы думаете, генерал, — вытирая кровь с лица, произнесла Изабелла, — что продержитесь у власти? Меня освободит народ, он меня любит, я его Белла!

Луардес выволок Изабеллу из кресла.

— Ты последняя дрянь, Изабелла. Народу ты больше не нужна! Но на всякий случай мы не будем повторять ошибок моих предшественников, которые не рискнули отправить тебя на тот свет. Еще до рассвета ты будешь мертва, а потом народу придется смириться, что его Беллы более нет в живых. Взять ее!

Солдаты схватили Изабеллу. Александриньо надрывался от истошного крика. Генерал Нанито Луардес вытащил малыша из колыбели, поднял его высоко над головой и произнес:

— Твоего ублюдка мы отправим в монастырь, там ему самое место. Ты достаточно развратила страну, нам нужен железный кулак и военная дисциплина. Я вышибу дух из твоего любовника Алекса, отправлю на виселицу всех мятежников и свободомыслящих. Изабелла, твоя эра прошла. Суд будет через два часа, а через пять часов тебя расстреляют! Уведите экс-президента!

Генерал положил малыша в колыбель и уселся в кресло.

— И позовите этих чертовых журналюг, я сейчас запишу обращение к народу, которое утром пойдет в эфир. Я, новый президент Коста-Бьянки, желаю сообщить всему миру, что Изабелла мертва.

Ей не оставалось ничего другого, как подчиниться грубой силе. Изабелла, в легком платье, под конвоем военных, спустилась в подвалы президентского дворца, которые больше походили на казематы — раньше здесь избавлялись от неугодных. Изабелла положила конец этой страшной традиции, а генерал Луардес собирался возобновить ее. И его первой жертвой должна стать она, Изабелла.

Изабеллу поместили в небольшую камеру без окон. Она лишена всего — свободы, Алекса, сына. И скоро лишится жизни. Как она подозревала, генералы занимались дележом власти. Они выбрали крайне удачный момент для мятежа. Рядом с ней никого нет.

У нее отобрали часы, Изабелла не знала, сколько ей еще оставалось жить. Похоже, наставал самый ответственный момент в ее жизни. Что же, если ей суждено умереть, то она сделает это достойно.

Металлическая дверь распахнулась, в камеру вошел низенький католический священник.

— Дочь моя, — произнес он, — желаешь ли ты облегчить свою душу покаянием?

— Вы тоже на их стороне, — сказала Изабелла.

Значит, они на самом деле решили убить ее. Тайно, без свидетелей. Они боятся ее, раз поступают так трусливо.

Хозяйка Изумрудного города

— Я на стороне истины, дочь моя, — развел руками священник.

— Нет, мне ни за что не стыдно, я не собираюсь приносить покаяние, — сказала Изабелла.

Священник покинул ее, Изабелла осталась одна. Ей принесли скромную трапезу, она ни к чему не притронулась.

В камере вновь появились посетители, на сей раз это был шеф столичной полиции. Изабелла сама выступила в его защиту, когда зашла речь о том, чтобы его, ставленника Теодора Коваччо, сместить с должности и предать суду.

— Изабелла, — сказал он, — прошу вас, следуйте за мной. Мне не хотелось бы применять к вам силу, так что подчиняйтесь, это будет благоразумнее всего. Ваша участь решена.

— Знаете, полковник, в жизни я все же допустила одну ошибку, — сказала Изабелла, — мне стоило согласиться с Рамоном, вы бы сейчас сидели в тюрьме, а не я!

Не дав прикоснуться к себе, Изабелла легкой поступью вышла в коридор. Надо же, как все преобразилось. Темные бетонные стены были освещены горящими факелами. Кто-то хотел сделать из ее казни дешевое зрелище.

На запястьях Изабеллы защелкнулись наручники, она пошла по коридору, сопровождаемая вооруженными военными. Она проходила мимо солдат, и многие из них, не в силах вынести ее взгляда, опускали глаза в пол. Они все еще преклонялись перед ней... Но разве это поможет ей выжить?

Они прошли в полукруглый зал, также освещенный факелами и огромным полыхающим камином. Блики огня плясали на лицах нескольких человек, сидевших за прямоугольным столом, покрытым черной материей. На стене висел герб Коста-Бьянки.

С четырех сторон были установлены видеокамеры, которые фиксировали происходящее. Итак, они осудят ее, убьют и покажут это по телевидению, чтобы никто не сомневался в ее смерти.

Генерал Луардес, возглавлявший президиум, уже

облаченный в белоснежную маршальскую форму с огромными золотыми звездами, массой орденов и президентской лентой, провозгласил громовым голосом:

— Подсудимая, садитесь!

Для нее приготовили деревянную табуретку напротив стола с судьями. Изабелла, оттолкнув ее, сказала:

— Я предпочту стоять.

Судьи переглянулись. Их сценарий нарушился. Новый президент Коста-Бьянки не дал отвлечь себя от основной цели, ради которой они и собрались, — судилища над Изабеллой.

Он открыл кожаную папку и стал быстро зачитывать преступления, в которых обвинялась Изабелла: финансовые траты, сотрудничество с мятежниками, геноцид...

— Что вы можете сказать по существу обвинений? Изабелла произнесла:

— Только то, что они нелепы, как нелепо и это позорное зрелище. Вы, господа, преступники, и вам это хорошо известно. Вы боитесь меня, вы боитесь народа Коста-Бьянки, вы боитесь самих себя, поэтому и не посмели предать меня открытому суду. Если я на самом деле виновна во всех этих жутких преступлениях, то я требую тщательного разбора дела.

— Подсудимая, вы сказали свое последнее слово, — прогремел Луардес. — Суд вынес решение по вашему делу...

Один из военных протянул ему другую папку с заранее заготовленным текстом. Нанито Луардес провозгласил:

— Постановлением военного суда вы, Изабелла Вероника Мария Баррейро ди Сан-Стефано, бывшая президент Республики Коста-Бьянка, за многочисленные преступления против законности и народа нашей страны приговариваетесь к смертной казни. Приговор будет приведен в исполнение немедленно!

Он с треском захлопнул папку и положил ее на стол.

— Вот и все, Изабелла, — сказал Луардес. — Ваше

шоу окончилось. Вы сами станете к стенке или я прикажу моим подчиненным заставить вас сделать это?

Изабелла поняла, что выхода нет. Ей осталось жить всего несколько минут.

— Мне не требуется ваша помощь, чтобы умереть, — сказала Изабелла.

— Прошу вас, госпожа экс-президент, — Луардес стал сама любезность. — Вы отказались от услуг падре.

— У меня есть последнее желание, я хочу увидеть своего сына, — произнесла Изабелла.

Новый президент покачал головой:

— Это невозможно. Больше у вас нет никаких желаний?

— Только одно — видеть вас на скамье подсудимых, — сказала Изабелла. Ей внезапно стало холодно. Неужели настало время умирать?

Самопровозглашенный президент страны подписал смертный приговор, свои подписи поставили и другие судьи. Тем временем в зал вошли пятеро вооруженных солдат.

— К стенке, госпожа Баррейро ди Сан-Стефано, — сказал Луардес. — Достаточно разговоров.

Изабелла прошла к противоположной стенке, прижалась к бетону и замерла. Она отказалась от черной повязки на глаза. Руки, заведенные за спину, были скованы наручниками.

— Как она великолепна, — прошептал один из судей.

Изабелла, в тонком белом платье, с высоко поднятой головой, спокойно смотрела на солдат. Луардес произнес:

— Приготовиться!

Солдаты направили на нее оружие.

— Прощайте, Изабелла, — рассмеялся Луардес и добавил: — Огонь!

Изабелла была готова услышать, как стреляют пистолеты. Выстрелов не последовало.

— В чем дело?! — закричал взбешенный Луардес. — Стрелять, я сказал!

Один из солдат, опустив оружие, произнес:

— Господин маршал, мы не можем... Мы не можем стрелять в Изабеллу.

— Дурак, предатель, трус! — заорал Луардес. Он подскочил к солдату, выхватил у него пистолет и выстрелил тому в грудь. — Вот тебе, мерзавец, ты не подчиняешься приказам своего президента!

Затем он навел пистолет на Изабеллу.

— Никто не хочет пачкать руки, но я не побоюсь, — отчеканил он.

Раздался выстрел. Затем еще один. Изабелла не понимала, в чем дело. Луардес не мог промахнуться, он целился ей прямо в голову. Новый президент республики пошатнулся и стал оседать на пол.

— Боже мой, — прошептал один из судей. — Луардес, что с ним?

Маршал вытянулся на полу. Изабелла оглянулась. Другой солдат опустил пистолет, из которого он только что застрелил нового президента.

— Измена! — пронзительно закричал шеф полиции Эльпараисо. — Он убил Луардеса. Кто же станет президентом?

— Я, — раздался знакомый Изабелле голос.

Из коридора появился Алекс, державший автомат. Вслед за ним вошло еще несколько человек с оружием.

— Алекс! — закричала Изабелла.

— Именем республики вы арестованы, господа заговорщики, — сказал Алекс. — Изабелла, ты в порядке?

— Да, — ответила она.

Алекс подошел к ней и поцеловал.

— Я так ждала тебя, — прошептала она. — А что это ты сказал насчет того, что собираешься стать следующим президентом?

— Да есть у меня одна мысль, — ответил Алекс.

Камеры, мерно стрекоча, беспристрастно фиксировали все происходящее.

ЭПИЛОГ

*Эльпараисо, столица Республики Коста-Бьянка,
14 сентября 2002 года*

— Господин президент, господин президент! — раздавались восторженные крики. Черный «Ягуар» плавно затормозил перед величественным зданием государственной оперы Коста-Бьянки.

— И Белла, наша Белла! Ура!!!

Прошел год с момента неудавшегося путча военных. За это время изменилось многое. Алекс и Изабелла сочетались браком спустя месяц после судьбоносных событий, и сразу после этого Изабелла объявила, что уходит в добровольную отставку. Эта новость стала мировой сенсацией.

— Я предпочту роль супруги и матери, я достаточно сделала для Коста-Бьянки, — сказала она в своем эксклюзивном интервью известному репортеру Би-би-си Мартину Баширу.

— И вы не сожалеете о том, что теряете власть? — задал он вопрос.

Изабелла, держа на руках Александриньо, мягко улыбнулась, словно объясняла прописную истину:

— Я ничего не потеряла, так как приобрела все то, о чем мечтала. Вы знаете, все мои мечты сбылись...

У нее был Алекс, у нее был Александриньо...

На президентских выборах при ее поддержке победителем стал Алекс Коваччо. Он обошел двадцать девять других кандидатов, набрав почти девяносто три процента голосов. Международные организации признали легитимность выборов — впервые в Коста-Бьянке появился подлинно всенародный президент.

Не последнюю роль в победе Алекса сыграла его очаровательная жена, бывшая президент Изабелла Баррейро ди Сан-Стефано-Коваччо. Былые скандалы забылись, после демонстрации пленки, записанной в подвалах дворца, где ее едва не расстреляли, она снова стала прежней Беллой. Уже не Беллой Святой, а просто Беллой — НАШЕЙ ЛЮБИМОЙ БЕЛЛОЙ.

— Ты счастлива, дорогая? — спросил ее в день выборов Алекс.

— Да, — ответила Изабелла. — Я счастлива.

Алекс был приведен к присяге на площади, при огромном стечении народа. Он продолжил взвешенную политику Изабеллы. Бывшая президент возобновила свое ток-шоу «Прямой разговор», которое било все рекорды популярности. Причем Изабелла, невзирая на ранги и чины, подвергала безжалостной критике недостатки правовой и экономической системы в Коста-Бьянке. Ей ли, экс-главе государства, не знать их лучше всего?

— А как же ваши три тысячи платьев и тысяча шляпок? — задавали ей вопросы американские журналисты.

Изабелла вздыхала:

— Их теперь уже не тысяча, а всего двести... Я понимаю, это мой порок, но могу я иметь хотя бы один недостаток?

В тот день, 14 сентября, они принимали Великого князя Бертранского Клода-Ноэля I Гримбурга, который прибыл с первым государственным визитом в Коста-Бьянку. Великий князь, высокий лысоватый щеголь лет пятидесяти, наговорил Изабелле массу комплиментов.

— Если бы вы не были замужем, то я предложил бы вам руку и сердце, — сказал ей Клод-Ноэль.

В последний день пребывания в Эльпараисо Великого князя было запланировано совместное посещение президентской четой и высоким коронованным гостем государственной оперы, где давали «Травиату».

— Господин президент, Белла! — раздавались оглушительные вопли толпы.

Хозяйка Изумрудного города

Дверь президентского лимузина распахнулась, появился Алекс, облаченный в черный смокинг, малыш Александриньо, которого держала на руках Рахиль. И она!

— Изабелла, наша Изабелла, наша любимая Белла! — скандировала толпа.

Сенсацией последней недели была распространенная информация о том, что Изабелла ожидает ребенка, на этот раз девочку. За здоровье молодой мамы и ее будущей малышки молилась вся Коста-Бьянка. Имя малышки пока не было известно, что подогревало всеобщий интерес.

Изабелла шагнула на красную ковровую дорожку. Заблистали вспышки фотокамер, по толпе пронесся единый вздох восхищения.

На ней было золотистое, похожее на старинное платье, вокруг шеи сверкало то самое злополучное ожерелье со «Звездой Коста-Бьянки». Оно действительно было у нее, архиепископ Флориан пытался объяснить это тем, что он по ошибке перепутал оба ожерелья, оставил у Изабеллы подлинник, а копию вернул в музей. После путча и победы Алекса на выборах было принято великодушное решение даровать Изабелле право носить это колье без права его продажи.

— В конце концов, драгоценности созданы для того, чтобы украшать, а не лежать под стеклом, — объяснил это решение директор государственного музея.

— Как они вас любят, — с грустью произнес Великий князь Бертранский Клод-Ноэль. — А вот мои подданные ко мне равнодушны...

Князь появился в сопровождении изящного юного мулата, которого представил своим личным секретарем.

— После трагической гибели моей супруги, Великой княгини Клементины, я зарекся появляться на публике с женщинами. Мне священна память о ней, ее никто не заменит... Разве что вы, мадам, — сказал он Изабелле.

Когда президентская чета, Великий князь и его личный секретарь появились в главной ложе театра, присутствовавшие разразились громовыми аплодисментами. И все знали — аплодисменты, восхищение и любовь предназначались только ей.

Изабелле!

— Прелестный театр, прелестный, — комментировал происходящее князь Клод-Ноэль Гримбург. — Чиноччито, прошу тебя, сядь рядом со мной, — обратился он к юному мулату. И пояснил Изабелле: — Я так привязался к бедному мальчику...

Раздалась гениальная музыка Верди. «Травиата» началась.

В антракте появился архиепископ Флориан Эльпараисский. Бледный, осунувшийся, он походил на свою жалкую копию.

— Флориан, — обратилась к нему Изабелла, — я хочу просить тебя стать крестным отцом моей дочери...

— О да, — ответил согласием архиепископ, и его темные глаза блеснули. — О да, Изабелла, с превеликой радостью.

Опера продолжилась. В темноте, наслаждаясь музыкой, Изабелла чувствовала, как Алекс сжимает ее ладонь. Рядом сидела Рахиль с сопящим Александриньо на руках. В одной из лож для VIP-персон располагалась Наталья с сыном и дочерью.

Изабелла знала, что достигла всего. Власть, богатство, любовь, Александриньо и дочка, уже шевелящаяся в животе... И она обрела подругу, родственницу и финансового советника в одном лице — Наталью.

Утром накануне визита в оперу Рахиль призналась ей:

— Я обращалась к картам, чтобы узнать твое будущее, Белла. Они сказали, что тебе стоит бояться безумца с пистолетом. Но ты пережила покушение. А значит, победила судьбу.

Наступала кульминация. Изабелла закрыла глаза. Как же она счастлива! За что судьба так милостива к ней?

Музыка гремела.

Дверь президентской ложи отворилась, снова показался архиепископ Флориан. Замерев на пороге, он произнес:

Хозяйка Изумрудного города

— Господин президент, у меня для вас трагическое известие!

Алекс, сидевший в кресле, полуобернулся. Великий князь Клод-Ноэль, быстро убравший руку с коленки своего секретаря-мулата, кашлянул.

— Ваше высокопреосвященство, это не может подождать до завершения оперы? — сказал президент Алекс Коваччо.

— Нет! — провозгласил Флориан.

— Так в чем же дело? — спросил Алекс.

Сцена в президентской ложе уже привлекла внимание зала, многие смотрели не на сцену, а вверх, на Алекса и Изабеллу.

— Господин президент, — скривившись в ужасной улыбке, продолжил Флориан. — Вы стали вдовцом!

Его рука, в которой был зажат пистолет, вынырнула из складок красного одеяния архиепископа.

Слова потонули в двух выстрелах, раздавшихся один за другим. Последовал легкий крик. Изабелла, схватившись за резные подлокотники кресла, попыталась подняться, но у нее ничего не получилось.

— Боже, я ранен! — завопил Клод-Ноэль, которому пуля оцарапала щеку. — Боже, он едва не убил меня. Я умираю!

Изабелла странно закашляла и закрыла глаза.

— Белла! — страшно закричала Рахиль, бросаясь к ней. — Он попал в Беллу!

Флориан, продолжая улыбаться, поднял пистолет и направил его на двух охранников, готовых броситься на него.

— Я любил ее и люблю! — закричал он диким, сумасшедшим голосом. — Это я подговорил Карлоса Родригеса стрелять в Беллу в день венчания с Рамоном! Я не мог вынести, что она достанется моему брату! Ты не досталась мне — не досталься никому!

Архиепископ поднес пистолет к виску и выстрелил еще раз. Раздались крики в зале, началась всеобщая паника.

— Он застрелился! — прошептала Рахиль. — Безумец с пистолетом, вот о ком говорили карты... О, Белла! Скорее врача!

Алекс склонился над Изабеллой. Ее ресницы затрепетали. Она открыла глаза. С губ стекала тонкая струйка крови.

— Алекс... — прошептала она. — Наша дочка...

— Все будет хорошо! — Президент Коваччо подхватил жену на руки. — Дорогу мне! Ты выдержишь, Белла, я знаю!

— Алекс... — повторила Изабелла. — Знай, я люблю тебя... Только тебя.

Она потеряла сознание у него на руках, посередине лестницы, когда Алекс нес ее к лимузину.

Коста-Бьянка погрузилась в трепетное ожидание. Невероятная и чудовищная новость о том, что архиепископ Эльпараисский стрелял в Изабеллу, а затем покончил жизнь самоубийством, облетела весь мир в считаные минуты.

Перед президентским дворцом возникли тысячи, десятки тысяч, сотни тысяч скорбящих, неутешных и молящихся. Все надеялись только на одно — на исцеление Изабеллы.

Горы цветов, мириады трепещущих на ветру свечей — и всеобщее ожидание.

Алекс, который всю ночь провел без сна, на грани безумия, сам был в неведении. Изабеллу, потерявшую сознание, в окровавленном платье, отняли у него. Лучшие хирурги страны пытались спасти ее жизнь и жизнь еще не родившейся малышки.

— Алекс, ты должен держаться, — сказала ему Наталья той ночью. — Изабелла... Даже если ее не станет... У тебя остался сын, Александриньо. И страна. Не забывай об этом. Но я уверена — она выживет.

— Что ты намереваешься делать? — спросил Наталью Алекс.

— Вернусь в Россию, — ответила Короткова. — В прошлом июне у нас в стране намечались президентские выборы, однако главный фаворит, Дмитрий Черноусов, неожиданно застрелился. Выборы перенесли на год. У меня есть подходящий человек, который сможет заменить его. Большая политика — вот о чем я всегда мечтала. Или мне, по примеру Изабеллы, самой податься в президенты?

Рахиль судорожно вопрошала карты, желая узнать, что станет с Изабеллой. В ту ночь Алекс ощутил, как сильно он любит Изабеллу.

После шести часов операции, утром следующего дня, к Алексу, который сидел в холле президентской клиники имени самой Изабеллы, вышел главный хирург.

Алекс побледнел. Он следил за тем, как врач усталым жестом стянул маску с лица. Изабелла умерла, мелькнула у него четкая мысль. Ее не удалось спасти. И что же он будет теперь делать?

— Господин президент, — сказал хирург, — примите мои самые искренние поздравления. Вы стали отцом. На свет появилась девочка, правда, на два месяца раньше срока, но, я думаю, опасность миновала.

— А Изабелла! — вскричал Алекс. — Что с ней?

Хирург откинул со лба слипшиеся от пота седые волосы и сказал:

— Госпожа Ковачо потеряла много крови, это просто чудо и провидение господне, что она осталась жива. В подобных случаях я всегда говорю — кому-то там, на самом верху, кажется, что призывать ее к себе рано. Она сейчас спит, кризис еще не миновал, но состояние стабильное. Она выкарабкается!

— Я хочу ее видеть, — сказал Алекс.

Хирург отрицательно покачал головой:

— Увы, это невозможно, господин президент...

— Возможно, — прервал его Алекс. — Проведите меня к ней! Я хочу видеть свою жену!

Алекс, Рахиль и Наталья оказались около стеклянной стены, которая отделяла их от палаты, где лежала Изабелла. Бледная, хрупкая и беззащитная, она совсем не походила на себя прежнюю. Ее опутывали трубки и провода, мерцали медицинские приборы, вокруг Изабеллы суетились врачи.

— Как же она красива, — прошептала Наталья. — Теперь я понимаю, почему ты выбрал ее, Алекс. Кстати, я думаю, Изабелла не будет иметь ничего против, если мы назовем ее малышку двойным именем: Евгения-Надежда.

— Великолепный выбор, — одобрила Рахиль. — Боже, карты сообщили мне, что Белла проживет еще шестьдесят...

Гадалка мгновенно умолкла под грозным взглядом Алекса.

Наталья положила ему руку на плечо.

— Изабелла знает, что ты выдержишь, — произнесла она. — Я же говорила с ней о тебе... Она любит тебя и верит... Верит, что ты справишься, Алекс. Никогда не следует заменять мечтами реальную жизнь. Но именно мечты и позволяют тебе добиться всего. Все у вас будет хорошо. Ну, и у меня тоже!

Алекс прислонился лбом к прозрачной стене, за которой спала его Изабелла.

— Знаешь, Наташа, — сказал он. — Я благодарен тебе. Обещаю тебе, я не брошу ни нашего сына, ни Коста-Бьянку. Изабелла нужна мне больше жизни. И я сделаю мечты явью.

Он вздрогнул: Изабелла, которая находилась за звуконепроницаемой прозрачной стеной, вдруг улыбнулась во сне. Как будто она его слышала. А вдруг и правда слышала?

И Алекс, улыбнувшись Изабелле в ответ, прошептал фразу, которую повторяли миллионы жителей страны, президентом которой он был:

— Я люблю тебя, Белла!

Литературно-художественное издание

Леонтьев Антон Валерьевич

ХОЗЯЙКА ИЗУМРУДНОГО ГОРОДА

Ответственный редактор *О. Рубис*
Редактор *В. Ротов*
Художественный редактор *А. Сауков*
Технический редактор *О. Куликова*
Компьютерная верстка *Г. Клочкова*
Корректор *О. Ямщикова*

В оформлении переплета использована иллюстрация
художника *В. Остапенко*

ООО «Издательство «Эксмо»
127299, Москва, ул. Клары Цеткин, д. 18, корп. 5. Тел.: 411-68-86, 956-39-21.
Интернет/Home page — www.eksmo.ru
Электронная почта (E-mail) — **info@ eksmo.ru**

По вопросам размещения рекламы в книгах издательства «Эксмо»
обращаться в рекламное агентство «Эксмо». Тел. 234-38-00.

Оптовая торговля:
109472, Москва, ул. Академика Скрябина, д. 21, этаж 2.
Тел./факс: (095) 378-84-74, 378-82-61, 745-89-16, многоканальный тел. 411-50-74.
E-mail: **reception@eksmo-sale.ru**

Мелкооптовая торговля:
117192, Москва, Мичуринский пр-т, д. 12/1. Тел./факс: (095) 411-50-76.
1 марта 2004 года открывается новый мелкооптовый филиал ТД «Эксмо»:
127254, Москва, ул. Добролюбова, д. 2. Тел. (095) 780-58-34

Книжные магазины издательства «Эксмо»:
Супермаркет «Книжная страна». Страстной бульвар, д. 8а. Тел. 783-47-96.
Москва, ул. Маршала Бирюзова, 17 (рядом с м. «Октябрьское Поле»). Тел. 194-97-86.
Москва, Пролетарский пр-т, 20 (м. «Кантемировская»). Тел. 325-47-29.
Москва, Комсомольский пр-т, 28 (в здании МДМ, м. «Фрунзенская»). Тел. 782-88-26.
Москва, ул. Сходненская, д. 52 (м. «Сходненская»). Тел. 492-97-85.
Москва, ул. Митинская, д. 48 (м. «Тушинская»). Тел. 751-70-54.
Москва, Волгоградский пр-т, 78 (м. «Кузьминки»). Тел. 177-22-11.

ООО Дистрибьюторский центр «ЭКСМО-УКРАИНА». Киев, ул. Луговая, д. 9.

Северо-Западная компания представляет весь ассортимент книг
издательства «Эксмо». Санкт-Петербург, пр-т Обуховской Обороны, д. 84Е.
Тел. отдела реализации (812) 265-44-80/81/82.

Сеть книжных магазинов «БУКВОЕД». Крупнейшие магазины сети «Книжный супермаркет»
в Загородном, д. 35. Тел. (812) 312-67-34 и Магазин на Невском, д. 13. Тел. (812) 310-22-44.
Сеть магазинов «Книжный клуб «СНАРК» представляет самый широкий ассортимент книг
издательства «Эксмо». Информация о магазинах и книгах в Санкт-Петербурге по тел. 050.

Подписано в печать с готовых монтажей 02.02.2004.
Формат 84х108^1/32. Гарнитура «Таймс». Печать офсетная.
Бум. тип. Усл. печ. л. 20,16. Уч.-изд. л. 18,3.
Доп. тираж 5 000 экз. Заказ № 8761.

Отпечатано в полном соответствии с качеством
предоставленных диапозитивов в Тульской типографии.
300600, г. Тула, пр. Ленина,109 .

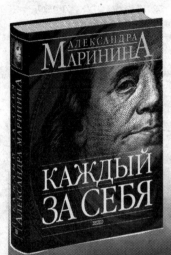